Thaï

Bruce Evans

lonely planet

guide de conversation

Guide de conversation *Thaï 1*

Traduit de l'ouvrage *Thai phrasebook (6th edition), September 2008*

place des éditeurs

Traduction française : © Lonely Planet 2008,
12 avenue d'Italie, 74627 Paris cedex 13
☎ 01 44 16 05 00
lonelyplanet@placedesediteurs.com
www.lonelyplanet.fr

Dépôt légal
Octobre 2008
ISBN 978-2-84070-721-9

illustration de couverture
Toutes les rivières mènent à Bangkok, de Yukiyoshi Kamimura

Imprimé en France par E.M.D.
N° d'impression : 19892

remerciements

Ce guide de conversation *Thaï* a été conçu par les éditions Lonely Planet. Bruce Evans s'est chargé de la traduction en thaï, des transcriptions et de l'aspect culturel.

Responsable éditorial : Didier Férat
Coordination éditoriale : Dominique Bovet
Coordination graphique : Jean Noël Doan
Traduction et adaptation en français : Carole Sithivong

Un grand merci à Nathalie Abdallah, à Nattaya Kensingh et à Paméla Sithivong pour leur précieuse contribution au texte. Tous nos remerciements vont également à Cécile Bertolissio et Juliette Stephens dont le précieux secours a permis le bon achèvement de cet ouvrage.

La maquette et les illustrations de ce guide ont été créées par Yukiyoshi Kamimura, David Kemp et Katherine Marsh. Pierre Bréghaux les a adaptées pour l'édition française. La couverture, conçue par Yukiyoshi Kamimura, a été adaptée en français par Pauline Requier. Waine Murphy a créé la carte de répartition de la langue et Nicolas Chauveau l'a adaptée en français.

Sachez tirer parti de votre guide ...

Nous pouvons tous parler une langue étrangère ! Tout est question de confiance en soi. Peu importe s'il ne vous reste rien de vos cours de langue à l'école. Si vous assimilez aujourd'hui ne serait-ce que les expressions de base reproduites sur la couverture de ce guide, votre voyage en sera métamorphosé. N'hésitez pas, profitez de cette porte ouverte sur la Thaïlande, lancez-vous dans l'aventure de la communication !

comment se repérer

Ce guide est divisé en sections, matérialisées par des onglets de longueur différente. La partie **basiques** expose les bases du thaï. Il sera votre référence permanente. La partie **pratique** présente les situations usuelles en voyage, comme trouver un bus ou une chambre d'hôtel. La partie **en société** vous offre les clés des rapports sociaux : comment engager une conversation ou exprimer une opinion. Une section entière, **à table**, est consacrée à l'alimentation, avec des rubriques gastronomie, plats végétariens et spécialités locales. La partie **urgences** aborde les problèmes de sécurité et de santé en voyage. Un index détaillé, situé en fin d'ouvrage, répertorie les différentes questions abordées. Il est complété d'un **dictionnaire** bilingue (français/thaï et thaï/français).

pour vous exprimer

Chaque phrase et expression en thaï de ce guide est accompagnée de sa transcription phonétique (matérialisée par les phrases de couleur) pour vous aider à prononcer si vous ne maîtrisez pas l'alphabet thaïlandais. Notre système de transcription est expliqué en détail dans le chapitre **prononciation** de la partie **basiques**. Il ne requiert pas d'apprentissage spécifique.

les petits plus

Le langage du corps, les habitudes locales ou l'humour sont déterminants dans chaque culture. Les encadrés *expressions courantes* ou *parler local* vous montrent les expressions typiques ou celles qui reviennent souvent dans la vie de tous les jours. Par ailleurs, les encadrés *panneaux* vous expliquent les panneaux que vous risquez de croiser.

SOMMAIRE

thaï première langue
thaï deuxième langue

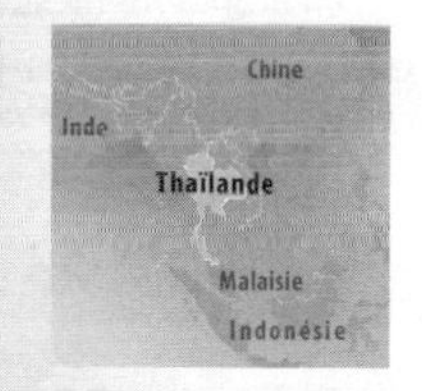

Pour plus de détails voir l'introduction

INTRODUCTION

คำนำ

Bordée par le Cambodge, le Laos, la Malaisie et la Birmanie, le royaume de Thaïlande a des airs de Tour de Babel en raison des nombreux dialectes qui sont parlés du nord au sud. Ce qui est connu sous le nom de thaï standard est en fait un dialecte parlé à Bangkok et dans les provinces environnantes. Le thaï standard est la langue officielle utilisée dans l'administration, l'éducation et les médias. La plupart des thaïs la comprennent, même s'ils parlent un autre dialecte. Ainsi, tous les mots et toutes les phrases de ce guide sont traduites en thaï standard.

Le thaï fait partie du groupe des langues tai, expliquant ainsi sa ressemblance avec les langues parlées dans les pays limitrophes de la Thaïlande. Parmi celles-ci, il y a le lao (au Laos), le kampti (en Inde) et le lü (en Chine). Le thaï isan est une langue parlée dans le nord-est de la Thaïlande, elle est identique au lao d'un point de vue linguistique. Le thaï a emprunté un certain nombre de mots à des langues telles que le môn (Birmanie) et le khmer (Cambodge). D'autres langues anciennes continuent à influencer le thaï. De la même manière que l'anglais est associé au latin et au grec ancien et que ces deux langues ont participé à la création de nouveaux mots et à l'établissement de règles de grammaire, le sanskrit et le pali sont les modèles linguistiques du thaï. Plus récemment, l'anglais a eu une influence importante sur le thaï, en particulier dans le domaine des technologies et des affaires.

Les caractères raffinés qui composent l'écriture thaïe sont souvent une source de fascination pour ceux qui la rencontrent pour la première fois. À cause de leur courbure, on a l'impression que les symboles sont tous

en bref...

langue :
thaï, siamois
nom thaï :
ภาษาไทย praa-săa trai
famille linguistique :
langues tai
nombre approximatif de locuteurs :
25–37 millions
langues proches :
kampti, khmer, lao, lü, môn, nhang, shan, zhuang

entremêlés, mais chacun se décompose en unité alphabétique à part entière. Il existe 44 consonnes classées en trois catégories selon le type de voyelles avec lesquelles elles sont associées. Les voyelles sont représentées par des symboles ou par des combinaisons de symboles, qui peuvent se placer avant, après, au-dessus, en dessous ou même autour de la consonne. Le gouvernement thaï a instauré le "Royal Thai General Transcription System" (ou RTGS) selon lequel l'alphabet latin est utilisé pour retranscrire le thaï. Il s'agit d'une méthode standard que vous pouvez rencontrer dans les documents officiels, sur la route ou sur les cartes et les plans. Ce système est pratique pour l'écrit, mais il l'est moins pour représenter tous les sons de la langue thaïe. Dans ce guide, nous avons combiné une phonétique basée sur la prononciation du thaï quand on le parle.

La structure de la société thaïe nécessite différents registres de langue selon la personne à qui vous vous adressez. Afin de simplifier les choses, nous avons choisi le registre qui correspond le plus au contexte de chaque phrase. Le thaï est une langue logique et malgré certaines difficultés, appréhender une phrase est plus facile qu'il n'y paraît. Ce guide comprend les phrases écrites en thaï ainsi que leur transcription. Ainsi, si vous n'y arrivez pas, vous pourrez montrer à votre interlocuteur la phrase que vous voulez dire.

Ce guide contient aussi les mots utiles afin d'obtenir ce que vous désirez, ainsi que des phrases amusantes et spontanées pour une bonne connaissance de la Thaïlande et de ses habitants. Les contacts que vous établirez en pratiquant le thaï rendront votre voyage exceptionnel. Vous aurez les informations locales, l'occasion de faire de nouvelles rencontres et une certaine satisfaction sur le bout de la langue, alors ne restez pas planté là, dites quelque chose !

abréviations utilisées dans ce guide

f	féminin
inf	informel
m	masculin
pl	pluriel
pol	forme polie

Certains sons en thaï n'existent pas en français. C'est pourquoi certains mots paraissent difficiles à prononcer. Soyez persévérant ! Les Thaïs apprécieront vos efforts et vous aideront en cas de besoin. Dans tous les cas, gardez le sourire et lancez-vous. Vous serez surpris de voir combien quelques mots – les plus utiles – suffisent à se faire comprendre.

voyelles

Les voyelles thaïes se prononcent comme les mots français de la liste ci-dessous. Les accents placés au-dessus des voyelles (comme à, é et ò) représentent les différents tons (voir la page suivante).

symbole	voyelle thaïe	équivalent français	exemple thaï	transcription
a	_ะ / _ั_	chat	จะ / วัน	tyà/wan
aa	_า	pâle	มา	maa
am	_ำ	drame	คำ	dam
ao	เ_า / _าว	lao	เรา / ลาว	rao/lao
ai	ใ_ / ไ_	ail	ใจ / ไฟ	tyai/fai
e	เ_ / เ_ะ	blé	เลข / เตะ	lêk/te
ei	แ_ / แ_ะ	beige	แกง / แนะ	keing/néi
i	_ิ	lit	ปิด	pìt
ii	_ี	ouïe	ปี	pii

eu	_ึ / _ื / _ือ / เ_อ / เ_อะ / เ_ิ	bleu	ลึก / ลืม / มือ / เบอร์ / เถอะ / เปิด	léuk/leum/ meu/beu/ leu/pèut
eua	เ_ือ / เ_ือะ	eu·a	เรือ	reu·a
o	โ_ / โ_ะ	pot	โทร / โต๊ะ	tro/tó
or	_อ / เ_าะ	or	นอก / เกาะ	nôrk/kòr
ou	_ุ / _ู /	nous	ปลุก / ลูก	plouk/loûk
oy	อย	bok choy	สร้อย	sôy

tons

En écoutant un Thaï parler, vous remarquerez que certaines voyelles se prononcent avec un ton haut/montant ou un ton bas/descendant, et que d'autres oscillent et créent des sonorités chantantes. Cela s'explique par le fait que le thaï, comme beaucoup d'autres langues asiatiques, utilise un système de tons pour bien distinguer les mots. Il y a 5 tons en thaï : moyen/plat, bas, descendant, haut et montant. Les accents/signes diacritiques situés au-dessus des voyelles indiquent le ton à employer. Le ton moyen n'est pas marqué.

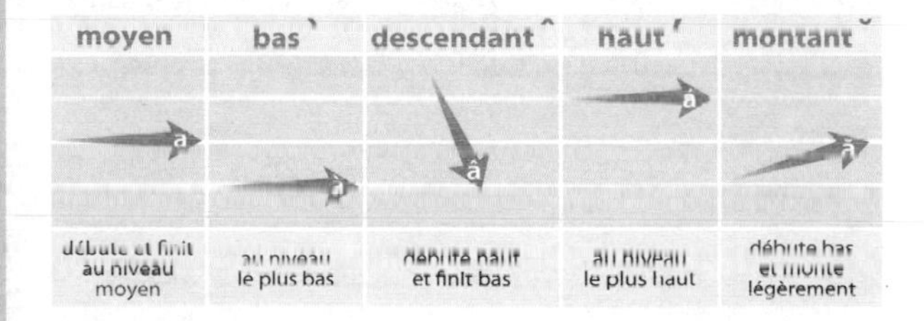

consonnes

La plupart des consonnes du système phonétique thaï se prononcent comme en français.

symbole	consonne thaïe	équivalent français	exemple thaï	exemple
b	บ	**bol**	บาท	bàat
ch	ฉ / ช / ฌ	**chat**	ฉัน / ชา / ฌาน	chăn/chaa/ chaan
d	ด / ฎ	**dix**	ดี / ฎีกา	dii/dii-kaa
f	ฝ / ฟ	**feu**	ฝน / ไฟ	fŏn/fai
h	ห / ฮ	**h -** (comme help en anglais)	หา / ฮิต	hăa/hit
(non retrans-crit)	อ	**hibou** (non prononcé et non retranscrit)	อากาศ	aa-kàat
k	ก	**kilo**	กาแฟ	kafei
kr	ข / ค / ฆ	**cri**	ขา / คน / ฆาต	krăa/kron/ kraat
l	ล / ฬ	**livre**	ลิง / กีฬา	ling/kii-laa
m	ม	**moi**	มา	maa
n	ณ / น	**nous**	เณร / นก	nen/nók
ng	ง	**sing**	งู	ngou
p	ป	**pot**	ปลา	plaa
pr	ผ / พ / ภ	**prix**	ผม / พบ / ภาค	prŏm/próp/ praak
r	ร	**rat** ("r" roulé)	รู้	róu
s	ซ / ศ / ษ / ส	**sel**	ซุป / ศีรษะ / สี	soup/sĭi-sà/ sĭi
t	ฏ / ต	**toi**	ปฏิ / ตา	pati/taa

tr	ถ / ท / ธ / ฐ / ฑ / ฒ	train	สถานที่ / ธุระ / ฐานะ	sà-trăan-trîi/ tróu-rá/ traa-na
ty	จ	tien	จริง	ty-ing
w	ว	wagon	วัด	wát
y	ญ / ย	yoyo	หญิง / ยาย	yǐng/yai

syllabes

Dans ce guide, nous avons utilisé des tirets pour séparer les syllabes d'un même mot. Ainsi, le mot fà-ràng-sèt (français) est-il composé de trois syllabes distinctes : fà, ràng et sèt.

Certains mots sont divisés par un point · , ceci afin de séparer les voyelles entre elles, et d'éviter les erreurs de prononciation. Par exemple, le mot krĭi·an se prononce en une seule syllabe, mais il est composé de deux voyelles distinctes.

Vous rencontrerez aussi parfois des virgules dans les transcriptions phonétiques. Celles-ci indiquent les moments où vous devez marquer une pause afin d'éviter des erreurs d'interprétation d'une phrase.

à vous !

Si, à première vue, le thaï vous paraît difficile, ne vous découragez pas. Cela s'explique par le fait que nous n'avons pas l'habitude de prononcer certains sons en thaï qui n'existent pas en français. Parlez lentement et suivez les transcriptions phonétiques en couleur situées à côté de chaque phrase. Si on ne vous comprend toujours pas, montrez la phrase en thaï que vous souhaitez dire à votre interlocuteur. Le plus important est de rire de ses erreurs et de persévérer. Gardez à l'esprit que pratiquer une langue étrangère reste avant tout amusant et ludique.

Ce chapitre présente la grammaire de base du thaï, expliquée avec des termes simples. Classée par ordre alphabétique, elle vous aidera à former vos propres phrases. En espérant que cela vous encouragera à aller au-delà des phrases proposées dans ce guide et que vous vous ferez votre propre expérience en matière de communication. La grammaire du thaï est relativement simple et repose sur un système logique, cela devrait vous encourager.

adjectifs et adverbes voir la rubrique **qualificatifs**

avoir

Le verbe "avoir" se traduit simplement par mii มี qui se place devant l'objet :

J'ai une bicyclette.
ผม/ดิฉันมีรถจักรยาน prŏm/dì-chăn mii rót-tyàk-kà-yaan **m/f**
(litt : je avoir bicyclette)

Avez-vous des nouilles sautées ?
มีก๋วยเตี๋ยวผัดไหม mii kŏu·ay-tĭa·ow pràt măi
(litt : avoir nouille frire ou pas)

Voir également la rubrique **possession**.

ceci, cela

Les mots nîi นี่ (ceci) et nân นั่น (cela/ça) se prononcent avec un ton descendant lorsqu'ils servent de pronoms :

Qu'est-ce que c'est ?
นี่อะไร nîi à-rai
(litt : ceci quoi)

Combien cela/ça coûte ?

นั่นเท่าไร	nân trâo rai (litt : cela/ça combien)

Cependant, lorsqu'ils sont employés avec un nom, ils se prononcent avec un ton haut (nán นั้น, níi นี้) et comme les adjectifs en thaï, ils suivent le nom auquel ils se rapportent :

ce bus	รถเมล์คันนี้	rót me kran níi (litt : bus ce)
cette assiette	จานนี้	tyaan níi (litt : assiette cette)

Pour dire "ces/ceux-ci" et "ces/ceux-là" ajoutez le mot lào เหล่า devant níi et nán et prononcez avec un ton haut :

ceux-ci	เหล่านี้	lào níi
ceux-là	เหล่านั้น	lào nán
ces poulets-ci	ไก่เหล่านี้	kài lào níi (litt : poulet ceux-ci)

classificateurs voir la rubrique **expression de la quantité**

comparaison

En thaï, il existe une formule très simple pour comparer des choses entre elles. Ajoutez kwàa กว่า (se traduit par "plus") à l'adjectif. Pour dire qu'une chose est le/la meilleur(e), ajoutez thîi sùut ที่สุด **(se traduit par "le plus").**

bien	ดี	dii
mieux	ดีกว่า	dii-kwàa
le meilleur	ดีที่สุด	dii trîi sòut

D'autre part, pour comparer quelque chose ou quelqu'un par rapport à leur état antérieur ou postérieur, les termes krêun (ขึ้น, littéralement "plus") et long (ลง, littéralement "moins") sont employés à la place de kwàa.

La pièce devient plus chaude.
ห้องกำลังร้อนขึ้น hôrng kam-lang rórn krêun
(litt : pièce devenir chaud plus)

La pièce devient plus fraîche.
ห้องกำลังเย็นลง hôrng kam-lang yen long
(litt : pièce devenir frais moins)

Pour dire que deux choses sont semblables, utilisez mĕu·an kan เหมือนกัน (est/sont le/la/les même(s)) ou mĕu·an kàp เหมือนกับ (est/sont le/la/les même(s) que) :

Les coutumes thaïes sont les mêmes.
ประเพณีไทยเหมือนกัน prà-pre-nii trai mĕu·an kan
(litt : coutume thaï sont-les-mêmes)

Cette chose-ci est la même que cette chose-là.
อย่างนี้เหมือนกับอย่างนั้น
yàang níi mĕu·an kàp yàang nán
(litt : chose celle-ci est-la-même-que chose celle-là)

conjonctions

Ces conjonctions servent à relier deux phrases entre elles :

et	และ	léi
parce que	เพราะว่า	prór wâa
mais	แต่	tèi

ou	หรือ	rěu
ainsi	เพื่อ	prêu·a
donc	เพราะฉะนั้น	prór chà-nán
avec	กับ	kàp (signifie aussi "et", comme dans "riz et curry")

demandes et requêtes

Le mot krŏr est employé pour formuler des demandes formelles. Selon le contexte, c'est en quelque sorte l'équivalent de "S'il vous plaît, donnez-moi un/une…" ou "Pourrais-je avoir un/une…" À noter que krŏr se place toujours au début d'une phrase et sert souvent de conjonction avec la particule de "politesse" nòy (un peu), prononcé avec un ton bas à la fin de la phrase :

Pourrais-je avoir du riz ?

ขอข้าวหน่อย — krŏr krâao nòy
(litt : krŏr riz nòy)

Pour demander à quelqu'un de faire quelque chose, commencez la phrase par chôu·ay ช่วย. Pour suggérer à quelqu'un de faire quelque chose, utilisez cheun เชิญ. L'équivalent qui se rapproche le plus en français, est "s'il vous plaît" ou "veuillez" :

Fermez la fenêtre, s'il vous plaît.

ช่วยปิดหน้าต่าง — chôu·ay pìt nâa-tàang
(litt : chôu·ay fermer fenêtre)

Veuillez vous asseoir.

เชิญนั่ง — cheun nâng
(litt : cheun asseoir)

Pour exprimer l'urgence, utilisez sì สิ à la fin de la phrase :

Fermez la porte !

ปิดประตูสิ — pìt prà-tou sì
(litt : fermer porte sì)

BASIQUES

désigner quelque chose

Lorsque vous voulez introduire la notion de "il y a", pour décrire une chose qui se trouve ailleurs, le verbe mii มี (avoir) est utilisé à la place de pen เป็น (voir aussi la rubrique **être**) :

À Bangkok il y a beaucoup de voitures.

ที่กรุงเทพฯมีรถยนต์มาก trîi kroung trêp mii rót-yon mâak
(litt : à Bangkok mii voiture beaucoup)

À Wat Pho il y a une grande statue de Bouddha.

ที่วัดโพธิ์มีพระพุทธรูปใหญ่
trîi wát pro mii prá-próut-trá-rôup yài
(litt : à Wat Pho mii Bouddha statue grande)

Voir également les rubriques **avoir** et **ceci, cela**.

être

Le verbe pen เป็น est l'équivalent du verbe "être" en français, mais avec quelques différences notables. Il sert à relier les noms ou les pronoms.

Je suis enseignant(e).

ผม/ดิฉันเป็นครู prŏm/dì-chăn pen krou **m/f**
(litt : je pen enseignant(e))

Ce chien est un chien à crête dorsale.

หมานี้เป็นหมาหลังอาน măa níi pen măa lăng aan
(litt : chien ce pen chien crête dorsale)

Il ne peut pas servir à relier les noms et les adjectifs, le nom est directement suivi de l'adjectif, sans aucun verbe :

Je suis gelé(e).

ผม/ดิฉันหนาว prŏm/dì-chăn năao **m/f**
(litt : je froid)

Le mot pen a aussi d'autres significations, telles que "avoir" quand celui-ci décrit l'état d'une personne :

J'ai de la fièvre.

ผม/ดิฉันเป็นไข้ — prŏm/dì-chăn pen krâi **m/f**
(litt : je pen fièvre)

Elle a un rhume.

เขาเป็นหวัด — krăo pen wàt
(litt : elle pen rhume)

Il peut aussi servir à montrer une aptitude :

Elle sait jouer de la guitare.

เขาเล่นกีตาร์เป็น — krăo lên kii-taa pen
(litt : elle jouer guitare pen)

Voici une question que vous entendrez souvent en Thaïlande :

Est-ce que vous mangez thaï ?

คุณทานอาหารไทยเป็นไหม
kroun traan aa-hăan trai pen măi
(litt : vous manger nourriture thaïe pen măi)

À savoir "Pouvez-vous manger épicé ?" (voir la rubrique **questions et réponses** pour l'explication de măi).

Voir aussi les rubriques **désigner quelque chose** et **verbes**.

expression de la quantité

Généralement en français, on ne peut pas juste associer un nombre à un nom. On utilise un mot supplémentaire qui servira à "classifier" le nom. Celui-ci sert aussi à dénombrer. Par exemple, on dira "trois paires de chaussettes" au lieu de "trois chaussettes". Le mot "paire" ne classifie pas seulement les chaussettes mais aussi les chaussures, les lunettes, etc. En thaï, vous devez toujours employer un classificateur lorsque vous voulez préciser la quantité d'une certaine catégorie d'objets. Le classificateur se place toujours après le nom et le nombre. Par exemple :

Quatre maisons.

บ้านสี่หลัง bâan sìi lăng
(litt : maison quatre lăng)

Voici quelques exemples de classificateurs en thaï :

animaux, mobilier, vêtements	ตัว	tou·a
livres, bougies	เล่ม	lêm
œufs	ฟอง	forng
verres (d'eau, thé)	แก้ว	kêi·ow
maisons	หลัง	lăng
lettres, journaux	ฉบับ	chà-bàp
moines, images de Bouddha	รูป	rôup
morceaux, tranches (gâteaux, tissu)	ชิ้น	chín
pilules, graines, petites pierres précieuses	เม็ด	mét
assiettes, verres, pages	ใบ	bai
assiettes de nourriture	จาน	tyaan
rouleaux (papier toilette, film)	ม้วน	móu·an
famille royale, stupas	องค์	ong
timbres, planètes, étoiles	ดวง	dou·ang
petits objets	อัน	an
trains	ขบวน	krà-bou·an
véhicules (vélos, voitures, wagons)	คัน	kran

Si vous ne connaissez pas (ou si vous avez oublié) le classificateur adéquat, vous pouvez utiliser le mot an อัน pour désigner la plupart des petits objets. Quelquefois les Thaïs répètent le nom de l'objet plutôt que d'employer un classificateur.

Pour en savoir plus sur les classificateurs, voir le chapitre **nombres et quantités**, p. 35.

formes de politesse voir la rubrique **pronoms**

futur voir la rubrique **verbes**

genre

Le pronom "je" change selon le sexe de la personne qui parle. Ainsi, un homme se désignera en disant prŏm ผม (je, moi) alors qu'une femme dira dì-chăn ดิฉัน (je, moi). Lorsqu'on veut être poli, il est d'usage d'ajouter le mot kráp ครับ (si vous êtes un homme) ou krâ ค่ะ (si vous êtes une femme), c'est un marqueur de politesse supplémentaire qui se place à la fin des questions et des phrases.

Dans ce guide, vous verrez souvent le symbole **m/f** à savoir masculin/féminin. Chaque fois qu'une phrase est suivie de **m/f** vous devrez choisir entre prŏm et dì-chăn ou kráp et krâ en fonction de votre sexe. Par exemple, dans la phrase :

Je ne comprends pas.
ผม/ดิฉันไม่เข้าใจ prŏm/dì-chăn mâi krăo tyai **m/f**

Un homme dira "prŏm mâi krâo tyai" alors qu'une femme dira "dì-chăn mâi krâo tyai". Il existe également une forme neutre du pronom "je", chăn ฉัน, cependant nous ne l'utiliserons pas dans ce guide car il s'agit d'une forme informelle.

le/la/les voir la rubrique **un/une et le/la/les**

localisation

Il y a des prépositions qui servent à localiser ou à établir les relations entre les objets ou les personnes. Au lieu de désigner du doigt, voici quelques mots utiles :

à côté de	ติดกับ	tìt kàp
autour	รอบ	rôrp
à	ที่	trîi
au bord de	ริมกับ	rim kàp
depuis	จาก	tyàak
dans	ใน	nai
à l'intérieur	ภายใน	prai nai
sous/dessous	ใต้	tâi
avec	กับ	kàp

Voir également le chapitre **orientation**, p. 61.

mon/ma/mes et ton/ta/tes voir la rubrique **possession**

mots interrogatifs

La plupart des locuteurs français accentueront instinctivement les phrases interrogatives en thaï. Toutefois essayez d'éviter de le faire car cela risque d'interférer avec les accents toniques (voir le chapitre **prononciation**, p. 11). En thaï, une question se formule à l'aide d'une "particule interrogative" placée au début ou à la fin de la phrase :

que/quoi/quel	อะไร	à-rai
De quoi avez-vous besoin ?	คุณต้องการอะไร	kroun tôrng kaan à-rai (litt : vous vouloir quoi)
comment	อย่างไร	yàang rai
Comment faites-vous ?	ทำอย่างไร	tram yàang rai (litt : faire comment)
qui	ใคร	krai
Qui est assis là ?	ใครนั่งที่นั่น	krai nâng trîi nân (litt : qui asseoir là)
quand	เมื่อไร	mêu·a rai
Quand irez-vous à Chiang Mai ?	เมื่อไรจะไป เชียงใหม่	mêu·a rai tyà pai chii·ang mài (litt : quand ira Chiang Mai)
pourquoi	ทำไม	tram-mai
Pourquoi êtes-vous silencieux	ทำไมคุณเงียบไป	tram-mai kroun ngîi·ap pai (litt : pourquoi vous silencieux)
où	ที่ไหน	trîi năi
Où est la salle de bains ?	ห้องน้ำอยู่ที่ไหน	hôrng náam you trîi năi (litt : salle de bains est où)
lequel/laquelle	ไหน	năi
Lequel/Laquelle aimez-vous ?	ชอบอันไหน	chôrp an năi (litt : aimer lequel)

négation

En thaï, la négation s'exprime généralement par l'emploi du marqueur mâi ไม่ (ne pas). mâi se place juste devant le verbe ou l'adjectif. Vous pouvez aussi utiliser plào เปล่า mais seulement en tant que conjonction dans une phrase interrogative plào (voir la rubrique **questions et réponses**).

Il/Elle n'a pas soif.
เขาไม่หิวน้ำ krăo mâi hĭ·ou náam
(litt : il/elle ne pas soif)

Je n'ai pas d'argent.
ผม/ดิฉันไม่มีสตางค์ prŏm/dì-chăn mâi mii sa-taang **m/f**
(litt : je ne pas avoir argent)

Nous ne sommes pas français.
เราไม่ได้เป็นคนฝรั่งเศส rao mâi dâi pen kron fà-ràng-sèt
(litt : nous ne pas être personne français(e))

John n'est jamais allé à Chiang Mai.
จอนไม่เคยไปเชียงใหม่ tyon mâi kreu·y pai chii·ang mài
(litt : John ne jamais aller Chiang Mai)

Nous n'irons pas à Ubon demain.
พรุ่งนี้เราจะไม่ไปอุบล prôung-níi rao tyà mâi pai òu-bon
(litt : demain nous ne pas aller Ubon)

noms

Les noms sont invariables, qu'ils soient au singulier ou au pluriel. Il n'est donc pas nécessaire de les introduire par les articles définis "un/une" ou "le/la/les".

Je suis un soldat.
ผม/ดิฉันเป็นทหาร prŏm/dì-chăn pen trá-hăan **m/f**
(litt : je être soldat)

Nous sommes soldats.
เราเป็นทหาร rao pen trá-hăan
(litt : nous être soldat)

Un verbe ou un état peuvent devenir des noms, si l'on ajoute kaan การ juste devant ceux-ci :

voyager	เดินทาง	deun traang
voyage	การเดินทาง	kaan deun traang

Les adjectifs peuvent devenir des noms, si l'on ajoute krwaam ความ devant ceux-ci :

chaud(e)	ร้อน	rórn
chaleur	ความร้อน	krwaam rórn

oui/non questions voir la rubrique **questions**

ordre des mots

En thaï, l'ordre des mots est le même qu'en français : sujet-verbe-complément.

Nous mangeons du riz.
เรากินข้าว — rao kin krâao
(litt : nous manger riz)

Vous étudiez le thaï.
คุณเรียนภาษาไทย — kroun rii·an praa-săa trai
(litt : vous étudier langue thaïe)

Quelque fois le complément d'objet se place au début pour accentuer la phrase :

Je n'aime pas ce bol.
ชามนี้ผม/ดิฉันไม่ชอบ — chaam níi prŏm/dì-chăn mâi chôrp **m/f**
(litt : bol ce je ne pas aimer)

passé voir la rubrique **verbes**

pluriel voir la rubrique **un et plus**

possession

Le mot krŏrng ของ est employé pour exprimer la possession et il est l'équivalent en français de "appartient à" ou "de":

mon sac	กระเป๋าของผม	krà-păo krŏrng prŏm (litt : sac krŏrng moi)
son siège	ที่นั่งของเขา	trîi nâng krŏrng krăo (litt : siège krŏrng lui/elle)

Est-ce que ceci vous appartient ?

นี่ของคุณหรือเปล่า — nîi krŏrng kroun rĕu plào
(litt : ceci krŏrng vous ou pas)

Présent voir la rubrique **verbes**

pronoms

Les pronoms personnels (je, tu, il, elle, etc.) ne sont pas autant employés qu'en français. En tant que sujet dans une phrase, il n'est pas nécessaire de le répéter si vous l'avez déjà énoncé une première fois, ou bien si le contexte permet de le deviner. Il n'y a pas de distinction entre le sujet et les pronoms objets, le mot prŏm ผม signifie à la fois "je" et "moi" (pour un homme), et krăo เขา veut dire "il/elle/ils/elles et "lui/la/leur".

je, moi (m)	ผม	prŏm
je, moi (f)	ดิฉัน	dì-chăn
je, moi (m&f)	ฉัน	chăn
tu, vous	คุณ	kroun
il, elle	เขา	krăo
ils, elles	เขา	krăo

En thaï, il existe des mots complémentaires aux pronoms personnels "tu" et "vous" selon le degré de politesse ou du caractère informel entre la personne qui parle et son interlocuteur :

vous (très poli – aux moines, à la famille royale)	ท่าน	trâan
tu (informel – à un enfant ou un amoureux/ une amoureuse)	เธอ	treu
tu (très informel – à un petit enfant)	หนู	nŏu
tu (vulgaire – à un(e) ami(e) proche)	มึง	meung

Ne vous inquiétez pas si vous ne savez pas lequel employer. Dans ce guide de conversation, nous avons toujours choisi d'utiliser la forme de "tu" et de "vous" la plus appropriée en tenant compte du contexte de la phrase.

Voir également la rubrique **genre**.

qualificatifs et description

Pour décrire quelque chose en thaï, il suffit de placer l'adjectif derrière l'objet que vous voulez décrire :

grande maison	บ้านใหญ่	baan yài (litt : maison grande)
petite pièce	ห้องเล็ก	hôrng lék (litt : pièce petite)
délicieuse nourriture	อาหารอร่อย	aa-hăan à-ròy (litt : nourriture délicieuse)

En thaï, les adjectifs servant à modifier une action ont aussi une fonction d'adverbes. Dans ce cas, celui-ci sera exprimé deux fois de suite et il se placera toujours après le verbe :

cheval lent	ม้าช้า	máa cháa (litt : cheval lent)

et

conduire lentement	ขับช้าๆ	kràp cháa-cháa (litt : conduire lent-lent)

voir également la rubrique **comparaison**.

questions et réponses

En thaï, il y a deux manières de formuler les questions, en utilisant des mots interrogatifs tels que "qui, comment, que, quoi" ou en ajoutant la marque de questionnement "n'est-ce pas ?" en fin de phrase.

Pour formuler une question oui-ou-non en thaï, il vous suffit de placer mǎi ไหม (dont il n'existe pas de traduction littérale) à la fin de l'énoncé :

Est-ce qu'il fait chaud ?

อากาศร้อนไหม aa-kàat rórn mǎi
(litt : temps chaud mǎi)

Pour dire "c'est ça ?" utilisez châi mǎi ใช่ไหม :

Vous êtes étudiant, c'est ça ?

คุณเป็นนักศึกษาใช่ไหม kroun pen nák sèuk-sǎa châi mǎi
(litt : vous être étudiant châi mǎi)

Le mot châi mǎi signifie aussi "n'est-ce pas ?"

Pour répondre à une question, il suffit de répéter le verbe, avec ou sans les marqueurs de la négation tels que mâi, châi mǎi, plào et yang. Le mot rěu signifie "ou", combiné à une particule négative, cela signifiera "ou pas" – la plupart du temps on ne l'utilise pas dans une question et celle-ci se termine simplement par rěu. De façon informelle, une particule négative seule signifiera une réponse négative.

Voulez-vous une bière ?		
	เอาเบียร์ไหม	ao bii·a măi (litt : vouloir bière măi)
Oui.	เอา	ao (litt : vouloir)
Non.	ไม่เอา	mâi ao (litt : ne pas vouloir)
Êtes-vous en colère ?		
	โกรธหรือเปล่า	kròt rěu plào (lit : colère rěu plào)
Oui.	โกรธ	kròt (litt : colère)
Non.	เปล่า	plào (litt : ne pas)

un/une et le/la/les

En thaï, il n'existe pas d'équivalent pour les articles français "un/une" et "le/la/les". Il vous suffit de dire le nom de l'objet , sans mettre d'article. Par exemple :

Le poste de radio ne fonctionne pas.
วิทยุเสีย — wí-trá-yóu sĭ·a
(litt : radio abîmée)

Voir également au paragraphe **noms**.

un et plus voir aussi le chapitre **nombres et quantités**

En thaï, les noms sont invariables :

La maison est grande.
Les maisons sont grandes.
บ้านใหญ่ — bâan yài
(litt : maison grande)

Le "classificateur" ou le nombre placé avant l'objet vous aidera à déterminer si le mot est au pluriel ou non.

Pour en savoir plus sur les nombres, voir la rubrique **expression de la quantité** et le chapitre **nombres et quantités** (p. 35).

verbes

Les verbes thaïs restent invariables quel que soit le temps. De ce fait, la phrase krăo kin kài เขากินไก่ signifie "Il/Elle **mange** du poulet", "Il/Elle **mangea** du poulet" ou "Il/Elle **a mangé** du poulet". Souvent, le contexte vous permettra d'identifier à quel temps est la phrase. Sinon, vous pouvez suivre l'un des exemples suivants :

• indiquez le temps avec un mot comme wan née วันนี้ (aujourd'hui) ou mêu·a waan níi เมื่อวานนี้ (hier) :

Il/Elle a mangé du poulet hier.
เมื่อวานนี้เขากินไก่ mêu·a waan níi krăo kin kài
(litt : hier il/elle manger poulet)

• ajoutez l'un des mots expliqués ci-dessous pour indiquer s'il s'agit d'une action **en cours**, **révolue** ou **qui est sur le point de s'achever** :

action en cours

Le mot kam-lang กำลัง se place devant le verbe pour marquer qu'une action est en cours, un peu comme en français "suis/es/est/sommes/êtes/sont en train de". Cependant, cela n'est pas indispensable, sauf si le locuteur veut absolument préciser que l'action est toujours en cours :

Je suis en train de faire le linge.
กำลังซักเสื้อผ้า kam-lang sák sêu·a prâa
(litt : kam-lang laver vêtements)

action révolue

En thaï, la façon la plus simple d'exprimer qu'une action est révolue, consiste à utiliser le mot léi·ow แล้ว (déjà) à la fin de la phrase :

Nous sommes déjà allés à Bangkok.

เราไปกรุงเทพฯแล้ว	rao pai kroung trêp léi·ow (litt : nous aller Bangkok léi·ow)

J'ai déjà payé.

ผม/ดิฉันจ่ายเงินแล้ว	prŏm/dì-chăn tyài ngeun léi·ow **m/f** (litt : je payer argent léi·ow)

Le mot léi·ow peut également se référer à une action en cours qui a commencé il y a peu de temps :

J'ai déjà faim.

ผม/ดิฉันหิวข้าวแล้ว	prŏm/dì-chăn hĭ·ou krâao léi·ow **m/f** (litt : je faim riz léi·ow)

Le marqueur dâi ได้ indique le passé, mais à la différence de léi·ow, il ne fait jamais référence à une action en cours. Ce marqueur précède le verbe, et est généralement utilisé comme conjonction avec léi·ow. Il est davantage employé pour exprimer une forme négative qu'une forme affirmative :

Nos ami(e)s ne sont pas allé(e)s à Chiang Mai.

เพื่อนเราไม่ได้ไปเชียงใหม่
prêu·an rao mâi dâi pai chii·ang mài
(litt : ami nous ne pas dâi aller Chiang Mai)

action sur le point de s'achever

Le mot tỳa จะ est utilisé pour marquer une action qui s'achèvera dans le futur. Il se place toujours devant le verbe :

Il/Elle achètera du riz.

เขาจะซื้อข้าว	krăo tỳa séu krâao (litt : il/elle tỳa acheter riz)

BASIQUES

Parlez-vous français ?
คุณพูดภาษาฝรั่งเศสได้ไหม — kroun prôut praa-săa fà-ràng-sèt dâi măi

Quelqu'un parle-t-il français ?
มีใครพูดภาษาฝรั่งเศสได้บ้างไหม — mii krai prôut praa-săa fà-ràng-sèt dâi bâang măi

(Me) Comprenez-vous/(Me) Comprends-tu ?
คุณเข้าใจไหม — kroun krâo tyai măi

Oui, je comprends.
ครับ/ค่ะเข้าใจ — kráp/krâ, krâo tyai **m/f**

Non, je ne comprends pas.
ไม่เข้าใจ — mâi krâo tyai

Je parle un peu.
พูดได้นิดหน่อย — prôut dâi nít nòy

Je (ne) comprends (pas).
ผม/ดิฉัน(ไม่) เข้าใจ — prŏm/dì-chăn (mâi) krâo tyai **m/f**

Comment...?	...อย่างไร	... yàang rai
prononce-t-on ceci	ออกเสียง	òrk sĭi·eing
écrit-on "Saraburi"	เขียนสระบุรี	krĭi·an sà-rà-bòu-rii

Que veut dire "anaakrot" ?
อนาคตแปลว่าอะไร — à-naa-krót plei wâa à-rai

expressions courantes

kroun prôut praa-săa trai dâi măi
คุณพูดภาษาไทยได้ไหม **Pouvez-vous parler thaï ?**

Pourriez-vous s'il vous plait… ?	…ได้ไหม	… dâi măi
répéter cela	พูดอีกที	prôut iik trii
parler plus lentement	พูดช้าๆ	prôut cháa cháa
l'écrire	เขียนลงให้ด้วย	krĭi·an long hâi dôu·ay

jeu de mots à la thaïe

Les Thaïs aiment employer des formules amusantes. Voici quelques expressions que vous pourrez tester sur place :

Attraper une sauterelle à dos d'éléphant.
(vouloir faire plus que ce dont on est capable)
ขี่ช้างจับตั๊กแตน krìi chaang tyàp ták-kà-tein

Quand vous êtes gras, vous sentez bon.
Quand vous êtes maigre, vous puez.
(Personne ne vous aime quand vous êtes fauché.)
เมื่อพีเนื้อหอม mêu·a pii néu·a hŏrm
เมื่อผอมเนื้อเหม็น mêu·a prŏrm néu·a mĕn

Vous sentez-vous prêt à impressionner les Thaïs avec leurs jeux de mots ?

trá-hăan trĕu peun bèik poun pai bòk tèuk
ทหารถือปืนแบกปูนไปโบกตึก
(Un soldat qui porte du ciment avec son arme pour retaper le bâtiment.)

BASIQUES

nombres cardinaux

เลขนับจำนวน

1	หนึ่ง	nèung
2	สอง	sŏrng
3	สาม	săam
4	สี่	sìi
5	ห้า	hâa
6	หก	hòk
7	เจ็ด	tyèt
8	แปด	pèit
9	เก้า	kâo
10	สิบ	sìp
11	สิบเอ็ด	sìp-èt
12	สิบสอง	sìp-sŏrng
13	สิบสาม	sìp-săam
14	สิบสี่	sìp-sìi
15	สิบห้า	sìp-hâa
16	สิบหก	sìp-hòk
17	สิบเจ็ด	sìp-tyèt
18	สิบแปด	sìp-pèit
19	สิบเก้า	sìp-kâo
20	ยี่สิบ	yîi-sìp
21	ยี่สิบเอ็ด	yîi-sìp-èt
22	ยี่สิบสอง	yîi-sìp-sŏrng
30	สามสิบ	săam-sìp
40	สี่สิบ	sìi-sìp
50	ห้าสิบ	hâa-sìp
100	หนึ่งร้อย	nèung róy
200	สองร้อย	sŏrng róy
1 000	หนึ่งพัน	nèung pran
1 000 000	หนึ่งล้าน	nèung láan

nombres ordinaux

เลขบอกตำแหน่ง

1er	ที่หนึ่ง	trîi nèung
2e	ที่สอง	trîi sŏrng
3e	ที่สาม	trîi săam
4e	ที่สี่	trîi sìi
5e	ที่ห้า	trîi hâa

classificateurs

ลักษณนาม

En français on utilise quelquefois des classificateurs pour exprimer la quantité. Par exemple dans des phrases telles que "trois morceaux de sucre" (et non "trois sucres") et "trois feuilles de papier" (et non "trois papiers"). En thaï, quelle que soit la chose que vous souhaitiez quantifier, vous devez employer un classificateur.

Par exemple, la question "Puis-je avoir une bouteille de bière ?" (kŏr bii·a kròu·at nèung ขอเบียร์ขวดหนึ่ง) signifie littéralement "Puis-je avoir bière une bouteille ?"

Pour d'autres exemples de classificateurs et comment les employer, voir le chapitre **grammaire**, p. 15.

signes particuliers

En français, nous pouvons seulement écrire "7", au lieu de l'écrire en toutes lettres. En thaï, en plus de l'écriture standard, il existe également une autre façon d'écrire les chiffres. Ce tableau vous aidera à déchiffrer les panneaux dans la rue, sur les portes des magasins ainsi que sur les étiquettes de prix :

1	๑	6	๖	11	๑๑	16	๑๖
2	๒	7	๗	12	๑๒	17	๑๗
3	๓	8	๘	13	๑๓	18	๑๘
4	๔	9	๙	14	๑๔	19	๑๙
5	๕	10	๑๐	15	๑๕	20	๒๐

heure

การบอกเวลา

Demander l'heure en thaï peut se révéler un véritable casse-tête. Alors qu'en Occident on divise la journée en deux périodes de douze heures, à savoir le matin et l'après-midi, le système thaï la divise en quatre périodes. Le système de la journée de 24 heures est utilisé par l'administration et par les médias. Si vous prévoyez de séjourner en Thaïlande pendant un long moment, il serait bon d'apprendre à dire l'heure selon le système des quatre périodes de six heures. La liste ci-dessous indique comment exprimer chaque heure dans ce système.

Quelle heure est-il ?	กี่โมงแล้ว	kìi mong léi·ow
minuit/6h du soir	เที่ยงคืน/หกทุ่ม	trîi·eing kreun/hòk trôum
1h (1h de la nuit)	ตีหนึ่ง	tii nèung
2h (2h de la nuit)	ตีสอง	tii sŏrng
3h (3h de la nuit)	ตีสาม	tii săam
4h (4h de la nuit)	ตีสี่	tii sìi
5h (5h de la nuit)	ตีห้า	tii hâa
6h du matin	หกโมงเช้า	hòk mong cháo
7h (1h de la matinée)	หนึ่งโมงเช้า	nèung mong cháo
11h (5h de la matinée)	ห้าโมงเช้า	hâa mong cháo
12h (midi)	เที่ยง	trîi·eing
13h (1h de l'après-midi)	บ่ายโมง	bài mong
14h (2h de l'après-midi)	บ่ายสองโมง	bài sŏrng mong
16h (4h de l'après-midi)	บ่ายสี่โมง	bài sìi mong
16h (4h de la soirée)	สี่โมงเย็น	sìi mong yen
18h (6h de la soirée)	หกโมงเย็น	hòk mong yen
19h (1h du soir)	หนึ่งทุ่ม	nèung trôum
20h (2h du soir)	สองทุ่ม	sŏrng trôum
21h (3h du soir)	สามทุ่ม	săam trôum
22h (4h du soir)	สี่ทุ่ม	sìi trôum
23h (5h du soir)	ห้าทุ่ม	hâa trôum

Pour dire les minutes, ajoutez juste le nombre de minutes après l'heure.

16h30 (4h et demie de l'après-midi)

ป่ายสี่โมงครึ่ง bài sìi mong krêung

(litt : après-midi quatre heures demie)

16h15 (4h15 de l'après-midi)

ป่ายสี่โมงสิบห้านาที bài sìi mong sìp-hâa naa-trii

(litt : après-midi quatre heures quinze minutes)

Pour donner le temps restant avant une heure, ajoutez le nombre de minutes restant avant l'heure suivante.

15h45 (3h45 de l'après-midi)

อีกสิบห้านาทีป่ายสี่โมง ìik sìp-hâa naa-trii bài sìi mong

(litt : encore quinze minutes après-midi quatre heures)

l'heure thaïe

En Thaïlande, vous pouvez entendre une personne qui arrive en retard à un rendez-vous plaisanter sur le fait qu'elle soit à "l'heure thaïe". Car la ponctualité est un concept et une habitude plutôt occidentale. Mais il y a une façon spécifiquement thaïe de demander l'heure que vous devriez apprendre, si vous ne voulez pas être en retard à votre tour.

La journée est divisée en quatre périodes. De minuit à six heures du matin, l'heure commence par le mot tii ตี (frapper) ; de six heures du matin à midi, celle-ci se termine par le mot cháo เช้า (matin) ; de midi à six heures du soir, celle-ci commence par le mot bai ป่าย (après-midi) et de six heures du soir jusqu'à minuit, celle-ci se termine par le mot trôum ทุ่ม (grand coup).

De ce fait, 3 heures du matin se dit tii săam ตีสาม (litt : frapper trois) et 21h se dit săam trôum สามทุ่ม (litt : trois grands coups).

jours de la semaine

วันแห่งสัปดาห์

lundi	วันจันทร์	wan tyan
mardi	วันอังคาร	wan ang-kraan
mercredi	วันพุธ	wan próut
jeudi	วันพฤหัสบดี	wan prá-réu-hàt
vendredi	วันศุกร์	wan sòuk
samedi	วันเสาร์	wan săo
dimanche	วันอาทิตย์	wan aa-trít

calendrier

เดือน

mois

janvier	เดือนมกราคม	deu·an má-kà-raa-krom
février	เดือนกุมภาพันธ์	deu·an koum-praa-pran
mars	เดือนมีนาคม	deu·an mii-naa-krom
avril	เดือนเมษายน	deu·an me-săa-yon
mai	เดือนพฤษภาคม	deu·an préut-sà-praa-krom
juin	เดือนมิถุนายน	deu·an mí-tròu-naa-yon
juillet	เดือนกรกฎาคม	deu·an kà-rák-kà-daa-krom
août	เดือนสิงหาคม	deu·an sĭng-hăa-krom
septembre	เดือนกันยายน	deu·an kan-yaa-yon
octobre	เดือนตุลาคม	deu·an tòu-laa-krom
novembre	เดือนพฤศจิกายน	deu·an préut-sà-tyi-kaa-yon
décembre	เดือนธันวาคม	deu·an tran-waa-krom

dates

Quel jour sommes-nous aujourd'hui ?
วันนี้วันที่เท่าไร wan níi wan trîi trâo-rai

Nous sommes le (27 septembre).
วันที่(ยี่สิบเจ็ดเดือนกันยายน)
wan trîi (yîi-sìp-tyèt deu·an kan-yaa-yon)

saisons

saison sèche (novembre à mars)	หน้าแล้ง	nâa léing
saison des pluies (juin à septembre)	หน้าฝน	nâa fŏn
saison froide (hiver)	หน้าหนาว	nâa năao
saison chaude (été)	หน้าร้อน	nâa rórn
mousson	หน้ามรสุม	nâa mor-rá-sŏum

Pour en savoir plus sur la météo, voir le chapitre **activités de plein air**, p. 147.

présent

ปัจจุบัน

maintenant	เดี๋ยวนี้	dĭi·ow níi
ce/cet/cette…	.. นี้	… níi
après-midi	บ่าย	bàai
mois	เดือน	deu·an
matin	เช้า	cháo
semaine	อาทิตย์	aa-trít
année	ปี	pii
aujourd'hui	วันนี้	wan níi
soir	คืนนี้	kreun níi

passé

อดีต

il y a (trois jours)	(สามวัน) ที่แล้ว	(săam wan) trîi léi·ow
avant-hier	เมื่อวานซืน	mêu·a waan seun
le mois	เดือน	deu·an
la semaine	อาทิตย์	aa-trít
l'année	ปี	pii
...dernier/dernière	...ที่แล้ว	... trîi léi·ow
hier soir	เมื่อคืนนี้	mêu·a kreun níi
depuis (mai)	ตั้งแต่(พฤษภาคม)	tâng tèi (préut-sà-praa-krom)
hier...	...เมื่อวาน	... mêu·a waan
après-midi	บ่าย	bài
soir	เย็น	yen
matin	เช้า	cháo

futur

อนาคต

après-demain	วันมะรืน	wan má-reun
dans (six jours)	อีก(หกวัน)	ìik (hòk wan)
le mois	เดือน	deu·an
la semaine	อาทิตย์	aa-trít
l'année	ปี	pii
...prochaine	...หน้า	... nâa
demain...	พรุ่งนี้...	prôung níi...
après-midi	บ่าย	bài
soir	เย็น	yen
matin	เช้า	cháo

jusqu'en (juin)	จนถึง(มิถุนายน)	tyon trĕung (mí-tròu-naa-yon)

dans la journée

ระหว่างกลางวัน

après-midi	บ่าย	bài
aube	อรุณ	à-roun
jour	วัน	wan
soir	เย็น	yen
midi	เที่ยงวัน	trîi-eing wan
minuit	เที่ยงคืน	trîi-eing kreun
matin	เช้า	cháo
nuit	กลางคืน	klaang kreun
lever de soleil	ตะวันขึ้น	tà-wan krêun
coucher de soleil	ตะวันตก	tà-wan tòk

Combien ça coûte ?
ราคาเท่าไร raa-kraa trâo rai

Pouvez-vous écrire le prix ?
เขียนราคาลงให้ได้ไหม krĭi·an raa-kraa long hâi dâi măi

Pouvez recompter pour moi ?
นับให้ดูได้ไหม náp hâi dou dâi măi

Puis-je avoir des petites coupures ?
ขอใบย่อยได้ไหม krŏr bai yôy dâi măi

Acceptez-vous… ?	รับ…ไหม	ráp … măi
les cartes de crédit	บัตรเครดิต	bàt kre-dìt
les cartes bancaires	บัตรธนาคาร	bàt trá-naa-kraan
les chèques de voyage	เช็คเดินทาง	chék deun traang

Je voudrais…, s'il vous plaît.	ขอ…หน่อย	krŏr … nòy
ma monnaie	เงินทอน	ngeun trorn
un remboursement	เงินคืน	ngeun kreun
un reçu	ใบเสร็จ	bai sèt
retourner ceci	เอามาคืน	ao maa kreun

Je voudrais…	ผม/ดิฉันอยากจะ…	prŏm/dì-chăn yàak tyà … **m/f**
encaisser un chèque	ขึ้นเช็ค	krêun chék
changer un chèque de voyage	แลกเช็คเดินทาง	lêik chék deun traang
changer de l'argent	แลกเงิน	lêik ngeun
retirer de l'argent au guichet	รูดเงินจากบัตรเครดิต	rôut ngeun tyàak bàt kre-dìt
retirer de l'argent	ถอนเงิน	trŏrn ngeun

Où est… ?	...อยู่ที่ไหน	… yòu trîi năi
le distributeur automatique de billets (DAB)	ตู้เอทีเอ็ม	tôu e trii em
le bureau de change	ที่แลกเงินต่างประเทศ	trîi lêik ngeun tàang prà-trêt
À combien s'élève… ?	...เท่าไร	… trâo rai
la commission	ค่าธรรมเนียม	krâa tram-nii·am
le taux de change	อัตราแลกเปลี่ยน	àt-traa lêik plìi·an
C'est…		
gratuit	ไม่มีค่าธรรมเนียม	mâi mii krâa tram-nii·am
(12) bahts	(สิบสอง) บาท	(sìp sŏrng) bàat

à propos de *kráp*

Adopter les formules correctes en Thaïlande est une bonne habitude à prendre. Vous remarquerez que certaines phrases de ce guide se terminent par le mot kráp ครับ pour un locuteur de sexe masculin ou par krâ ค่ะ pour une locutrice.

Ces mots sont placés à la fin d'une phrase lorsque vous souhaitez exprimer une marque de politesse orale supplémentaire et selon le contexte. Par exemple, la question kroun pai năi คุณไปไหน ("Où allez-vous ?" ou "Où vas-tu ?") pourrait paraître abrupte.

Il serait plus poli de dire :

kroun pai năi kráp	คุณไปไหนครับ	si vous êtes un homme,
kroun pai năi krâ	คุณไปไหนค่ะ	si vous êtes une femme.

circuler

การเดินทาง

Quel bateau va à (Ayutthaya) ?

เรือลำไหนไป (อยุธยา)	reu·a lam năi pai (à-yóut-trá-yaa)

Quel bus/songthaew va à (Ayutthaya) ?

รถเมล์/สองแถว คัน ไหนไป (อยุธยา)	rót me/sŏrng-trĕi·ow kran năi pai (à-yóut-trá-yaa)

Quel train va à (Ayutthaya) ?

รถไฟ ขบวนไหนไป (อยุธยา)	rót fai krà-bouan năi pai (à-yóut-trá-yaa)

Est-ce le… pour (Chiang Mai) ?	นี่ ...ไป (เชียงใหม่) ใช่ไหม	nîi … pai (chii·ang mài) châi măi
bateau	เรือ	reu·a
bus	รถเมล์	rót me
train	รถไฟ	rót fai

Quand passe le… bus ?	รถเมล์ คัน ... มาเมื่อไร	rót me kran … maa mêu·a rai
premier	แรก	rêik
dernier	สุดท้าย	sòut trái
prochain	ต่อไป	tòr pai

À quelle heure part-il ?

ออกกี่โมง	òrk kìi mong

À quelle heure arrive-t-il à (Chiang Mai) ?

ถึง (เชียงใหม่) กี่โมง	trĕung (chii·ang mài) kìi mong

Combien de retard aura-t-il ?

จะเสียเวลานานเท่าไร	tyà sĭ·a we-laa naan trâo-rai

Excusez-moi, ce siège est-il libre ?
ขอโทษ ครับ/ค่ะ ที่นั่งนี้ว่างไหม — krŏr trôt kráp/krâ trîi nâng níi wâang măi **m/f**

C'est ma place.
นั่นที่นั่งของ ผม/ดิฉัน — nân trîi nâng krŏrng prŏm/dì-chăn **m/f**

Pourriez-vous m'avertir quand nous arriverons à (Chiang Mai) ?
เมื่อถึง (เชียงใหม่) กรุณาบอกด้วย — mêu·a trĕung (chii·ang mài) kà-róu-naa bòrk dôu·ay

Arrêtez-vous ici, s'il vous plaît.
ขอจอดที่นี่ — krŏr tyòrt trîi nii

Combien de temps nous arrêterons-nous ici ?
เราจะหยุดที่นี่นานเท่าไร — rao tyà yòut trîi nîi naan trâo-rai

billets

Où puis-je acheter un billet ?
ต้องซื้อตั๋วที่ไหน — tôrng séu tŏu·a trîi năi

Faut-il réserver ?
ต้องจองล่วงหน้าหรือเปล่า — tôrng tyorng lŏu·ang nâa rĕu plào

Puis-je avoir un billet... pour (Chiang Mai) ?	ขอตั๋ว ...ไป (เชียงใหม่)	krŏr tŏu·a ... pai (chii·ang mài)
1re classe	ชั้นหนึ่ง	chán nèung
2e classe	ชั้นสอง	chán sŏrng
3e classe	ชั้นสาม	chán săam
enfant	สำหรับเด็ก	săm-ràp dèk
aller simple	เที่ยวเดียว	trîi·eiw di·eiw
aller et retour	ไปกลับ	pai klàp
étudiant	สำหรับนักศึกษา	săm-ràp nák sèuk-săa

expressions courantes

an nán	อันนั้น	celui-là
an níi	อันนี้	celui-ci
bor-rí-sàt trôrng trîi·eiw	บริษัทท่องเที่ยว	agence de voyages
maa/òrk cháa	มา/ออกช้า	arrivée/départ retardé(e)
chan-chaa-laa	ชานชาลา	quai
chôrng krăi tŏu·a	ช่องขายตั๋ว	guichet
taa-raang we-laa	ตารางเวลา	horaire
tem	เต็ม	complet
yók lêrk	ยกเลิก	annulé

Je voudrais une place…	ต้องการที่นั่ง …	tôrng kaan trîi nâng …
côté couloir	ติดทางเดิน	tìt traang deun
non fumeur	ในเขตห้ามสูบบุหรี่	nai krèt hâam sòup bòu-rìi
fumeur	ในเขตสูบบุหรี่ได้	nai krèt sòup bòu-rìi dâi
côté fenêtre	ติดหน้าต่าง	tìt nâa tàang

Y a-t-il… ?	มี …ไหม	mii … măi
l'air conditionné	ปรับอากาศ	pràp aa-kàat
une couverture	ผ้าห่ม	prâa hòm
un sac vomitoire	ถุงอ้วก	trŏung ôu·ak
des toilettes	ส้วม	sôu·am

Combien ça coûte ? ราคาเท่าไร raa-kraa trâo-rai

Combien de temps dure le trajet ?
การเดินทางใช้เวลานานเท่าไร kaan deun traang chái we-laa naan trâo-rai

Le trajet est-il direct ?
เป็นทางตรงไหม — pen traang trong măi

Puis-je m'inscrire sur la liste d'attente ?
จะซื้อที่นั่งสำรองได้ไหม — tyà séu trîi nâng săm-rorng dâi măi

Puis-je réserver une couchette ?
จะจองที่นอนได้ไหม — tyà tyorng trîi norn dâi măi

À quelle heure est l'enregistrement ?
จะต้องมากี่โมง — tyà tôrng maa kìi mong

J'aimerais… mon billet, s'il vous plaît.	ผม/ดิฉัน อยาก จะขอ … ตั๋ว	prŏm/dì-chăn yàak tyà krŏr … tŏu·a **m/f**
annuler	ยกเลิก	yók lêuk
modifier	เปลี่ยน	plìi·an
confirmer	ยืนยัน	yeun yan

bagages

สัมภาระ

Où puis-je trouver… ?	จะหา …ได้ที่ไหน	tyà hăa … dâi trîi năi
le tapis à bagages	ที่รับกระเป๋า	trîi ráp krà-păo
le service de consigne à bagages	ห้องฝากกระเป๋า	hôrng fàak krà păo
une consigne automatique	ตู้ฝากกระเป๋า	tôu fàak krà-păo
un chariot	รถเข็น	rót krĕn

Mes bagages ont été…	กระเป๋าของผม/ดิฉัน โดน … แล้ว	krà-păo krŏrng prŏm/ dì-chăn don … léi·ow **m/f**
endommagés	เสียหาย	sĭ·a hăi
perdus	หายไป	hăi pai
volés	ขโมย	krà-moy

C'est (ce n'est pas) le mien.
นั่น (ไม่) ใช่ของ ผม/ดิฉัน — nân (mâi) châi krŏrng prŏm/dì-chăn **m/f**

expressions courantes		
krà-păo tìt tou·a	กระเป๋าติดตัว	bagage à main
nám-nàk keun	น้ำหนักเกิน	excédent de bagage

avion

เครื่องบิน

Où arrive/d'où part le vol (TG 132) ?
เที่ยวบิน (ทีจี หนึ่งสามสอง) เข้า/ออก ที่ไหน — trîi·eiw bin (trii tyii nèung săam sŏrng) krâo/òrk trîi năi

Où se trouve(nt)… ?	… อยู่ที่ไหน	… yòu trîi năi
la navette de l'aéroport	รถบัสสนามบิน	rót bàt sà năam bin
les arrivées	เที่ยวบินขาเข้า	trîi·eiw bin krăa krâo
les départs	เที่ยวบินขาออก	trîi·eiw bin krăa òrk
les boutiques hors taxe	ที่ขายของปลอดภาษี	trîi krăi krŏrng plòrt praa-sĭi
la porte (12)	ประตูที่ (สิบสอง)	prà-tou trîi (sìp-sŏrng)

expressions courantes		
bàt krêun krêu·ang bin	บัตรขึ้นเครื่องบิน	carte d'embarquement
plìi·an krêu·ang bin	เปลี่ยนเครื่องบิน	transfert
năng-sĕu deun traang	หนังสือเดินทาง	passeport
traang pràan	ทางผ่าน	transit

bus, car et train

รถเมล์รถทัวร์ และรถไฟ

À quelle fréquence passent les bus ?
รถบัสมาบ่อยไหม — rót bàt maa bòy măi

S'arrête-t-il à (Saraburi) ?
รถจอดที่ (สระบุรี) ไหม — rót tyòrt trîi (sà-rà-bòu-rii) măi

Quel est le prochain arrêt ?
ที่จอดต่อไปคือที่ไหน — trîi tyòrt tòr pai kreu trîi năi

Je voudrais descendre à (Saraburi).
ขอลงที่ (สระบุรี) ครับ/ค่ะ — krŏr long trîi (sà-rà-bòu-rii) kráp/krâ **m/f**

bus climatisé	รถปรับอากาศ	rót pràp aa-kàat
bus de ville	รถเมล์	rót me
bus 1re classe	รถชั้นหนึ่ง	rót chán nèung
bus public	รถ บ.ข.ส.	rót bor krŏr sŏr
bus interurbain	รถบัส	rót bàt
bus ordinaire	รถธรรมดา	rót tram-má-daa
bus privé	รถวีไอพี	rót wii ai prii

Quelle gare est-ce ?
ที่นี่สถานีอะไร — trîi nîi sà-trăa-nii à-rai

Quelle est la prochaine gare ?
สถานีต่อไปคือสถานีอะไร — sà-trăa-nii tòr pai kreu sà-trăa-nii à-rai

S'arrête-t-il à (Kaeng Khoi) ?
จอดอยู่ที่ (แก่งคอย) ไหม — tyòrt yòu trîi (kèing kroy) măi

Dois-je changer de train ?
ต้องเปลี่ยนรถไหม — tôrng plìi-an rót măi

Quelle voiture est-ce (pour)… ?	ตู้ไหนสำหรับ …	tôu năi săm-rap …
(Kaeng Khoi)	(แก่งคอย)	(kèing kroy)
1re classe	ชั้นหนึ่ง	chán nèung
le wagon-restaurant	ตู้ทานอาหาร	tôu traan aa-hăan
le wagon-lit	ตู้นอน	tôu norn

PRATIQUE

Est-ce un… ?	… หรือเปล่า	… rěu plào
direct	สายตรง	săi trong
rapide	รถด่วน	rót dòu·an

Je voudrais une…	ต้องการ …	tôrng kaan …
couchette supérieure	ที่นอนชั้นบน	trîi norn chán bon
couchette inférieure	ที่นอนชั้นล่าง	trîi norn chán lâang

train	รถไฟ	rót fai
train express	รถไฟพิเศษ	rót fai prísèt
métro aérien	รถไฟฟ้า	rót fai fáa
train ordinaire	รถไฟธรรมดา	rót fai tram-má-daa
train rapide	รถไฟด่วน	rót fai dòu·an

bateau

เรือ

Comment est la mer aujourd'hui ?
วันนี้สภาพทะเลเป็นอย่างไร — wan níi sà-prâap trá-le pen yàang rai

Y a-t-il des gilets de sauvetage ?
มีเสื้อชูชีพไหม — mii sêu·a chou chîip măi

Quelle est cette île ?
นี่คือเกาะอะไร — nîi kreu kòr à-rai

Quelle est cette plage ?
นี่คือชายหาดอะไร — nîi kreu chai hàat à-rai

J'ai le mal de mer.
รู้สึกเมาคลื่น — róu-sèuk mao krlêun

cabine	ห้องนอน	hôrng norn
canal	คลอง	krlorng

capitaine	กัปตันเรือ	kap-tan reu·a
pont à voiture	ดาดฟ้าสำหรับรถ	dàat fáa săm-ràp rót
jonque chinoise	เรือสำเภา	reu·a săm-prao
ferry	เรือข้ามฟาก	reu·a krâam fâak
pont	ดาดฟ้า	dàat fáa
bateau rapide	เรือด่วน	reu·a dòu·an
ferry	เรือข้ามฟาก	reu·a krâam fâak
hamac	เปลญวน	ple you·an
bateau de location	เรือรับจ้าง	reu·a ráp tyâang
gilet de sauvetage	เสื้อชูชีพ	sêu·a chou chîip
canot de sauvetage	เรือชูชีพ	reu·a chou chîip
bateau à longue queue	เรือหางยาว	reu·a hăang yao
sampan	เรือสำปั้น	reu·a săm-pân
yacht	เรือยอชต์	reu·a yôrt

taxi, *samlor* et *tuk-tuk*

แท็กซี่ สามล้อและตุ๊กๆ

Pour les courtes distances, optez pour un moyen de locomotion amusant comme le *samlor* (săam lór สามล้อ),une sorte de tricycle pédalé par un chauffeur énergique. En ville, lorsqu'il y a trop d'embouteillages et qu'il est quasiment impossible de circuler même en săam lór, préférez la moto-taxi ou mor tou sai ráp tyâan มอเตอร์ไซค์รับจ้าง. Le tuk-tuk (touk tóuk ตุ๊กๆ) est presque un emblème des villes thaïlandaises. Cette version motorisée du tricycle-taxi doit son nom au vrombissement de son moteur lorsqu'il roule à vive allure à travers la circulation. Pour tous ces moyens de locomotion, vous pouvez toujours négocier, mais pensez aussi à donner un pourboire aux chauffeurs méritants qui auront fourni de réels efforts physiques.

Je voudrais un taxi…	ต้องการรถแท็กซี่ …	tôrng kaan rót tréik sîi…
à (9h)	ตอน (สามโมงเช้า)	torn (săam mong cháo)
maintenant	เดี๋ยวนี้	dĭ·eiw níi
demain	พรุ่งนี้	prôung níi

Est-ce que … est libre ?	… นี้ว่างหรือเปล่า	… níi wâang rĕu plào
cette moto-taxi	มอเตอร์ไซค์รับจ้าง	mor-teu-sai ráp tyâang
ce samlor	สามล้อ	săam lór
ce taxi	แท็กซี่	tréik-sîi
ce tuk-tuk	ตุ๊กๆ	tóuk tóuk

S'il vous plaît…	ขอ …	krŏr …
ralentissez	ให้ช้าลง	hâi cháa long
arrêtez-vous ici	หยุดตรงนี้	yòut trong níi
attendez ici	คอยอยู่ที่นี่	kroy yòu trîi nîi

Où est la station de taxis ?
ที่ขึ้นรถแท็กซี่อยู่ที่ไหน — trîi krêun rót tréik-sîi yòu trîi năi

Est-ce un taximètre ?
แท็กซี่คันนี้มีมิเตอร์ไหม — tréik-sîi kran níi mii mí-teu măi

Mettez le compteur, s'il vous plaît.
ช่วยเปิดมิเตอร์ด้วย — chôu·ay pèut mí-teu dôu·ay

C'est combien pour aller à… ?
ไป … เท่าไร — pai … trâo-rai

Conduisez-moi à (cette adresse).
ช่วยพาไป (ที่นี่) — chôu·ay praa pai (trîi nîi)

C'est combien ?
ราคาเท่าไร — raa-kraa trâo-rai

C'est trop cher. Pour … bahts, ça ira ?
แพงไป … บาทได้ไหม — preing pai … bàht dâi măi

voiture et moto

รถยนต์และรถมอเตอร์ไซค์

location de voiture et moto

Quel est le prix par… ?	ค่าเช่า … ละเท่าไร	krâa châo … lá trâo-rai
jour	วัน	wan
semaine	อาทิตย์	aa-trít

Est-ce que je dois déposer une caution ?
จะต้องมีเงินประกันด้วยไหม — tyà tôrng mii ngeun prà-kan dôu·ay măi

Je voudrais louer un/une…	อยากจะเช่า …	yàak tyà châo …
4x4	รถโฟร์วีล	rót fo wiin
automatique	รถเกียร์ออโต	rót kii·a or-to
voiture	รถเก๋ง	rót kĕng
jeep	รถจี๊ป	rót tyíip
manuelle	รถเกียร์ธรรมดา	rót kii·a tram-má-daa
moto	รถมอเตอร์ไซค์	rót mor-teu-sai
moto avec chauffeur	รถมอเตอร์ไซค์รับจ้าง	mor-teu-sai ráp tyâang
scooter	รถสกู๊ตเตอร์	rót sa-kóut-teu
van	รถตู้	rót tôu

Avec…	กับ …	kàp …
air conditionné	แอร์	ei
chauffeur	คนขับ	kron kràp

L'assurance est-elle incluse ?
รวมประกันด้วยไหม — rou·am prà-kan dôu·ay măi

Le kilométrage est-il inclus ?
รวมระยะทางด้วยไหม — rou·am rá-yá traang dôu·ay măi

PRATIQUE

Auriez-vous une carte routière ?
มีแผนที่ถนนไหม — mii prĕin trîi trà-nŏn măi

Puis-je avoir un casque ?
ขอหมวกกันน็อกด้วย — krŏr mòu·ak kan nórk dôu·ay

C'est une moto de combien de centimètres cubes ?
เครื่องขนาดกี่ซีซี — krêu·ang krà-nàat kìi sii-sii

Quand dois-je la rendre ?
จะต้องเอามาคืนเมื่อไร — tyà tôrng ao maa kreun mêu·a rai

sur la route

Quelle est la limitation de vitesse ?
กฎหมายกำหนดความเร็วเท่าไร — kòt-măi kam-nòt krwaam re·ow trâo-rai

Est-ce la route pour (Ban Bung Wai) ?
ทางนี้ไป (บ้านบุ่งหวาย) ใช่ไหม — traang níi pai (bâan bòung wăi) châi măi

Où puis-je trouver une station-service ?
ปั๊มน้ำมันอยู่ที่ไหน — pâm nám man yòu trîi năi

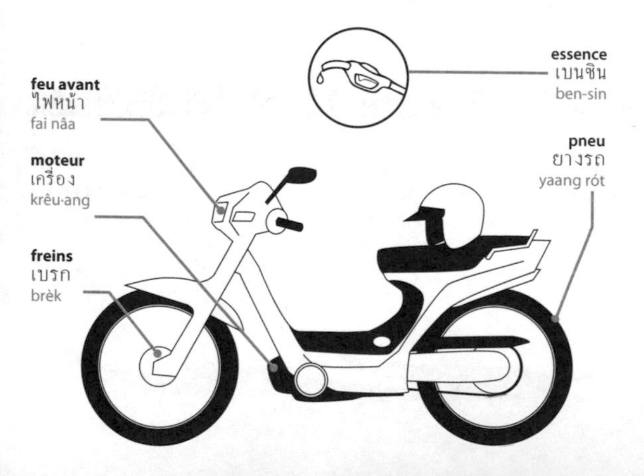

transports

Le plein, s'il vous plaît.
เติมให้เต็ม — ţeum hâi tem

Je voudrais… litres.
เอา ... ลิตร — ao … lít

diesel	น้ำมันโซล่าร์	nám man so-lâa
LPG	ก๊าซ	káat
sans plomb	ชนิดพิเศษ	chá-nít prí-sèt
super/ordinaire	ชนิดธรรมดา	chá-nít tram-má-daa

Pourriez-vous vérifier… ?	ตรวจ ... ด้วยหน่อย	tròu·at … dôu·ay nòy
l'huile	น้ำมันเครื่อง	nám man krêu·ang
la pression des pneus	ลม	lom
l'eau	น้ำ	náam

Puis-je me garer ici ?
จอดที่นี่ได้ไหม — tyort trîi nîi dâi măi

Combien de temps puis-je stationner ici ?
จอดที่นี่ได้นานเท่าไร — tyort trîi nîi dâi naan trâo-rai

Est-ce payant ?
ต้องเสียเงินไหม — tôrng si·a ngeun măi

panneaux

ทางเข้า	traang krâo	Entrée
ทางออก	traang òrk	Sortie
ให้ทาง	hâi traang	Cédez le passage
ห้ามเข้า	hâam krâo	Sens interdit
ทางเดียว	traang di·eiw	Sens unique
หยุด	yòut	Stop
ค่าผ่าน	krâa pràan	Péage

permis de conduire	ใบขับขี่	bai kràp krìi
kilomètres	กิโลเมตร	kì-lo-mét
parcmètre	มิเตอร์จอดรถ	mí-teu tyòrt rót
essence	เบนซิน	ben-sin

problèmes

J'ai besoin d'un mécanicien.
ต้องการช่างซ่อมรถ — tôrng kaan châang sôrm rót

J'ai eu un accident.
มีอุบัติเหตุ — mii òu-bàt-hèt

Le véhicule est tombé en panne (à Kaeng Khoi).
รถเสียแล้ว (ที่แก่งคอย) — rót sĭ·a léi·ow (trîi kèing kroy)

Le véhicule ne veut pas démarrer.
รถสตาร์ตไม่ติด — rót sà-táat mâi tìt

Mon pneu est à plat.
ยางแบน — yaang bein

J'ai perdu les clés de ma voiture.
ทำกุญแจรถหาย — tram koun-tyei rót hăi

J'ai enfermé mes clés dans la voiture.
ผม/ดิฉันลืมกุญแจไว้ในรถ — prŏm/dì-chăn leum koun-tyei wái nai rót **m/f**

Je suis en panne d'essence.
น้ำมันหมด — nám man mòt

Pouvez-vous réparer ça (aujourd'hui) ?
ซ่อม(วันนี้) ได้ไหม — sôrm (wan níi) dâi măi

Ça va prendre combien de temps ?
จะใช้เวลานานเท่าไร — tyà chái we-laa naan trâo-rai

vélo

รถจักรยาน

Je voudrais...	ต้องการ ...	tôrng kaan ...
faire réparer mon vélo	ซ่อมรถจักรยาน	sôrm rót tyàk-kà-yaan
acheter un vélo	ซื้อรถจักรยาน	séu rót tyàk-kà-yaan
louer un vélo	เช่ารถจักรยาน	châo rót tyàk-kà-yaan

Je voudrais un vélo...	ต้องการรถจักรยาน ...	tôrng kaan rót tyàk-kà-yaan ...
tout-terrain	ภูเขา	prou krăo
de course	แข่ง	krèing
d'occasion	มือสอง	meu sŏrng

Combien ça coûte par... ?	... ละเท่าไร	... lá trâo-rai
jour	วัน	wan
heure	ชั่วโมง	chôu·a mong

Faut-il porter un casque ?
ต้องใช้หมวกกันน็อกไหม — tôrng chái mòu·ak kan nórk măi

Mon pneu est crevé.
ยางแบนแล้ว — yaang bein léi·ow

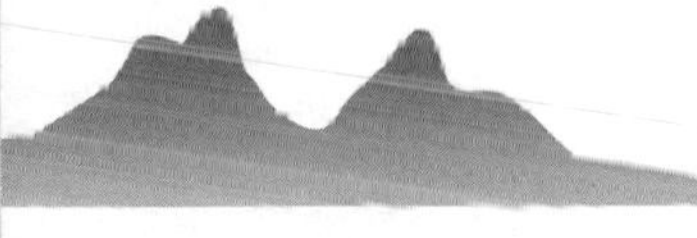

Je suis… ผม/ดิฉัน… prŏm/dì-chăn … **m/f**

- **en transit** เดินทางผ่าน deun traang pràan
- **en voyage d'affaires** มาธุระ maa tróu-rá
- **en vacances** มาพักผ่อน maa prák pròrn

Je suis ici pour… ผม/ดิฉัน มาพักที่นี่… prŏm/dì-chăn maa prák trîi nîi … **m/f**

- **(10) jours** (สิบ) วัน (sìp) wan
- **(2) mois** (สอง) เดือน (sŏrng) deu·an
- **(3) semaines** (สาม) อาทิตย์ (săam) aa-trít

Je vais à (Ayutthaya).
ผม/ดิฉันกำลังไป(อยุธยา) prŏm/dì-chăn kam-lang pai (à-yóut-trá-yaa) **m/f**

Je loge au (Bik Hotel).
พักอยู่ที่(โรงแรมบิ๊ก) prák yòu trîi (rong reim bík)

Les enfants sont sur ce passeport.
ลูกอยู่ในหนังสือเดินทางเล่มนี้ lôuk yòu nai năng-sĕu deun traang lêm níi

expressions courantes

kron di·eiw	คนเดียว	seul(e)
krôrp krou·a	ครอบครัว	famille
krá-ná	คณะ	groupe
năng-sĕu deun traang	หนังสือเดินทาง	passeport
wii-sâa	วีซ่า	visa

Je n'ai rien à déclarer.

ไม่มีอะไรที่จะแจ้ง	mâi mii à-rai trîi tyà tyêing

J'ai quelque chose à déclarer.

มีของที่จะต้องแจ้ง	mii krŏrng trîi tyà tôrng tyêing

Dois-je déclarer ceci ?

อันนี้ต้องแจ้งไหม	an níi tôrng tyêing măi

C'est (ce n'est pas) à moi.

นั่น(ไม่ใช่) ของผม/ดิฉัน	nân (mâi châi) krŏrng prŏm/dì-chăn **m/f**

Je ne savais pas qu'il fallait le déclarer.

ไม่รู้ว่าต้องแจ้งอันนี้ด้วย	mâi róu wâa tôrng tyêing an níi dôu·ay

J'ai une licence d'exportation.

ผม/ดิฉันมีใบอนุญาตส่งออก	prŏm/dì-chăn mii bai à-nóu-yâat sòng òrk **m/f**

C'est pour mon usage personnel, pas pour les revendre.

สิ่งเหล่านี้สำหรับการใช้ส่วนตัวไม่ใช่เพื่อขาย	sìng lào níi săm-ràp kaan chái sòu·an tou·a, mâi châi prêu·a krăi

panneaux

ศุลกากร	soŭn-lá-kaa-korn	douane
ปลอดภาษี	plòrt paa-sĭi	hors taxe
กองตรวจคนเข้าเมือง	korng tròu·at kron krâo meu·ang	immigration
ด่านตรวจหนังสือเดินทาง	dàan tròu·at năng-sĕu deun traang	contrôle des passeports
ด่านกักโรค	dàan kàk rôk	quarantaine

orientation

การถามทาง

Où se trouve (l'office du tourisme) ?

(สำนักงานท่องเที่ยว) อยู่ที่ไหน	(săm-nák ngaan trôrng trîi·eiw) yòu trîi năi

C'est loin ?

อยู่ไกลเท่าไร	yòu klai trâo-rai

C'est…	อยู่…	yòu …
derrière…	ข้างหลัง…	krâang lăng …
diagonalement en face	เยื้องๆ	yéu·ang yéu·ang
devant…	ตรงหน้า…	trong nâa …
tout près…	ใกล้ๆ…	klâi klâi …
juste à côté…	ข้างๆ…	krâang krâang …
au coin	ตรงหัวมุม	trong hŏu·a moum
en face de…	ตรงกันข้าม…	trong kan krâam …
tout droit	ตรงไป	trong pai

au nord	ทิศเหนือ	trít nĕu·a
au sud	ทิศใต้	trít tâi
à l'est	ทิศตะวันออก	trít tà-wan òrk
à l'ouest	ทิศตะวันตก	trít tà-wan tòk

Tournez…	เลี้ยว…	líi·ow …
au coin	ตรงหัวมุม	trong hŏu·a moum
à gauche	ซ้าย	sái
à droite	ขวา	krwăa

expressions courantes

… kì-lo-mét	…กิโลเมตร	… kilomètre
… mét	…เมตร	… mètre
… naa-trii	…นาที	… minute

En…	โดย…	doy …
bus	รถเมล์	rót me
samlor	สามล้อ	săam lór
taxi	แท็กซี่	tréik-sîi
tuk-tuk	ตุ๊กๆ	tóuk tóuk
À pied	เดินไป	deun pai

adresses

Quelle est l'adresse ?	ที่อยู่คืออะไร	trîi yòu kreu à-rai
ville	เมือง	meu·ang
district	อำเภอ	am-preu
hameau/localité	ตำบล	tam-bon
ruelle	ซอย	soy
chemin	ตรอก	tròrk
rue	ถนน	trà-nŏn
village	หมู่บ้าน	mòu bâan

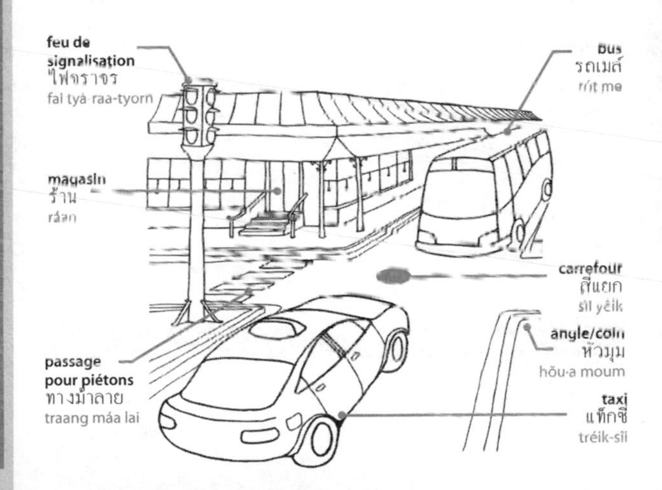

trouver un hébergement

การหาที่พัก

Où puis-je trouver … ?	…อยู่ที่ไหน	… yòu trî năi
un terrain de camping	ค่ายพักแรม	krâi prák reim
un cabanon de plage	กระท่อมชายหาด	krà-trôrm chai hàat
un bungalow	บังกะโล	bang-kà-lo
une maison de repos	บ้านพัก	bâan prák
un hôtel	โรงแรม	rong reim
un temple	วัด	wát
une auberge de jeunesse	บ้านเยาวชน	bâan yao-wá-chon

Pouvez-vous me conseiller un endroit… ?	แนะนำที่…ได้ไหม	néi nam trîi … dâi măi
bon marché	ราคาถูก	raa-kraa tròuk
bien	ดีๆ	dii dii
luxueux	หรูหรา	rŏu-răa
près d'ici	ใกล้ๆ	klâi klâi
romantique	โรแมนติก	ro-mein-tìk

Quelle est l'adresse ?
ที่อยู่คืออะไร — trîi yòu kreu à-rai

Pouvons-nous loger chez l'habitant ?
มีการพักในบ้านคนไหม — mii kaan prák nai bâan kron măi

Pour répondre à ces questions, voir **orientation**, p. 61.

parler local

taudis	ที่เลว	trîi le·ow
endroit miteux	ที่สกปรก	trîi sòk-kà-pròk
endroit génial	ที่ที่เยี่ยม	trîi trîi yîi-eim

réservation et enregistrement

การจองล่วงหน้าและเข้าพัก

Je voudrais réserver une chambre, s'il vous plaît.
ขอจองห้องหน่อย — krŏr tyorng hôrng nòy

J'ai une réservation.
จองห้องมาแล้ว — tyorng hôrng maa léi·ow

Mon nom est…
ชื่อ… — chêu …

expressions courantes

tem léi·ow	เต็มแล้ว	complet
kìi kreun	กี่คืน	Combien de nuits ?
năng-sĕu deun traang	หนังสือเดินทาง	passeport

Pour (trois) nuits/semaines.
จะอยู่(สาม) คืน/อาทิตย์ — tyà yòu (săam) kreun/aa·trít

Du… au….
จากวันที่…ถึงวันที่… — tyàak wan trîi … trĕung wan trii…

Dois-je payer en avance ?
ต้องจ่ายเงินล่วงหน้าไหม — tôrng tyài ngeun lôu·ang nâa măi

Quel est le prix par… ?	…ละเท่าไร	… lá trâo-rai
nuit	คืน	kreun
personne	คน	kron
semaine	อาทิตย์	aa-trít

Acceptez-vous…?	จ่ายเป็น…ได้ไหม	tyài pen … dâi măi
les cartes de crédit	บัตรเครดิต	bàt kre-dit
les chèques de voyage	เช็คเดินทาง	chék deun traang

Avez-vous une chambre… ?	มีห้อง...ไหม	mii hôrng … măi
climatisée	แอร์	ei
double	เตียงคู่	tii·eing krôu
simple	เดี่ยว	dìi·eiw
à deux lits	สองเตียง	sŏrng tii·eing

Avez-vous une chambre avec ventilateur ?
มีห้องพัดลมไหม — mii hôrng prát lom măi

Est-ce que le prix inclut le petit-déjeuner ?
ราคาห้องรวมค่าอาหารเช้าด้วยไหม — raa-krâa hôrng rou·am krâa aa-hăan cháo dôu·ay măi

C'est trop cher.
แพงไป — preing pai

Pouvez-vous baisser le prix ?
ลดราคาได้ไหม — lót raa-kraa dâi măi

Puis-je la voir ?	ดูได้ไหม	dou dâi măi
Je la prends.	เอา	ao

panneaux

มีห้องว่าง	mii hôrng wâang	libre
ไม่มีห้องว่าง	mâi mii hôrng wâang	complet

renseignements et services

การขอและสอบถาม

À quelle heure est servi le petit-déjeuner ?
อาหารเช้าจัดกี่โมง — aa-hăan cháo tyàt kìi mong

Où est servi le petit-déjeuner ?
อาหารเช้าจัดที่ไหน — aa-hăan cháo tyàt trîi năi

S'il vous plaît, réveillez-moi à (7h).

กรุณาปลุกเวลา (เจ็ด) นาฬิกาด้วย	kà-róu-naa plòuk we-laa (tyèt) naa-lí-kaa dôu·ay

Pour le vocabulaire concernant le temps voir **heure et date**, p. 37.

Puis-je utiliser… ?	ใช้...ได้ไหม	chái … dâi măi
la cuisine	ห้องครัว	hôrng krou·a
la laverie	ห้องซักผ้า	hôrng sák prâa
le téléphone	โทรศัพท์	tro-rá-sàp

Y a-t-il un(e)… ?	มี...ไหม	mii … măi
ascenseur	ลิฟท์	líp
service de blanchisserie	บริการซักผ้า	bor-rí-kaan sák prâa
coffre-fort	ตู้เซฟ	tôu sép
piscine	สระว่ายน้ำ	sà wâi náam

Est-ce que vous… ici ?	ที่นี่...ไหม	trîi nîi … măi
organisez des excursions	จัดนำเที่ยว	tyàt nam trîi·elw
changez de l'argent	แลกเงิน	lêik ngeun

Pourrais-je avoir…, s'il vous plaît ?	ขอ...หน่อย	krŏr … nòy
une couverture supplémentaire	ผ้าห่มอีกผืนหนึ่ง	prâa hòm iik prĕun nèung
la clé	กุญแจห้อง	koun-tyei hôrng
un anti-moustique	ยาจุดกันยุง	yaa tyòut kan young
une moustiquaire	มุ้ง	móung
un reçu	ใบเสร็จ	bai sèt
du savon	สบู่ก้อนหนึ่ง	sà bòu kôrn nèung
une serviette	ผ้าเช็ดตัว	prâa chét tou·a

Y a-t-il un message pour moi ?

มีข้อความฝากให้ผม/ดิฉันไหม — mii krôr krwaam fàak hâi prŏm/dì-chăn măi **m/f**

Puis-je laisser un message à quelqu'un ?

ฝากข้อความให้คนได้ไหม — fàak krôr krwaam hâi kron dâi măi

J'ai laissé ma clé à l'intérieur de la chambre.

ผม/ดิฉันลืมกุญแจไว้ในห้อง — prŏm/dì-chăn leum koun-tyei wái nai hôrng **m/f**

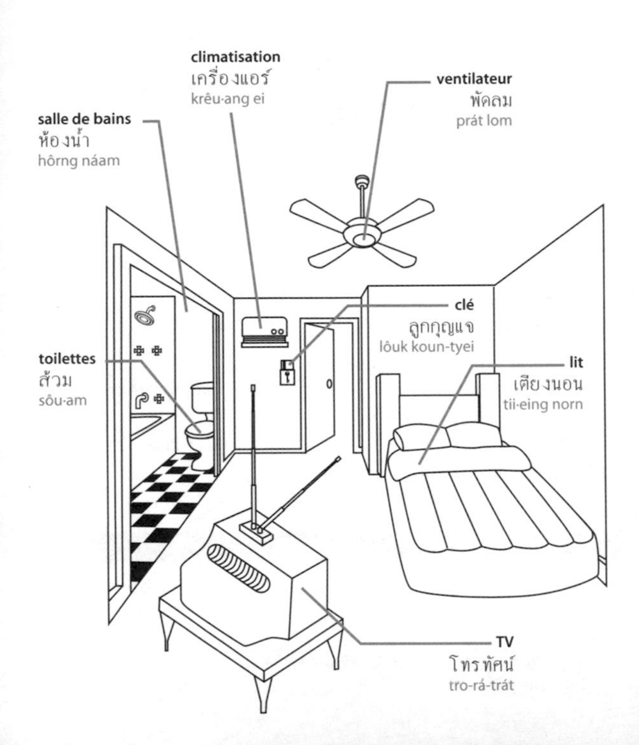

réclamations

การร้องทุกข์

C'est trop…	…เกินไป	… keun pai
lumineux	สว่าง	sà-wàang
froid	หนาว	năo
sombre	มืด	mêut
cher	แพง	preing
bruyant	เสียงดัง	sĭi·ang dang
petit	เล็ก	lék

… ne fonctionne(nt) pas.	…เสีย	… sĭ·a
la climatisation	แอร์	ei
le ventilateur	พัดลม	prát lom
les toilettes	ส้วม	sôu·am

Puis-je avoir une autre (couverture) ?
ขอ(ผ้าห่ม) อีกผืนได้ไหม — krŏr (práa hòm) ìik prĕun dâi măi

Ce (coussin) n'est pas propre.
(หมอนใบ) นี้ไม่สะอาด — (mŏrn bai) níi mâi sà-àat

Il n'y a pas d'eau chaude.
ไม่มีน้ำร้อน — mâi mii nám rórn

on frappe à la porte

Qui est-ce ?	ใครครับ/ค่ะ	krai kráp/krâ m/f
Un instant.	รอเดี๋ยว	ror dĭ·eiw
Entrez.	เข้ามาได้	krâo maa dâi
Revenez plus tard, s'il vous plaît.	กลับมาทีหลังได้ไหม	klàp maa trii lăng dâi măi

PRATIQUE

quitter un hôtel

การคืนห้อง

À quelle heure doit-on libérer la chambre ?
ต้องคืนห้องกี่โมง — tôrng kreun hôrng kìi mong

Puis-je partir plus tard ?
คืนห้องช้าหน่อยได้ไหม — kreun hôrng cháa nòy dâi măi

Pouvez-vous m'appeler un taxi (pour 11h) ?
เรียกแท็กซี่ให้(เวลาสิบเอ็ดโมง) ได้ไหม — rîi-ak tréik-sîi hâi (we-laa sìp-èt mong) dâi măi

Je pars maintenant.
จะคืนห้องเดี๋ยวนี้ — tyà kreun hôrng dĭ-eiw níi

Puis-je laisser mes bagages ici ?
ฝากกระเป๋าไว้ที่นี่ได้ไหม — fàak krà-păo wái trîi nîi dâi măi

Il y a une erreur sur la note.
บิลใบนี้ผิดนะครับ/ค่ะ — bin bai níi prìt ná kráp/krâ **m/f**

Puis-je récupérer ..., s'il vous plaît ? — ขอ...หน่อย — krŏr ... nòy

ma caution	เงินมัดจำ	ngeun mát tyam
mon passeport	หนังสือเดินทาง	năng-sĕu deun traang
mes objets de valeur	ของมีค่า	kŏrng mii krâa

J'ai passé un agréable séjour, merci.
พักที่นี่สนุกมากขอบคุณ — prák trîi nîi sà-nòuk mâak kròrp kroun

Je le recommanderai à mes amis.

จะแนะนำที่นี่ให้เพื่อนด้วย	tyà néi-nam trîi nîi hâi prêu·an dôu·ay

Je reviens…	จะกลับมา...	tyà klàp maa …
dans (3) jours	อีก(สาม) วัน	ìik (săam) wan
(mardi)	(วันอังคาร)	(wan ang-kraan)

camping

การพักค่าย

Avez-vous…?	มี...ไหม	mii … măi
l'électricité	ไฟฟ้า	fai fáa
une laverie	ห้องซักผ้า	hôrng sák prâa
des douches	ที่อาบน้ำฝักบัว	trîi àap náam fàk bou·a
un emplacement	ที่ปักเต็นท์	trîi pàk ten
des tentes à louer	เต็นท์ให้เช่า	ten hâi châo

Quel est le prix par… ?	...ละเท่าไร	… lá trâo-rai
personne	คน	kron
tente	เต็นท์ที่	ten
véhicule	รถคัน	rót kran

L'eau est-elle potable ?

น้ำดื่มได้ไหม	nám dèum dâi măi

Est-ce que ça fonctionne avec des pièces ?

ต้องหยอดเหรียญไหม	tôrng yórt rĭ·an măi

Puis-je… ?	...ได้ไหม	… dâi măi
camper ici	พักแรมที่นี่	pák reim trîi nîi
stationner à côté de ma tente	จอดรถข้างๆเต็นท์	tyòrt rót krâang krâang ten

À qui faut-il s'adresser pour s'installer ici ?

ถ้าจะพักที่นี่จะต้องถามใคร	trâa tyà pák trîi nîi tyà tôrng trăam krai

PRATIQUE

location

การเช่า

Avez-vous un(e)… à louer ?	มี…ให้เช่าไหม	mii … hâi châo măi
appartement	ห้องชุด	hôrng chóut
maison	บ้าน	bâan
chambre	ห้อง	hôrng

loger chez l'habitant

การพักกับคนไทย

Puis-je loger chez vous ?
พักที่บ้านคุณได้ไหม — prák trîi bâan kroun dâi măi

Puis-je vous aider ?
มีอะไรที่จะให้ช่วยไหม — mii à-rai trîi tyà hâi chôu·ay măi

J'ai mon propre…	ผม/ดิฉันมี… ของตัวเอง	prŏm/dì-chăn mii … krŏrng tou·a eng **m/f**
matelas	ฟูก	fôuk
sac de couchage	ถุงนอน	trŏung norn

Puis-je… ?	จะให้ฉัน…ไหม	tyà hâi chăn … măi
apporter quelque chose pour le repas	เอาอาหาร อะไรมาช่วย	ao aa-hăan à-rai maa chôu·ay
faire la vaisselle	ช่วยล้างจาน	chôu·ay láang tyaan
mettre/débarrasser la table	ช่วยตั้ง/เก็บโต๊ะ	chôu·ay tâng/kèp tó
sortir les poubelles	ช่วยเก็บขยะ ออกไป	chôu·ay kèp krà-yà òrk pai

Merci de votre accueil (chaleureux).

ขอบคุณมากสำหรับ การต้อนรับ(ที่อบอุ่น) — kròrp kroun mâak săm-ràp kaan tôrn ráp (trîi òp-òun)

Pour les expressions relatives aux repas, consultez le chapitre **se restaurer**, p. 153.

le langage du corps

En Thaïlande, il est important de maîtriser son corps. La promiscuité physique est en effet très gênante pour les Thaïlandais, hormis dans certaines situations comme les voyages dans les bus bondés de Bangkok. Par conséquent, évitez de vous tenir au-dessus des personnes ou de trop vous approcher physiquement d'elles.

La tête est considérée comme la partie la plus sacrée du corps, alors que les pieds sont tenus comme quelque chose de vulgaire. Ne désignez jamais une chose avec vos pieds et ne touchez jamais quelqu'un d'autre avec ces derniers, surtout intentionnellement. Évitez de vous asseoir en pointant vos pieds en direction d'une personne, d'un objet sacré, d'une relique, d'une image du roi ou d'une statue de Bouddha. Prenez également garde de ne pas toucher la tête de quelqu'un ou de faire un mouvement vers elle. Si, dans un autocar ou un train, vous devez prendre un bagage situé au dessus de quelqu'un, il est de coutume d'utiliser la formule krŏr trôt ขอโทษ ("excusez moi") d'abord.

se renseigner

การดูของ ...

Où se trouve(nt)… ?	...อยู่ที่ไหน	… yòu trîi năi
les grands magasins	ห้างสรรพสินค้า	hâang sàp-prá-sĭn-kráa
le marché flottant	ตลาดน้ำ	tà-làat náam
le marché	ตลาด	tà-làat
le supermarché	ซูเปอร์มาร์เก็ต	sou-peu-maa-kèt

Où puis-je acheter (un cadenas) ?
จะซื้อ(แม่กุญแจ) ได้ที่ไหน — tyà séu (mêi koun-tyei) dâi trîi năi

Pour les phrases sur les directions, voir le chapitre **orientation**, p. 61.

acheter

การลงมือซื้อ

Je ne fais que regarder.
ดูเฉยๆ — dou chĕu·y chĕu·y

Je voudrais acheter (un adaptateur).
อยากจะซื้อ(ปลั๊กต่อ) — yàak tyà séu (plák tòr)

Combien ça coûte ?
เท่าไรครับ/คะ — trâo-rai kráp/krá **m/f**

Pouvez-vous m'écrire le prix ?
เขียนราคาให้หน่อยได้ไหม — krĭi·an raa-kraa hâi nòy dâi măi

En avez-vous d'autres ?
มีอีกไหม — mii ìik măi

Puis-je le voir ?
ขอดูได้ไหม — krör dou dâi măi

Acceptez-vous... ?	รับ...ไหม	ráp ... măi
les cartes de crédit	บัตรเครดิต	bàt kre-dìt
les cartes bancaires	บัตรธนาคาร	bàt trá-naa-kraan
les chèques de voyage	เช็คเดินทาง	chék deun traang

Puis-je avoir un..., s'il vous plaît ?	ขอ...ด้วย	kŏr ... dôu·ay
sac	ถุง	trŏung
reçu	ใบเสร็จ	bai sèt

Pouvez-vous me l'emballer ?
ห่อให้ได้ไหม — hòr hâi dâi măi

Y a-t-il une garantie ?
มีรับประกันด้วยไหม — mii rap prà-kan dôu·ay măi

Puis-je l'envoyer à l'étranger ?
จะส่งเมืองนอกให้ได้ไหม — tyà sòng meu·ang nôrk hâi dâi măi

Pouvez-vous me le commander ?
สั่งให้ได้ไหม — sàng hâi dâi măi

Puis-je passer le prendre plus tard ?
จะกลับมารับทีหลังได้ไหม — tyà klàp maa ráp trii lăng dâi măi

C'est abîmé.
มีตำหนิ — mii tam-ni

C'est un faux/une fausse.
เป็นของปลอม — pen krŏrng plorm

Je voudrais...	อยาก...ครับ/ค่ะ	yàak...kráp/krâ **m/f**
un remboursement	ได้เงินคืน	dâi ngeun kreun
ma monnaie	ได้เงินทอน	dâi ngeun trorn
rendre ceci	เอามาคืน	ao maa kreun

parler local

bonne affaire	ราคาย่อมเยา	raa-kraa yôrm yao
arnaque	ราคาขี้โกง	raa-kraa krîi kong
promotion	ของลดราคา	krŏrng lót raa-kraa
soldes	ขายลดราคา	kăi lót raa-kraa

marchander

การต่อราคา

C'est trop cher.
แพงไป — preing pai

Vous pouvez baisser le prix ?
ลดราคาได้ไหม — lót raa-kraa dâi măi

Je n'ai pas beaucoup d'argent.
มีเงินไม่มากเท่าไร — mii ngeun mâi mâak trâo-rai

Avez-vous quelque chose de moins cher ?
มีถูกกว่านี้ไหม — mii tròuk kwàa níi măi

Je vous donne (cinq bahts).
จะให้(ห้าบาท) — tyà hâi (hâa bàat)

Je ne vous donnerai pas plus de... baht.
จะให้ไม่เกิน...บาท — tyà hâi mâi keun ... bàat

Quel est votre prix le plus bas ?
ราคาต่ำสุดเท่าไร — raa-kraa tàm sòut trâo-rai

Ce n'est pas de très bonne qualité.
คุณภาพไม่ดีเท่าไร — kroun-ná-prâap mâi dii trâo-rai

de précieux cailloux		
diamant	เพชร	prét
émeraude	แก้วมรกต	kêi·ow mor-rá-kòt
pierres précieuses	เพชรพลอย	prét prloy
or	ทอง	trorng
plaqué or	เคลือบทอง	klêu·ap trorng
jade	หยก	yòk
collier	สร้อยคอ	sôy kror
bague/anneau	แหวน	wĕin
rubis	ทับทิม	tráp-trim
saphir	นิล	nin
argent	เงิน	ngeun

vêtements

เสื้อผ้า

Ma taille est… ฉันใส่… chăn sâi …
- **(32)** ไซค์(สามสิบสอง) sai (săam sìp sŏrng)
- **L** ใหญ่ yài
- **M** กลาง klaang
- **S** เล็ก lék

Je peux l'essayer ? ลองได้ไหม lorng dâi măi

Ce n'est pas la bonne taille.
ไม่ถูกขนาด mâi tròuk krà-náat

Avez-vous des pantalons de pêcheur.
มีกางเกงขาก๊วยไหม mii kaang keng krăa kou·ay măi

Pouvez-vous faire… ?
ทำ…ได้ไหม tram … dâi măi

Les manches/jambes sont trop… แขน/ขา…เกินไป krĕin/krăa … keun pai
- **courtes** สั้น sân
- **longues** ยาว yaow

Pour les termes de vêtements, consultez le **dictionnaire**.

coiffure

การทำผม

Je voudrais…	ต้องการ…	tôrng kaan …
un brushing	เป่าผมสลวย	pào prŏm sà-lŏu·ay
une coloration	ย้อมผม	yórm prŏm
une coupe	ตัดผม	tàt prŏm
me faire tailler la barbe	ตกแต่งหนวด	tòk tèing nòu·at
me faire raser	โกนหนวด	kon nòu·at
couper un peu	เล็ม	lem

Ne coupez pas trop court.
อย่าตัดให้สั้นเกินไป — yàa tàt hâi sân keun pai

Est-ce que la lame est neuve ?
ใบมีดนี้ใหม่หรือเปล่า — bai mîit níi mài rĕu plào

Rasez tout !
โกนให้หมดเลย — kon hâi mòt leu·y

Je n'aurais pas dû vous laisser me couper les cheveux !
ไม่น่าจะให้คุณตัดผมฉันเลย — mâi nâa tyà hâi kroun tàt prŏm chăn leu·y

Pour les couleurs, consultez le **dictionnaire**.

réparations

การซ่อมแซม

Puis-je faire réparer... ici ?	ที่นี่ซ่อม...ได้ไหม	trîi nîi sôrm … dâi măi
Quand est-ce que … sera prêt ?	จะซ่อม...เสร็จเมื่อไร	tyà sôrm … sèt mêu·a rai
mon sac à dos	เป้	pê
mon appareil photo	กล้องถ่ายรูป	klôrng trài rôup
mes lunettes (de soleil)	แว่นตา(กันแดด)	wêin taa (kan dèit)
mes chaussures	รองเท้า	rorng tráo

livres et lecture

หนังสือและการอ่าน

Avez-vous des livres de (Sulak Sivarak) ?

มีหนังสือโดย(อาจารย์ สุลักษณ์ศิวรักษ์) ไหม — mii năng-sĕu doy (aa-tyaan sòu-lák sì-wá-rák) măi

Avez-vous un guide des spectacles ?

มีคู่มือรายการบันเทิงไหม — mii krôu meu ra·ay kaan ban-treung măi

Y a-t-il une … française ?	มี…ภาษาฝรั่งเศสไหม	mii … praa-săa fà-ràng-sèt măi
librairie	ร้านขายหนังสือ	ráan krăi năng-sĕu
section	แผนก	prà-nèik

Je voudrais un…	ต้องการ…	tôrng kaan …
dictionnaire	พจนานุกรม	prót tyà naa-nóu-krom
journal (en français)	หนังสือพิมพ์ (ภาษาฝรั่งเศส)	năng-sĕu prim (praa-săa fà-ràng sèt)
bloc-notes	สมุดบันทึก	sà-mòut ban-treuk

Pouvez-vous me conseiller un bon livre ?

แนะนำหนังสือดีๆได้ไหม — néi-nam năng-sĕu dii dii dâi măi

Avez-vous des guides Lonely Planet ?

มีคู่มือท่องเที่ยว โลนลีพลาเนตไหม — mii krôu meu trôrng trîi·eiw lon-lii plaa-nét măi

expressions courantes

tyà ao à-rai ìik măi Autre chose ?	จะเอาอะไรอีกไหม
mâi mii kráp/krâ **m/f** Il n'y en a pas.	ไม่มีครับ/ค่ะ
mii à-rai tyà hâi chôu·ay măi Puis-je vous aider ?	มีอะไรจะให้ช่วยไหม

musique

ดนตรี

Je voudrais un(e)…	ต้องการ…	tôrng kaan …
cassette audio vierge	ม้วนเทปเปล่า	móu·an trép plào
CD	แผ่นซีดี	prèin sii-dii
DVD	แผ่นดีวีดี	prèin dii-wii-dii
VCD	แผ่นวีซีดี	prèin wii-sii-dii

Je cherche un album de (Carabao).
กำลังหาชุดเพลง (วงคาราบาว) — kam-lang hăa chóut prleng (wong kraa-raa-bao)

Quel est leur meilleur album ?
เพลงชุดไหนเป็นชุดที่ดีที่สุดของเขา — prleng chóut năi pen chóut trîi dii trîi sòut krŏrng krăo

Je peux l'écouter ?
ฟังได้ไหม — fang dâi măi

photographie

การถ่ายรูป

Pouvez-vous…?	…ได้ไหม	… dâi măi
développer cette pellicule	ล้างฟิล์มนี้	láang fim níi
charger ma pellicule	ใส่ฟิล์มให้	sài fim hâi

Quand cela sera-t-il prêt ?
จะเสร็จเมื่อไร — tyà sèt mêu·a-rai

Combien ça coûte ?
ราคาเท่าไร — raa-kraa trâo-rai

J'ai besoin d'une pellicule...	ต้องการฟิล์ม...	tôrng kaan fim ...
pour cet appareil.	สำหรับกล้องนี้	săm-ràp klôrng níi
APS	เอพีเอ็ส	e-prii-ét
en noir et blanc	ขาวดำ	krăo dam
couleur	สี	sĭi
diapositive	สไลด์	sà lai
(200) ISO	มีความไว (๒๐๐)	mii krwaam wai (sŏrng róy)

J'ai besoin d'une photo d'identité.
ต้องการภาพถ่ายสำหรับหนังสือเดินทาง — tôrng kaan prâap trài săm-ràp năng-sĕu deun traang

Je ne suis pas content de ces photos.
ผม/ดิฉันไม่พอใจภาพนี้เลย — prŏm/dì-chăn mâi por tyai praap níi leu·y m/f

Je ne veux pas payer la totalité de la somme.
ไม่อยากจ่ายราคาเต็ม — mâi yàak tyài raa-kraa tem

chacun son genre

En thaï, il y a deux mots pour dire "je". Les hommes se désignent en disant prŏm ผม et les femmes disent dì-chăn ดิฉัน. Lorsque vous voyez le symbole m/f dans ce guide, cela signifie que vous devez choisir le terme qui vous est approprié. Cela vaut aussi pour les marques de politesse kráp ครับ (pour un homme) et krâ ค่ะ (pour une femme). Les formules de politesse sont expliquées à la page 27.

poste

ที่ทำการไปรษณีย์

Je voudrais envoyer…	ผม/ดิฉัน อยากจะส่ง …	prŏm/dì-chăn yàak tyà sòng … **m/f**
un fax	แฟกซ์	fèik
une lettre	จดหมาย	tyòt-măi
un colis	พัสดุ	prát-sà-dòu
une carte postale	ไปรษณียบัตร	prai-sà-nii-yá-bàt

Je voudrais acheter…	ผม/ดิฉัน อยากจะซื้อ …	prŏm/dì-chăn yàak tyà séu …**m/f**
un aérogramme	จดหมายอากาศ	tyòt-măi aa-kàat
une enveloppe	ซองจดหมาย	sorng tyòt-măi
un timbre	แสตมป์	sà-teim

Puis-je avoir un reçu pour une lettre recommandée ?
ขอใบเสร็จการลงทะเบียนด้วย — krŏr bai sèt kaan long trá-bii·an dôu·ay

déclaration de douane	ใบแจ้งศุลกากร	bai tyêing sŏun-lá-kaa-korn
national/intérieur	ภายในประเทศ	prai nai prà-trêt
fragile	ระวังแตก	rá-wang tèik
international	ระหว่างประเทศ	rá-wàang prà-trêt
courrier	ไปรษณีย์	prai-sà-nii
boîte aux lettres	ตู้ไปรษณีย์	tôu prai-sà-nii
code postal	รหัสไปรษณีย์	rá-hàt prai-sà-nII

envoyer du courrier		
par avion	ไปรษณีย์อากาศ	prai-sà-nii aa-kàat
rapide	ไปรษณีย์ด่วน	prai-sà-nii dòu·an
recommandé	ลงทะเบียน	long trá-bii·an
maritime	ไปรษณีย์ทางทะเล	prai-sà-nii traang trá-le
par voie normale	ไปรษณีย์ทางธรรมดา	traang tram-má-daa

Envoyez-le en (France) par avion, s'il vous plaît.
ขอส่งไปประเทศ (ฝรั่งเศส) ทางอากาศ — krŏr sòng pai prà-trêt (fà-ràng-sèt) traang aa-kàat

Envoyez-le en (France) par voie normale.
ขอส่งไปประเทศ (ฝรั่งเศส) ทางธรรมดา — krŏr sòng pai prà-trêt (fà-ràng-sèt) traang tram-má-daa

Cela contient (des souvenirs).
ข้างในมี (ของที่ระลึก) — krâang nai mii (krŏrng trîi rá-léuk)

Y a-t-il du courrier pour moi ?
มีจดหมายของผม/ดิฉันไหม — mii tyòt-măi krŏrng prŏm/di-chăn măi m/f

téléphone

โทรศัพท์

Quel est votre numéro de téléphone ?
เบอร์โทรของคุณคืออะไร — beu tro krŏrng krun kreu à-rai

Où est la cabine téléphonique la plus proche ?
ตู้โทรศัพท์ที่ใกล้ที่สุดอยู่ที่ไหน — tôu tro-rá-sàp trîi klâi trîi sòut yòu trîi năi

Puis-je consulter l'annuaire téléphonique ?
ขอดูสมุดโทรศัพท์ได้ไหม — krŏr dou sà-mòut tro-rá-sàp dâi măi

Pouvez-vous m'aider à trouver le numéro… ?
ช่วยหาเบอร์ของ ... ให้หน่อย — chôu·ay hăa beu krŏrng … hâi nòy

Je voudrais parler (10) minutes.
อยากพูด(สิบ) นาที — yàak prôut (sìp) naa-trii

Je voudrais…	อยากจะ ...	yàak tyà …
acheter une carte téléphonique	ซื้อบัตรโทรศัพท์	séu bàt tro-rá-sàp
appeler (la France)	โทรไปประเทศ (ฝรั่งเศส)	tro pai prà-trêt (fà-ràng-sèt)
passer un appel (local)	โทร(ภายใน ประเทศ)	tro (prai nai prà-trêt)
appeler en PCV	โทรเก็บปลายทาง	tro kèp plai traang
parler (trois) minutes	พูดเป็นเวลา (สาม) นาที	prôut pen we-laa (săam) naa-trii

Quel est le prix... ?	... คิดเงินเท่าไร	… krít ngeun trâo-rai
d'une communication de (3) minutes	โทร (สาม) นาที	tro (săam) naa-trii
par minute supplémentaire	นาทีต่อไป	naa-trii tòr pai

Le numéro est…	เบอร์ก็คือ ...	beu kôr kreu …

Quel est l'indicatif pour (le Canada) ?
รหัสประเทศ (แคนาดา) คืออะไร — rá-hàt prà-trêt (krei-naa-daa) kreu à-rai

C'est occupé.	สายไม่ว่าง	săai mâi wâang
Ça a coupé.	สายขาดแล้ว	săai kràat léi·ow
La ligne est mauvaise.	สายไม่ดี	săai mâi dii
Allô.	ฮัลโหล	han-lŏ

Pourrais-je parler à… ?
ขอเรียนสาย ... หน่อยนะครับ/ค่ะ — krŏr ri·ein săai … nòy ná kráp/krá **m/f**

C'est…	นี่คือ ...	nîi kreu …
Est-ce que… est là ?	... อยู่ไหม	… yòu măi

Dites-lui que j'ai appelé, s'il vous plaît.
กรุณาบอกเขาด้วย ว่าผม/ดิฉันโทรมา — kà-róu-naa bòrk krăo dôu·ay wâa prŏm/dì-chăn tro maa **m/f**

Puis-je laisser un message ?
ฝากข้อความได้ไหม — fàak krôr krwaam dâi măi

Mon numéro est le…
เบอร์ของผม/ดิฉันคือ ... — beu krŏrng prŏm/dì-chăn kreu… **m/f**

Je n'ai pas de numéro de téléphone.
ผม/ดิฉันไม่มีเบอร์ติดต่อ — prŏm/dì-chăn mâi mii beu tìt·tòr **m/f**

Je rappellerai plus tard.
จะโทรอีกทีหลัง — tyà tro ìik trii lăng

expressions courantes

tro prìt	โทรผิด	Faux numéro.
krai prôut săai	ใครพูดสาย	Qui est à l'appareil ?
tyà ri·ein săai kàp krai	จะเรียนสายกับใคร	À qui voulez-vous parler ?
sàk krôu	สักครู่	Un instant.
krăo mâi yòu	เขาไม่อยู่	Il/Elle n'est pas là.

téléphone portable

โทรศัพท์มือถือ

Je voudrais un(e)…	ต้องการ ...	tôrng kaan …
chargeur pour mon portable	เครื่องชาร์จโทรศัพท์	krêu·ang cháat tro-rá-sàp
louer un portable	เช่าโทรศัพท์มือถือ	châo tro-rá-sàp meu trĕu
un portable pré-payé	โทรศัพท์มือถือแบบจ่ายล่วงหน้า	tro-rá-sàp meu trĕu bèip tyài lôu·ang nâa
carte SIM	บัตรซิม	bàt sim

PRATIQUE

Quels sont les tarifs ?
อัตราการใช้เท่าไร — àt-traa kaan chái trâo-rai

(3 bahts) par minute.
(สามบาท) ต่อหนึ่งนาที — (săam bàat) tòr nèung naa-trii

Internet

อินเตอร์เนต

Où se trouve le cybercafé le plus proche ?
ร้านอินเตอร์เนตที่ใกล้ที่สุด อยู่ที่ไหน — ráan in-teu-nét trîi klâi trîi sòut yòu trîi năi

Je voudrais…	อยากจะ …	yàak tyà …
consulter mes e-mails	ตรวจอีเมล	tròu·at ii-men
me connecter à Internet	ติดต่อทาง อินเตอร์เนต	tìt tòr traang in-teu-nét
utiliser une imprimante	ใช้เครื่องพิมพ์	chái krêu·ang prim
utiliser un scanner	ใช้เครื่องสแกน	chái krêu·ang sà-kaan
Avez-vous un… ?	มี … ไหม	mii … măi
Mac	เครื่องแม็ก	krêu·ang máak
PC	เครื่องพีซี	krêu·ang prii-sii
lecteur Zip	ซิบไดรว์	síp drai
C'est combien… ?	คิด … ละเท่าไร	krít … lá trâo-rai
par heure	ชั่วโมง	chôu·a mong
pour (5) minutes	(ห้า) นาที	(hâa) naa-trii
par page	หน้า	nâa

Comment se connecte-t-on ?

ต้องล็อกอินอย่างไร — tôrng lórk-in yàang rai

Pouvez-vous changer les paramètres en français ?

ช่วยเปลี่ยนเป็นระบบ ภาษาฝรั่งเศสหน่อย — chôu·ay plìi·an pen rá-bòp praa-săa fà-ràng-sèt nòy

Cet ordinateur est trop lent.

เครื่องนี้ช้าไป — krêu·ang níi cháa pai

Puis-Je changer d'ordinateur ?

เปลี่ยนเครื่องได้ไหม — plìi·an krëu·ang dâi măi

Il a planté. — เครื่องแฮ้งแล้ว — krêu·ang héing léi·ow

J'ai terminé. — เสร็จแล้ว — sèt léi·ow

PRATIQUE

à la banque

ธนาคาร

Des distributeurs automatiques de billets (DAB) (tôu e-trii-em ตู้เอทีเอ็ม) sont disponibles dans toutes les villes, même les plus petites, à partir du moment où une banque y est installée. Ce n'est pas le cas dans les villages. On peut utiliser les cartes de crédit (bàt kre-dìt บัตรเครดิต) pour payer dans les grandes villes, mais elles ne sont pas du tout acceptées dans les petites villes. Les chèques de voyage (chék deun traang เช็คเดินทาง) peuvent être échangés dans les banques qui disposent d'un service de change (lêik ngeun tàang prà-trêt แลกเงินต่างประเทศ), n'oubliez pas de les signer.

À quelle heure ouvre la banque ?
ธนาคารเปิดกี่โมง — trá-naa-kraan pèut kìi mong

Où puis-je... ?	... ได้ที่ไหน	... dâi trîi năi
Je voudrais...	อยากจะ ...	yàak tyà ...
encaisser un chèque	ขึ้นเช็ค	krêun chék
changer des chèques de voyage	แลกเช็คเดินทาง	lêik chék deun traang
changer de l'argent	แลกเงิน	lêik ngeun
retirer de l'argent avec la carte	รูดเงินจาก บัตรเครดิต	rôut ngeun tyàak bàt kre-dìt
retirer de l'argent	ถอนเงิน	trŏrn ngeun
Où est... ?	... อยู่ที่ไหน	... yòu trîi năi
le DAB	ตู้เอทีเอ็ม	tôu e-trii-em
le bureau de change	ที่แลกเงินต่างประเทศ	trîi lêik ngeun tàang prà-trêt

Le DAB a avalé ma carte.
ตู้เอทีเอ็มกินบัตรของผม/ดิฉัน — tôu e-trii-em kin bàt krŏrng prŏm/dì-chăn **m/f**

J'ai oublié mon code.
ผม/ดิฉัน ลืมรหัสบัตรเอทีเอม — prŏm/dì-chăn leum rá-hàt bàt e-trii-em **m/f**

Puis-je retirer de l'argent avec ma carte de crédit ?
ใช้บัตรเครดิตถอนเงินได้ไหม — chái bàt kre-dìt trŏrn ngeun dâi măi

Puis-je avoir des petites coupures ?
ขอเป็นใบย่อยกว่านี้ได้ไหม — krŏr pen bai yôy kwàa níi dâi măi

Mon argent est-il arrivé ?
เงินของ ผม/ดิฉัน มาถึงหรือยัง — ngeun krŏrng prŏm/dì-chăn maa trĕung rĕu yang **m/f**

Combien de temps cela mettra-t-il pour arriver ?
อีกนานเท่าไรถึงเข้าบัญชี — ìik naan trăo-rai treung krâo ban-chii

Quel(s) est/sont... ?	... เท่าไร	... trâo-rai
les frais pour cela	ค่าธรรมเนียม	krâa tram-nii·am
le taux de change	อัตราแลกเปลี่ยน	àt-traa lêik plìi·an

expressions courantes

bàt prà-chaa-chon	บัตรประชาชน	pièce d'identité
năng-sĕu deun traang	หนังสือเดินทาง	passeport
long chêu trîi nîi	ลงชื่อที่นี่	Signez ici.
mii pan-hăa	มีปัญหา	Il y a un problème.
mâi mii ngeun lĕu·a lái·ow	ไม่มีเงินเหลือแล้ว	Il ne vous reste plus d'argent.
tram mâi dâi	ทำไม่ได้	On ne peut pas faire ça.

visite touristique
การท่องเที่ยว

Je voudrais…	ผม/ดิฉัน ต้องการ …	prŏm/dì-chăn tôrng kaan **m/f**
un audioguide	ชุดเทปนำเที่ยว	choút trép nam trîi·eiw
un catalogue	คู่มือแนะนำ	krôu meu néi nam
un guide	ไกด์	kai
un guide en français	คู่มือนำเที่ยว เป็นภาษาฝรั่งเศส	krôu meu nam trîi·eiw pen praa-săa fà-ràng-sèt
une carte (de la région)	แผนที่ (ท้องถิ่น)	prĕin trîi (trórng trìn)

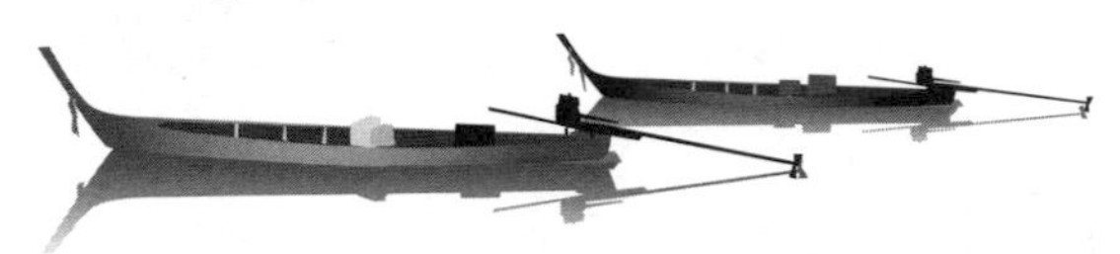

Avez-vous de la documentation sur les sites… ?	มีข้อมูลเกี่ยวกับแหล่งท่องเที่ยว … ไหม	mii krôr moun kìi·eiw kàp lèing trôrng trîi·eiw … măi
culturels	ทางวัฒนธรรม	traang wát-trá-ná-tram
historiques	ทางประวัติศาสตร์	traang prà-wàt-tì-sàat
religieux	ทางศาสนา	traang sàat-sà-năa

J'aimerais voir…
ผม/ดิฉัน อยากจะดู … — prŏm/dì-chăn yàak tyà dou … **m/f**

Qu'est-ce que c'est ?
นั่นคืออะไร — nân kreu à-rai

Qui l'a construit ?
ใครสร้าง — krai sâang

De quand ça date ?
อายุเก่าแก่เท่าไร — aa-yóu kào kèi trâo-rai

Pouvons-nous prendre des photos ?

ถ่ายรูปได้ไหม — trài rôup dâi măi

Pouvez-vous me prendre en photo ?

ถ่ายรูปให้ผม/ดิฉันหน่อยได้ไหม — trài rôup hâi prŏm/dì-chăn nòy dâi măi **m/f**

Puis-je (vous) prendre en photo ?

ถ่ายรูป (คุณ) ได้ไหม — trài rôup (kroun) dâi măi

Je vous enverrai la photo.

จะส่งรูปภาพไปให้ — tyà sòng rôup prâap pai hâi

temple bouddhiste	วัด	wát
statue	รูปหล่อ	rôup lòr
temple en ruine	ซากวัดโบราณ	sâak wát bo-raan

admissions

การเข้า

Y a-t-il des réductions… ?	ลดราคาสำหรับ … ไหม	lót raa-kraa săm-ràp… mai
enfants	เด็ก	dèk
familles	ครอบครัว	krôrp krou·a
groupes	คณะ	kra-ná
personnes âgées	คนสูงอายุ	kron sŏung aa-yóu
retraités	คนกินเงินบำนาญ	kron kin ngeun bam-naan
étudiants	นักศึกษา	nák sèuk-săa

À quelle heure ça ouvre/ferme ?

เปิด/ปิด กี่โมง — pèut/pìt kìi mong

Combien coûte l'entrée ?

ค่าเข้าเท่าไร — krâa krâo trâo-rai

PRATIQUE

se déchausser

Il faut toujours ôter ses chaussures lorsque vous entrez dans une maison, cela vaut aussi pour les bâtiments religieux. Les codes vestimentaires varient selon les temples, les *wat* des campagnes acceptent les visiteurs en tenue décontractée, alors que le Wat Phra Kaew à Bangkok est très strict. Vous entendrez fréquemment les employés scander cette phrase :

kà-róu-naa tròrt rorng tráo — กรุณาถอดรองเท้า
Veuillez ôter vos chaussures.

circuits

ทัวร์

Pouvez-vous me recommander un(e)… ?	แนะนำ … ได้ไหม	néi-nam … dâi măi
Quand est le/la prochain(e)… ?	… ต่อไปออกกี่โมง	… tòr pai òrk kìi mong
excursion en bateau	เที่ยวเรือ	trîi·eiw reu·a
excursion d'une journée	เที่ยวรายวัน	trîi·eiw rai wan
circuit	ทัวร์	trou·a
Le/la… est-il/elle inclus(e) ?	รวม … ด้วยไหม	rou·am … dôu·ay măi
logement	ค่าพัก	krâa prák
nourriture	ค่าอาหาร	krâa aa-hăan
transport	ค่าการขนส่ง	krâa kaan krŏn sòng

Le guide va payer. ไกด์จะจ่ายให้ kai tyà tyài hâi

Le guide a payé. ไกด์จ่ายไปแล้ว kai tyài pai léi·ow

Combien de temps dure le circuit ?
การเที่ยวใช้เวลานานเท่าไร kaan trîi·eiw chái we-laa naan trâo-rai

À quelle heure devons-nous être de retour ?
เราต้องกลับมากี่โมง rao tôrng klàp maa kìi mong

Je suis avec eux.
ผม/ดิฉัน อยู่กับเขา prŏm/dì-chăn yòu kàp krăo **m/f**

J'ai perdu mon groupe.
ผม/ดิฉัน หลงคณะอยู่ prŏm/dì-chăn lŏng krá-ná yòu **m/f**

qui dit quoi au zoo

Ne vous êtes-vous jamais demandé à quoi pouvait ressembler le chant du coq dans une autre langue ? Si vous vous retrouvez nez à nez avec une gentille créature, êtes vous sûr d'adopter le bon langage ? En cas de doute, reportez-vous à la liste ci-dessous :

oiseau	จิ๊บๆ	tyíp tyíp	**piu-piu**
chat	เหมียว	mĭi·o	**miao**
poussin	เจี๊ยบๆ	jíi·ap jíi·ap	**cui-cui**
vache	มอ	mor	**meuh**
chien	โฮ่งๆ	hŏng hŏng	**ouaf ouaf**
canard	ก้าบๆ	káap káap	**coin coin**
éléphant	แปร้นแปร๋	prêin prĕi	**brou**
grenouille	อ๊บๆ	òp	**coa**
singe	เจี๊ยก	tyíi-euk	**hou-hou**
coq	เอ๊กอีเอ้กเอ้ก	ík-ii-êk-êk	**cocorico**

PRATIQUE

J'assiste à un(e)…	ผม/ดิฉัน กำลังอยู่ใน ...	prŏm/dì-chăn kam-lang yòu nai … **m/f**
conférence	ที่ประชุม	trîi prà-choum
cours	ที่อบรม	trîi òp-rom
réunion	ที่ประชุม	trîi prà-choum
foire	งานแสดงสินค้า	ngaan sa-deing sĭn kráa

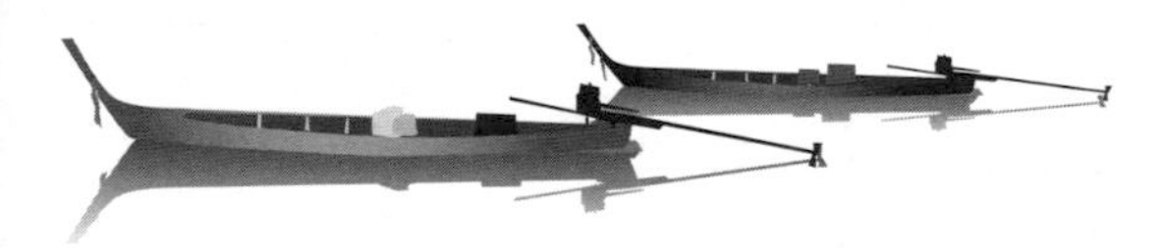

Je suis avec…	ผม/ดิฉัน อยู่กับ ...	prŏm/dì-chăn yòu kàp … **m/f**
(la compagnie Sahaviriya)	(บริษัทสหวิริยา)	(bor-rí-sàt sà-hà-wí-rí-yaa)
mon/mes collègue(s)	เพื่อนร่วมงาน	prêu·an rôu·am ngaan
(2) autres personnes	อีก (สอง) คน	ìik (sŏrng) kron

Je suis seul(e). อยู่คนเดียว — yòu kron di·eiw

J'ai rendez-vous avec…
ผม/ดิฉัน มีนัดกับ ... — prŏm/dì-chăn mii nát kàp … **m/f**

Je loge à…, chambre…
พักอยู่ที่ ... ที่ห้อง ... — prák yòu trîi … trîi hôrng …

Je suis ici pour (2) jours/semaines.
อยู่ที่นี่ (สอง) วัน/อาทิตย์ — yòu trîi nîi (sŏrng) wan/aa-trít

Voici mon/ma/mes…
นี่คือ ... ของผม/ดิฉัน — nîi kreu … kŏrng prŏm/dì-chăn **m/f**

Quel(le) est votre… ?	...ของคุณคืออะไร	… krŏrng kroun kreu à-rai
adresse	ที่อยู่	trîi yòu
adresse e-mail	ที่อยู่อีเมล	trîi yòu ii-men
numéro de fax	เบอร์แฟกซ์	beu fèik
numéro de portable	เบอร์มือถือ	beu meu trĕu
numéro de bipeur	เบอร์เครื่องเพจ	beu krêu·ang prét
numéro professionnel	เบอร์ที่ทำงาน	beu trîi tram ngaan

Où est/se tient le/la… ?	… อยู่ที่ไหน	… yòu trîi năi
centre d'affaires	ศูนย์ธุรกิจ	sŏun troú-rá-kìt
conférence	การประชุม	kaan prà-choum
réunion	การประชุม	kaan prà-choum

J'ai besoin de/d'…	ต้องการ …	tôrng kaan …
un ordinateur	เครื่องคอมพิวเตอร์	krêu·ang krorm-priw-teu
une connection Internet	ที่ต่ออินเตอร์เนต	trîi tòr in-teu-nét
un interprète	ล่าม	lâam
plus de cartes de visite	นามบัตรอีก	naam bàt ìik
envoyer un fax	ส่งแฟกซ์	sòng fèik

Ça s'est très bien passé.
ก็ล่วงไปด้วยดีนะ — kôr lôu·ang pai dôu·ay dii ná

Je vous remercie de votre attention.
ขอบคุณที่ให้เวลา — kròrp kroun trîi hâi we-laa

On va prendre un verre ?
จะไปดื่มอะไรกันไหม — tyà pai dèum à-rai kan măi

On va manger ?
จะไปทานอาหารกันไหม — tyà pai taan aa-hăan kan măi

Je vous invite.
ผม/ดิฉันเลี้ยงนะ — prŏm/dì-chăn líi·eing ná **m/f**

PRATIQUE

Les services pour les seniors et les voyageurs handicapés sont plutôt limités en Thaïlande, mais ces phrases devraient vous aider à répondre à vos besoins.

Si une assistance spéciale vous est nécessaire, informez-vous sur les infrastructures et les équipements avant votre départ. Les personnes âgées sont très respectées en Thaïlande et les Thaïs se mettront souvent en quatre pour rendre leur séjour le plus agréable possible.

Je suis handicapé(e).
ผม/ดิฉัน พิการ — prŏm/dì-chăn prí-kaan **m/f**

J'ai besoin d'aide.
ผม/ดิฉัน ต้องการความช่วยเหลือ — prŏm/dì-chăn tôrng kaan krwaam chôu·ay lĕu·a **m/f**

Quels services avez-vous pour les handicapés ?
มีบริการอะไรบ้างสำหรับคนพิการ — mii bor-rí-kaan à-rai bâang săm-ràp kron prí-kaan

Y a-t-il un accès pour fauteuil roulant ?
รถเข็นคนพิการเข้าได้ไหม — rót krĕn kron prí-kaan krâo dâi măi

Quelle largeur fait l'entrée ?
ทางเข้ากว้างเท่าไร — traang krâo kwâang trâo rai

Je suis sourd(e).
ผม/ดิฉัน หูหนวก — prŏm/dì-chăn hŏu nòu·ak **m/f**

Je porte un appareil auditif.
ผม/ดิฉัน ใช้หูเทียม — prŏm/dì-chăn chái hŏu trii·am **m/f**

Combien de marches y a-t-il ?
มีบันไดกี่ขั้น — mii ban-dai kìi krân

Y a-t-il un ascenseur ?
มีลิฟท์ไหม — mii líp măi

Y a-t-il des rampes dans la salle de bains ?
ในห้องน้ำมีราวจับไหม — nai hôrng náam mii raow tyàp măi

Pourriez-vous m'aider à traverser la rue ?
ช่วย ผม/ดิฉัน ข้ามถนนได้ไหม — chôu·ay prŏm/dì-chăn krâam trà-nŏn dâi măi **m/f**

Puis-je m'asseoir quelque part ?
มีที่ไหนที่จะนั่งได้ไหม — mii trîi năi trîi tyà nâng dâi măi

personne avec un handicap	คนพิการ	kron prí-kaan
personne âgée	คนสูงอายุ	kron sŏung aa-yóu
rampe	ทางลาด	traang lâat
déambulateur	กรอบเหล็กช่วยเดิน	kròrp lèk chôu·ay deun
canne	ไม้เท้า	mái tráo
fauteuil roulant	รถเข็น	rót kren

enfants

เด็ก

voyager avec un enfant

การเดินทางกับเด็ก

Y a-t-il un(e)... ?	มี...ไหม	mii ... măi
endroit pour changer un bébé	ห้องเปลี่ยนผ้าอ้อม	hôrng plìi·an prâa ôrm
réduction pour les enfants	ลดราคาสำหรับเด็ก	lót raa-kraa săm-ràp dèk
garderie	บริการดูแลเด็ก	bor-rí-kaan dou lei dèk
portion pour enfant	อาหารขนาดของเด็ก	aa-hăan krà-nàat krŏrng dèk
crèche	ที่ฝากเลี้ยงเด็ก	trîi fàak líi·eing dèk

J'ai besoin d'un(e)...	ต้องการ...	tôrng kaan ...
baby-sitter (parlant français)	พี่เลี้ยงเด็ก (ที่พูดภาษาฝรั่งเศสได้)	prîi líi·eing dèk (trîi prôut praa-săa fà-ràng-sèt dâi)
réhausseur	เบาะนั่งสำหรับเด็ก	bòr nâng săm-ràp dèk
landau	เปล	ple
chaise haute	เก้าอี้เด็ก	kâo-îi dèk
pot	กระโถน	krà-trŏn
poussette	รถเข็นเด็ก	rót krĕn dèk
sac vomitoire	ถุงอ้วก	trŏung ôu·ak

Où se trouve... le/la plus proche ?	...ที่ใกล้ที่สุดอยู่ที่ไหน	... trîi klâi trîi sòut yòu trîi năi
terrain de jeux	สนามเด็กเล่น	sà-năam dèk lên
piscine	สระว่ายน้ำ	sà wâi náam
robinet	ก๊อกน้ำ	kórk náam
magasin de jouets	ร้านขายของเล่น	ráan krăi krŏrng lên

Vous vendez des… ?	ที่นี่ขาย...ไหม	trîi nîi krăi … măi
antalgiques pour enfants	ยาแก้ปวด สำหรับเด็ก	yaa kêi pòu·at săm-ràp dèk
lingettes	ผ้าเช็ดมือ ใช้แล้วทิ้ง	prâa chét meu chái léi·ow tríng
couches	ผ้าอ้อมแบบ ใช้แล้วทิ้ง	prâa ôrm bèip chái léi·ow tríng
mouchoirs en papier	กระดาษทิชชู่	krà-dàat trít-chôu

Est-ce que vous louez… ?	มี...ให้เช่าไหม	mii … hâi châo măi
des poussettes	รถเข็น	rót krĕn
des poussettes pliables	รถเข็นแบบพับได้	rót krĕn bèip práp dâi

Y a-t-il des endroits pour ranger les poussettes ?
มีที่สำหรับรถเข็นไหม — mii trîi săm-ràp rót krĕn măi

Pourrais-je avoir du papier et des crayons, s'il vous plaît ?
ขอกระดาษเขียนเล่นและดินสอหน่อย — krŏr krà-dàat krĭi·an lên láa din-sŏr nòy

Y a-t-il des endroits près d'ici où emmener les enfants ?
แถวนี้มีที่ดีๆสำหรับเด็กไหม — trĕi·ow níi mii trîi dii dii săm-ràp dèk măi

Les enfants sont-ils admis ?
เด็กเข้าได้ไหม — dèk krâo dâi măi

Où puis-je changer mon enfant ?
เปลี่ยนผ้าอ้อมได้ที่ไหน — plìi·an prâa ôrm dâi trîi năi

Cela vous dérange-t-il si je donne le sein ici ?
ที่นี่ให้นมลูกได้ไหม — trîi nîi hâi nom lôuk dâi măi

Cela convient-il pour des enfants de… ans ?
อันนี้เหมาะสมสำหรับเด็กอายุ...ขวบไหม — an níi mòr sŏm săm ràp dèk aa-yóu … kròu·ap măi

Pour les âges, voir le chapitre **nombres et quantités**, p. 35.

Connaissez-vous un bon médecin pour enfants ?
รู้จักหมอเด็กที่เก่งไหม — róu tyàk mŏr dèk trîi kèng măi

Pour les questions de santé, voir le chapitre **santé**, p. 191.

parler des enfants

พูดเรื่องเด็ก

Pour quand est prévue la naissance ?
กำหนดคลอดวันที่เท่าไร — kam-nòt krlôrt wan trîi trâo rai

Comment allez-vous appeler votre bébé ?
หาชื่อให้เด็กได้หรือยัง — hăa chêu hâi dèk dâi rĕu yang

Est-ce que c'est votre premier enfant ?
เป็นลูกคนแรกใช่ไหม — pen lôuk kron rêik châi măi

Combien d'enfants avez-vous ?
มีลูกกี่คน — mii lôuk kìi kron

Quel beau bébé !
เด็กน่ารักจริงๆ — dèk nâa rák tying tying

Est-ce une fille ou un garçon ?
เป็นผู้หญิงหรือผู้ชาย — pen prôu yĭng rĕu prôu chai

Quel âge a-t-il/elle ?
อายุกี่ขวบ — aa·yóu kìi kròu·ap

Va-t-il/elle à l'école ?
เข้าโรงเรียนหรือยัง — krâo rong ri·ein rĕu yang

Comment s'appelle-t-il/elle ?
เขาชื่ออะไร — chêu à-rai

Est-ce un(e) enfant sage ?
เป็นเด็กดีหรือเปล่า — pen dèk dii rĕu plào

Il/Elle…	เขา…	krăo …
a vos yeux	ตาเหมือนคุณ	taa mĕu·an kroun
vous ressemble	หน้าเหมือนคุณ	nâa mĕu·an kroun

parler avec des enfants

การพูดกับเด็ก

C'est quand ton anniversaire ?
วันไหนวันเกิดของหนู — wan năi wan kèut krŏrng nŏu

Tu vas à l'école ?
หนูไปโรงเรียนไหม — nŏu pai rong ri-ein măi

Tu vas à la maternelle ?
หนูไปอนุบาลไหม — nŏu pai à-nóu-baan măi

Tu es dans quelle classe ?
ที่โรงเรียนหนูอยู่ชั้นอะไร — trîi rong ri-ein nŏu yòu chán à-rai

Tu aimes... ?	หนูชอบ...ไหม	nŏu chôrp ... măi
l'école	โรงเรียน	rong ri-ein
le sport	กีฬา	kii-laa
ta maîtresse/ ton maître	อาจารย์ของหนู	aa-tyaan krŏrng nŏu

Est-ce que tu apprends le français ?
เรียนภาษาฝรั่งเศสไหม — ri-ein praa-săa fà-ràng-sèt măi

Je viens de très loin.
ฉันมาจากที่ไกลมาก — chăn maa tyàak trîi klai mâak

les mômes

Pour s'adresser à des enfants, il est fréquent d'utiliser des termes affectifs qui peuvent varier selon l'âge et le sexe de l'enfant. Le pronom treu เธอ (tu) désigne la deuxième personne du singulier et peut être appliqué à des enfants de plus de 13 ans. En revanche, on s'adresse souvent aux plus jeunes en disant nŏu หนู (litt : souris). Quant aux adolescents, la meilleure solution est de les appeler par leur surnom. En cas de doute, demandez-leur :

Quel est ton surnom ?
ชื่อเล่นชื่ออะไร — chêu lên chêu à-rai

PRATIQUE

EN SOCIÉTÉ > rencontres

การพบปะกับผู้คน

formules de base

พื้นฐาน

Oui.	ใช่	châi
Non.	ไม่	mâi
S'il vous plaît.	ขอ	krŏr
Merci (beaucoup).	ขอบคุณ (มาก ๆ)	kròrp kroun (mâak mâak)
Je vous en prie.	ยินดี	yin dii
Excusez-moi. (pour demander l'attention)	ขอโทษ	krŏr trôt
Excusez-moi. (pour se faire pardonner)	ขออภัย	krŏr à-prai
Pardon.	ขอโทษ	krŏr trôt

saluer et quitter

การทักทายและการลา

En Thaïlande, au lieu de demander "Comment ça va ?", il est plus courant de demande "Où allez-vous/Où vas-tu ?", "Où étiez-vous/Où étais-tu ?" ou encore "Avez-vous déjà mangé/As-tu déjà mangé ?" La réponse n'est pas très importante car il s'agit plutôt de phrases qui permettent de créer un lien amical.

Bonjour.	สวัสดี	sà-wàt-dii
Salut.	หวัดดี	wàt-dii

Où allez-vous/Où vas-tu ?
ไปไหน — pai năi

Où étiez-vous/Où étais-tu ?
ไปไหนมา — pai năi maa

Avez-vous déjà mangé ?/As-tu déjà mangé ?
กินข้าวหรือยัง — kin krâao rĕu yang

Bonne journée. (matin, après-midi et soir)
สวัสดี — sà-wàt-dii

Bonne nuit.
ราตรีสวัสดิ์ — raa-trii sà-wàt

Comment allez-vous/vas-tu ?
สบายดีไหม — sà-bai dii măi

Bien, merci. Et vous/toi ?
สบายดี ครับ/ค่ะ แล้วคุณล่ะ — sà-bai dii kráp/krâ, léi·ow kroun lâ **m/f**

Comment vous appelez-vous/t'appelles-tu ?
คุณชื่ออะไร — kroun chêu à-rai

Je m'appelle…
ผม/ดิฉัน ชื่อ … — prŏm/dì-chăn chêu … **m/f**

Je vous présente…
นี่คือ … — nîi kreu …

Voici mon/ma…	นี่คือ … ของ ผม/ดิฉัน	nîi kreu … krŏrng prŏm/dì·chăn **m/f**
enfant	ลูก	lôuk
collègue	เพื่อนร่วมงาน	prêu·an rôu·am ngaan
ami(e)	เพื่อน	prêu·an
mari	สามี	săa·mii
compagnon/compagne	แฟน	fein
femme	ภรรยา	pran·rá·yaa

Pour les autres membres de la famille, voir la rubrique **famille**, p. 107.

Enchanté(e) de faire votre/ta connaissance.
ยินดีที่ได้รู้จัก — yin-dii trîi dâi róu tyàk

À plus tard.
เดี๋ยวพบกันใหม่ — dĭ·eiw próp kan mài

Au revoir.	ลาก่อน	laa kòrn
À la prochaine !	เจอกันนะ	tyeu kan ná
Bonne nuit.	ราตรีสวัสดิ์	raa-trii sà-wàt
Bon voyage !	เดินทางด้วย สวัสดิภาพนะ	deun traang dôu·ay sà-wàt-dì-prâap ná

s'adresser à quelqu'un

การพูดกับคน

Les Thaïs chercheront vite à connaître votre âge lorsqu'ils vous rencontreront pour la première fois. Ceci leur permettra par la suite de s'adresser à vous en utilisant le terme approprié. Ainsi, une personne plus âgée est appelée prîi พี่ (aîné(e)) tandis qu'une personne plus jeune sera appelée nórng น้อง (cadet/cadette) ou bien simplement par son prénom. Les termes de parenté sont utilisés même pour les personnes qui n'ont aucun lien de parenté. Une femme peut donc être appelée pâa ป้า ou náa น้า (tante), ou même yai ยาย (grand-mère), de même qu'on peut appeler un homme loung ลุง (oncle) ou pòu ปู่ (grand-père). En thaï, il y a également l'équivalent des termes français M/Mme/Mlle, mais ils sont seulement utilisés à l'écrit :

Monsieur	นาย	nai
Madame	นาง	naang
Mademoiselle	นางสาว	naang săo

surveillez votre langage

Lorsque vous parlez d'une personne d'un rang social élevé, il est de coutume d'employer le pronom adéquat (le plus souvent trâan ท่าน). Cela s'applique en particulier aux moines et à la famille royale, qui sont extrêmement vénérés. De ce fait, si vous ne voulez offenser personne, soyez vigilant quant aux termes que vous utiliserez pour parler d'eux.

engager la conversation

การสนทนา

Quelle belle journée !
อากาศดีนะ — aa-kàht dii ná

Aujourd'hui, il fait si chaud !
วันนี้ร้อนจัง — wan níi rórn tyang

Aujourd'hui, il fait très froid !
วันนี้หนาวมาก — wan níi năo mâak

Vous habitez ici ?
คุณอยู่ที่นี่หรือเปล่า — kroun yòu trîi nîi rĕu plào

D'où venez-vous ?
คุณมาจากไหน — kroun maa tyàak năi

Où allez-vous ?
จะไปไหน — tyà pai năi

Que faites-vous ?
กำลังทำอะไรอยู่ — kam-lang tram à-rai yòu

Est-ce que vous aimez cet endroit ?
ชอบที่นี่ไหม — chörp trîi nîi măi

Ça me plaît beaucoup.
ชอบที่นี่มาก — chôrp trîi nîi mâak

connaissez vous le *wâi* ?

Bien que les règles de comportement des Occidentaux soient de plus en plus répandues en Thaïlande, le pays est fier des traditions qu'il a su préserver. Parmi celles-ci, il y a ce geste qui consiste à joindre les mains devant le menton comme pour une prière, et qui est appelé wâi ไหว้. Alors que les Occidentaux se serrent la main, les Thaïs font wâi. Vous pouvez faire wâi à une personne lorsque vous la rencontrez pour la première fois, quand cela fait longtemps que vous ne l'avez pas vue ou encore pour dire bonjour. On doit faire wâi à une personne plus âgée que soi, ou à une personne d'un certain rang social. Le plus jeune doit faire wâi en premier.

Comment ça s'appelle ?
อันนี้เรียกว่าอะไร — an níi ri·eik wâa à-rai

Je peux (vous) prendre en photo ?
ถ่ายรูป (คุณ) ได้ไหม — trài rôup (kroun) dâi măi

C'est (magnifique), n'est-ce pas ?
นั่น (สวย) นะ — nân (sŏu·ay) ná

Je plaisante.
พูดเล่นเฉย ๆ — prôut lên chĕu·y chĕu·y

Vous êtes ici pour les vacances ?
คุณมาที่นี่มาพักผ่อนหรือเปล่า — kroun maa trîi nîi maa prák pròrn rĕu plào

Je suis ici…	ฉันมาที่นี่ มา…	chăn maa trîi nîi maa …
en vacances	พักผ่อน	prák pròrn
pour affaires	ทำธุระ	tram tróu-rá
pour étudier	ศึกษา	sèuk-săa

Pour combien de temps êtes-vous ici ?
คุณจะมาพักที่นี่นานเท่าไร — kroun tyà maa prák trîi nîi naan trâo-rai

Je suis ici pour (4) jours/semaines.
มาพักที่นี่ (สี่) วัน/อาทิตย์ — maa prák trîi nîi (sìi) wan/aa-trít

nationalités

สัญชาติ

D'où venez-vous ?
คุณมาจากไหน — kroun maa tyàak năi

Je viens de/du…	ผม/ดิฉัน มาจาก ประเทศ …	prŏm/dì-chăn maa tyàak prà-trêt … **m/f**
France	ฝรั่งเศส	fà-ràng-sèt
Canada	แคนาดา	krei-naa-daa
Belgique	เบลเยี่ยม	ben-yîi·eim

âge

อายุ

Quel âge... ?	... อายุเท่าไร	... aa-yóu trâo-rai
avez-vous	คุณ	kroun
a votre fille	ลูกสาวของคุณ	lôuk săo krŏrng kroun
a votre fils	ลูกชายของคุณ	lôuk chai krŏrng kroun

J'ai… ans.	ฉันอายุ … ปี	chăn aa-yóu … pii
Il/Elle a … ans.	เขาอายุ … ปี	krăo aa-yóu … pii

Trop vieux/vieille !
อายุมากเกินไป — aa-yóu mâak keun pai

Je ne fais pas mon âge.
ฉันอายุน้อยกว่าที่คิด — chăn aa-yóu nóy kwàa trîi krít

Pour l'âge, voir le chapitre **nombres et quantités**, p. 35.

travail et études

อาชีพและการศึกษา

Que faites-vous/fais-tu dans la vie ?
คุณมีอาชีพอะไร — kroun mii aa-chîip à rai

Je suis…	ฉันเป็น …	chăn pen …
fonctionnaire	ข้าราชการ	kraâ râat-chá kaan
fermier(ière)	ชาวไร่	chao râi
journaliste	นักข่าว	nák krào
enseignant(e)	ครู	krou

Je travaille dans…	ฉันทำงานทางด้าน …	chăn tram ngaan traang dâan …
l'administration	บริหาร	bor-rí-hărn
la santé	สุขภาพ	sòuk-kà-prâap
la vente et le marketing	การค้าและตลาด	kaan káa léi tà-làat

Je suis…	ฉัน ...	chăn …
retraité(e)	ปลดเกษียณแล้ว	plòt kà-sĭi·ein léi·ow
travailleur indépendant	ทำธุรกิจส่วนตัว	tram tróu-rá-kìt sòu·an tou·a
au chômage	ว่างงาน	wâang ngaan

Quelles études faites-vous ?
คุณกำลังเรียนอะไร — kroun kam-lang ri·ein à-rai yòu

J'étudie…	ผม/ดิฉัน กำลังเรียน ...	prŏm/dì-chăn kam-lang ri·ein … **m/f**
les sciences humaines	มนุษยศาสตร์	má-nóut-sà-yá-sàat
les sciences	วิทยาศาสตร์	wít-trá-yaa-sàat
le thaï	ภาษาไทย	praa-săa trai

famille

ครอบครัว

En Thaïlande, lorsque vous parlez de votre famille, vous ne pouvez pas vous contenter de dire "J'ai trois frères et deux sœurs", car ce n'est pas le sexe qui compte mais l'âge. Ainsi, un Thaï dira "J'ai trois cadet(tte)s et deux aîné(e)s". C'est seulement après que vous saurez combien sont des filles et combien sont des garçons.

Avez-vous un(e)… ?	มี ... ไหม	mii … măi
(Je n'ai pas de)/ J'ai un(e)…	(ไม่) มี ...	(mâi) mii …
frère (plus âgé)	พี่ชาย	prîi chai
frère (plus jeune)	น้องชาย	nórng chai
fille	ลูกสาว	lôuk săo
famille	ครอบครัว	krôrp krou·a
père (pol)	บิดา	bì·daa
père (inf)	พ่อ	prôr

épouх (pol)	สามี	sǎa-mii
mari (inf)	ผัว	prǒu·a
mère (pol)	มารดา	maan-daa
mère (inf)	แม่	mêi
compagnon/ compagne	แฟน	fein
sœur (plus âgée)	พี่สาว	prîi sǎo
sœur (plus jeune)	น้องสาว	nórng sǎo
fils	ลูกชาย	lòuk chai
épouse (pol)	ภรรยา	pran-rá-yaa
femme (inf)	เมีย	mii·a

parler de sa famille

Parler de sa famille éloignée ou de celle de quelqu'un d'autre est assez compliqué en thaï, car il est nécessaire de préciser à quel côté de la famille vous faites référence. De même il vous faudra aussi préciser l'âge de la personne en question par rapport au père ou à la mère. Référez-vous au tableau ci-dessous pour désigner les oncles, les tantes et les grands-parents :

oncle	(grand frère de la mère)	ลุง	loung
	(petit frère de la mère)	น้า	náa
	(grand frère du père)	ลุง	loung
	(petit frère du père)	อา	aa
tante	(grande sœur de la mère)	ป้า	pâa
	(petite sœur de la mère)	อา	aa
	(grande sœur du père)	ป้า	pâa
	(petite sœur du père)	อา	aa
grand-mère	(du côté de la mère)	ยาย	yai
	(du côté du père)	ย่า	yâa
grand-père	(du côté de la mère)	ตา	taa
	(du côté du père)	ปู่	pou

Je suis…	ผม/ดิฉัน …	prŏm/dì-chăn … **m/f**
marié(e)	แต่งงานแล้ว	tèing ngaan léi·ow
pas encore marié(e)	ยังไม่แต่งงาน	yang mâi tèing ngaan
séparé(e)	หย่ากันแล้ว	yàa kan léi·ow
célibataire	เป็นโสดอยู่	pen sòt yòu

Je vis avec quelqu'un.
อยู่ร่วมกับคนคนหนึ่ง — yòu rôu·am kàp kron kron nèung

Êtes-vous/es-tu marié(e) ?
คุณแต่งงานหรือยัง — kroun tèing ngaan rĕu yang

Avez-vous des enfants ?
มีลูกหรือยัง — mii lôuk rĕu yang

Pas encore.
ยัง — yang

au revoir

การลา

Demain, c'est mon dernier jour ici.
พรุ่งนี้เป็นวันสุดท้ายที่นี่ — prôung níi pen wan sòut trái trîi nîi

Voici mon…	นี่คือ … ของผม/ดิฉัน	nîi kreu … krŏrng prŏm/dì-chăn **m/f**
Quel(lle) est votre… ?	… ของคุณคืออะไร	… krŏrng kroun kreu à-rai
adresse	ที่อยู่	trîi yòu
adresse e-mail	ที่อยู่อีเมล	trîi yòu ii-men
numéro de tél.	เบอร์โทรศัพท์	beu tro-rá-sàp

Si vous venez (en France) vous pouvez venir chez moi.
ถ้ามา (ประเทศฝรั่งเศส) มาพักกับฉันได้ — trâa maa prà-trêt (fà-ràng-sèt) maa prák kàp chăn dâi

Donnez de vos nouvelles/On reste en contact !
ติดต่อมานะ — tìt tòr maa ná

J'ai été ravi(e) de faire votre connaissance.
ดีใจมากที่ได้พบกับคุณ — dii tyai mâak trîi dâi próp kàp kroun

parler local		
Hé !	เฮ้ย	héu·y
Formidable !	ยอด	yôrt
Sûr/certain.	แน่นอน	nêi norn
Peut-être.	บางที	baang trii
Pas question !	ไม่มีทาง	mâi mii traang
Un instant.	เดี๋ยวก่อน	dĭ·eiw kòrn
Ce n'est pas grave.	ไม่เป็นไร	mâi pen rai
Pas de problème.	ไม่มีปัญหา	mâi mii pan-hăa
Oh, non !/Mince !	ตายแล้ว	tai léi·ow
Oh, mon Dieu !	คุณพระช่วย	kroun prá chôu·ay

vœux et souhaits

การอวยพร

Bon voyage !	เดินทางโดยสวัสดิภาพนะ	deun traang dôu·ay sà-wàt-dì-prâap
Félicitations !	ขอแสดงความยินดีด้วย	krŏr sà-deing krwaam yin dii dôu·ay
Bonne chance !	โชคดีนะ	chôk dii ná
Joyeux anniversaire !	สุขสันต์วันเกิด	sòuk-săn wan kèut
Joyeux Noël !	สุขสันต์วันคริสต์มาส	sòuk-săn wan krít-mâat
Bonne année !	สวัสดีปีใหม่	sà-wàt-dii pii mài

centres d'intérêt

แหล่งความสนใจทั่วไป

Aimes-tu… ?	ชอบ…ไหม	chôrp … măi
J'(Je n') aime (pas)…	ผม/ดิฉัน(ไม่) ชอบ…	prŏm/dì-chăn (mâi) chôrp … **m/f**
cuisiner	ทำอาหาร	tram aa-hăan
danser	เต้นรำ	tên ram
dessiner	เขียนภาพ	krĭi·an prâap
la musique	ดนตรี	don-trii
peindre	ระบายสี	rá-bai sĭi
la photographie	ถ่ายรูป	trài rôup
voir du monde	การสังคม	kaan săng-krom
naviguer sur Internet	เล่นอินเตอร์เนต	lên in-teu-nét
voyager	การท่องเที่ยว	kaan trôrng trîi·eiw
regarder la télévision	ดูโทรทัศน์	dou tro-rá-trát

Où puis-je m'inscrire à un… ?	จะเข้า…ได้ที่ไหน	tyà krâo … dâi trîi năi
Pouvez-vous me conseiller un…?	คุณแนะนำที่… ได้ไหม	kroun néi nam trîi … dâi măi
cours de cuisine thaïe	เรียนทำอาหารไทย	ri·ein tram aa-hăan trai
cours de thaï	เรียนภาษาไทย	ri·ein praa-săa trai
cours de massage traditionnel	เรียนนวดแผนโบราณ	ri·ein nôu·at prĕin bo-raan
cours de méditation	เรียนวิธีทำสมาธิ	ri·ein wí-trii tram sà-maa-trí

Que faites-vous pendant votre temps libre ?
คุณทำอะไรเวลาว่าง — kroun tram à-rai we-laa wâang

Consultez également le chapitre **sport**, p. 137.

musique

ดนตรี

Est-ce que tu… ?	คุณ…ไหม	kroun … măi
danses	เต้นรำ	tên ram
vas au concert	ไปดูคอนเสิร์ต	pai dou krorn-sèut
écoutes de la musique	ฟังดนตรี	fang don-trii
joues d'un instrument	เล่นเครื่องดนตรี	lên krêu·ang don-trii

Quel/le(s)… aimes-tu ?	คุณชอบ… อะไรบ้าง	kroun chôrp … à-rai bâang
groupes	วงดนตรี	wong don-trii
musique	ดนตรี	don-trii
chanteurs	นักร้อง	nák rórng

musique classique	เพลงคลาสสิก	prleng klaa-sìk
blues	เพลงบลูส์	prleng blou
musique électronique	เพลงเทคโน	prleng trék-no
jazz	ดนตรีแจ๊ซ	don-trii tyéit
pop	เพลงป๊อบ	prleng pórp
rock	เพลงร็อค	prleng rórk
musique du monde	ดนตรีโลก	don-trii lôk

Un concert vous tente ? Consultez la rubrique **billets**, p. 46, et le chapitre **sortir**, p. 121.

cinéma et théâtre

หนังและละคร

Qu'y a-t-il au cinéma ce soir ?
มีอะไรฉายที่โรงหนังคืนนี้ — mii à-rai chăi trîi rong năng kreun níi

Qu'est-ce qu'on joue au théâtre ce soir ?
มีอะไรแสดงที่โรงละครคืนนี้ — mii à-rai sà-deing trîi rong lá-krorn kreun níi

Est-ce en français ?
เป็นภาษาฝรั่งเศสไหม — pen praa-săa fà-ràng-sèt măi

Y a-t-il des sous-titres (en français) ?
มีบรรยาย (ภาษาฝรั่งเศส) ด้วยไหม — mii ban-yai (praa-săa fà-ràng-sèt) dôu·ay măi

Qui joue dans ce film ?
ใครแสดง — krai sà-deing

As-tu vu… ?
คุณเคยดู...ไหม — kroun kreu·y dou … măi

Ce siège est-il pris ?
ที่นั่งนี้มีใครจองหรือยัง — trîi nâng níi mii krai tyorng rĕu yang

J'ai envie d'aller voir un/une…	ผม/ดิฉัน อยากจะไปดู...	prŏm/dì-chăn yàhk tyà pai dou… **m/f**
As-tu aimé le/l'/la… ?	คุณชอบ...ไหม	kroun chôrp … măi
film	หนัง	năng
opéra populaire	ลิเก	lí-ke
théâtre masqué	โขน	krŏn
danse thaïe	รำไทย	ram trai
mor lam	หมอลำ	mŏr lam
fête de temple	งานวัด	ngaan wát

J'(Je n') aime (pas) les…	ผม/ดิฉัน(ไม่) ชอบ...	prŏm/dì-chăn (mâi) chôrp … **m/f**
films d'action	หนังบู๊	năng bóu
dessins animés	หนังการ์ตูน	năng kaa-toun
comédies	หนังตลก	năng tà-lòk
documentaires	สารคดี	săa-rá-krá-dii
films érotiques	หนังโป๊	năng pó
films thaïs	หนังไทย	năng trai

films d'horreur	หนังเขย่าขวัญ	năng kra-yâo krwan
films de science-fiction	หนังวิทยาศาสตร์	năng wít-trá-yaa-sàat
courts métrages	หนังเรื่องสั้น	năng rêu-ang sân

Je l'ai trouvé…	ผม/ดิฉันคิดว่ามัน…	prŏm/dì-chăn krít wâa man … **m/f**
excellent	ยอด	yôrt
long	ยาว	yao
bien	ก็โอเค	kôr o-kre

les rythmes thaïs

Divers styles musicaux cohabitent en Thaïlande, depuis les mélodies les plus classiques et traditionnelles jusqu'aux sons modernes et d'inspiration occidentale. Ouvrez grand vos oreilles et vous vous rendrez vite compte de l'étendue du spectre musical thaïlandais :

musique thaïe traditionnelle
  เพลงไทยเดิม — prleng trai deum

musique thaïe folklorique et rurale
  เพลงลูกทุ่ง — prleng lôuk trôung

musique folklorique du Laos et du nord-est de la Thaïlande (*mor lam*)
  เพลงหมอลำ — prleng mŏr lam

orchestre thaï classique
  ดนตรีปี่พาทย์ — don trii pìi prâat

ensemble de xylophones en bambou
  ดนตรีระนาด — don-trii rá-nâat

opéra thaï folklorique et populaire (*li-ke*)
  เพลงลิเก — prleng lí-ke

sentiments et sensations

ความรู้สึก

En thaï, on emploie les mots tyai ใจ (le cœur ou l'esprit) et parfois aa-rom อารมณ์ (humeur) pour traduire les émotions. La phrase aa-rom dii อารมณ์ดี signifie "de bonne humeur", alors que aa-rom mâi dii อารมณ์ไม่ดี signifie "de mauvaise humeur" ou "pas de bonne humeur". L'expression aa-rom sǐ·a อารมณ์เสีย veut dire "être irritable et aigri".

Êtes-vous/Es-tu... ?	คุณ ... ไหม	kroun ... măi
Avez-vous/As-tu... ?		
Je (ne) suis (pas)...	ผม/ดิฉัน (ไม่) ...	prŏm/dì-chăn (mâi) ... **m/f**
contrarié(e)	รำคาญ	ram-kraan
froid	หนาว	năao
déçu(e)	ผิดหวัง	prìt wăng
gêné(e)	อับอาย	àp-ai
heureux(se)	ดีใจ	dii tyai
chaud	ร้อน	rórn
faim	หิว	hĭ·ou
pressé(e)	รีบร้อน	rîip rórn
triste	เศร้า	sâo
surpris(e)	ประหลาดใจ	prà-làat tyai
soif	หิวน้ำ	hĭ·ou náam
fatigué(e)	เหนื่อย	nèu·ay
inquiet(ète)	กังวล	kang-won

Si vous êtes souffrant, consultez le chapitre **santé**, p. 191.

opinions

ความคิดเห็น

Ça vous a plu/Ça t'a plu ?
คุณชอบไหม — kroun chôrp măi

Qu'en pensez-vous/Qu'en penses-tu ?
คุณคิดว่าอย่างไร — kroun krít wâa yàang rai

J'ai trouvé ça...	ผม/ดิฉัน คิดว่ามัน ...	prŏm/dì-chăn krít wâa man ... **m/f**
C'est...	มัน ...	man ...
affreux	สุดแย่	sòut yêi
magnifique	น่าสวยงาม	nâa sŏu·ay ngaam
ennuyeux	น่าเบื่อ	nâa bèu·a
génial	เยี่ยม	yîi·eim
intéressant	น่าสนใจ	nâa sŏn-tyai
bien	ก็โอเค	kôr o-kre
étrange	แปลก	plèik
trop cher	แพงเกินไป	preing keun pai

des hauts et des bas

un peu	นิดหน่อย	nít-nòy
Je suis un peu déçu(e).	ผม/ดิฉัน รู้สึกผิดหวังนิดหน่อย	prŏm/dì-chăn róu-sèuk prìt wang nít-nòy **m/f**
infiniment	อย่างยิ่ง	yàang yîng
Je suis infiniment désolé(e).	ผม/ดิฉัน เสียใจอย่างยิ่ง	prŏm/dì-chăn sĭ·a tyai yàang yîng **m/f**
très	มาก	mâak
Je suis très chanceux(se).	ผม/ดิฉัน รู้สึกโชคดีมาก	prŏm/dì-chăn róu-sèuk chôk dii mâak **m/f**

politique et société

การเมืองและเรื่องในสังคม

Pour qui votez-vous/Pour qui votes-tu ?

คุณลงคะแนนเสียงให้ใคร	kroun long krá-nein sĭi·eing hâi krai

Je soutiens le parti…

ผม/ดิฉัน สนับสนุนพรรค ...	prŏm/dì-chăn sà-nàp sà-nŏun pák … **m/f**

Je suis membre du parti…	ผม/ดิฉัน เป็นสมาชิก พรรค ...	prŏm/dì-chăn pen sà-maa-chik prák… **m/f**
communiste	คอมมิวนิสต์	krorm-miw-nít
conservateur	หัวเก่า	hŏu·a kào
démocrate	ประชาธิปัตย์	prà-chaa-trí-pàt
écologiste	อนุรักษ์นิยม	à-nóu-rák ní-yom
libéral (progressiste)	เสรีนิยม	sĕ-rii ní-yom
social-démocrate	ประชาธิปไตย สังคมนิยม	prà-chaa-trí-pà-tai săng-krom ní-yom
socialiste	สังคมนิยม	săng-krom ní-yom

une histoire de cœur

Le mot tyai ใจ est utilisé dans les conversations au quotidien. Il signifie à la fois "le cœur" (le centre émotionnel) ou "l'esprit". Lorsqu'on le trouve après un nom, il traduit un état émotionnel. Alors que placé devant le nom, il décrit un trait de la personnalité.

น้อยใจ	nóy tyai	être vexé(e)
ใจน้อย	tyai nóy	être susceptible
ร้อนใจ	rórn tyai	être nerveux(se)
ใจร้อน	tyai rórn	être impatient(e)
ดีใจ	dii tyai	être heureux(se)
ใจดี	tyai dii	être gentil(le)

au cœur des partis

Parti démocrate	พรรคประชาธิปัตย์	prák prà-chaa-trí-pàt
Parti pour la patrie	พรรคเพื่อแผ่นดิน	prák-prêu·a prèin din
Parti du pouvoir du peuple	พรรคพลัง ประชาชน	prák-prá-lang prà-chaa-chon
Parti du développement national	รวมใจไทย ชาติพัฒนา	rou·am tyai trai châat prá-trá-naa
Parti de la nation thaïe	พรรคชาติไทย	prák châat trai

Avez-vous/As-tu entendu parler de… ?
ได้ยินเรื่อง … ไหม — dâi yin rêu·ang … măi

Êtes-vous/Es-tu d'accord avec ça ?
เห็นด้วยไหม — hĕn dôu·ay măi

Je (ne) suis (pas) d'accord avec…
ผม/ดิฉัน (ไม่) เห็นด้วยกับ … — prŏm/dì-chăn (mâi) hĕn dôu·ay kàp … m/f

Que pensent les gens de… ?
คนรู้สึกอย่างไรกับเรื่อง … — kron róu-sèuk yàang rai kàp rëu·ang …

Dans mon pays, on se sent concerné par.
ในประเทศของผม/ดิฉัน เราสนใจเรื่อง … — nai prà-trêt krŏrng prŏm/dì-chăn rao sŏn-tyai rêu·ang … m/f

Comment protester contre… ?
เราจะประท้วงเรื่อง … ได้อย่างไร — rao tyà prà-tróu·ang rêu·ang … dâi yàang rai

Comment soutenir… ?
เราจะสนับสนุนเรื่อง … ได้อย่างไร — rao tyà sà-nàp sà-nŏun rêu·ang … dâi yàang rai

le sida	โรคเอดส์	rôk èt
le droit des animaux	สิทธิของสัตว์เดรัจฉาน	sìt-trí krŏrng sàt de-rát-chăan
la corruption	การทุจริต	kaan tróu-tyà-rìt
le crime	อาชญากรรม	àat-chá-yaa-kam
la discrimination	การกีดกัน	kaan kìit kan
les drogues	ยาเสพติด	yaa sèp tìt
l'économie	เศรษฐกิจ	sèt-trà-kìt
l'éducation	การศึกษา	kaan sèuk-săa
l'environnement	สิ่งแวดล้อม	sìng wêit lórm
l'égalité des chances	การให้โอกาสเท่าเทียมกัน	kahn hâi o-kàat trâo trii·am kan
la mondialisation	โลกาภิวัฒน์	lo-kaa-prí-wát
les droits de l'homme	สิทธิมนุษยชน	sìt-trí má-nóut-sà-yá-chon
l'immigration	การอพยพเข้าเมือง	kaan òp-prá-yóp krâo meu·ang
la situation des citoyens	เรื่องคนพื้นเมือง	rêu·ang kron péun meu·ang
les droits des citoyens	สิทธิของคนพื้นเมือง	sìt-trí krŏrng kron préun meu·ang
l'inégalité	ความไม่เสมอภาค	krwaam mâi sà-mĕu prâak
la monarchie	สถาบันมหากษัตริย์	sà-trăa-ban má-hăa kà-sàt
la politique	การเมืองระหว่างพรรค	kaan meu·ang rá-wàang prák
le racisme	การเหยียดผิว	kaan yìi·at prĭ·ou
le tourisme sexuel	การเที่ยวทางเพศ	kaan trîi·eiw traang prêt
le sexisme	เพศนิยม	prêt ní-yom
l'assistance sociale	การประชาสงเคราะห์	kaan prà-chaa sŏng-krór
le terrorisme	การก่อการร้าย	kaan kòr kaan rái
le chômage	การว่างงาน	kaan wâang ngaan
la politique étrangère américaine	นโยบายต่างประเทศของสหรัฐอเมริกา	ná-yo-bai tàang prà-trêt krŏrng sà-hà-rát à-me-rí-kaa
la guerre en…	สงครามใน …	sŏng-kraam nai …

environnement

สิ่งแวดล้อม

Y a-t-il un problème de ..., ici ?
ที่นี่มีปัญหาเรื่อง ... ไหม — trîi nîi mii pan-hăa rêu·ang ... măi

Que devrait-on faire au sujet de ... ?
ควรจะทำอย่างไรเรื่อง ... — krou·an tyà tram yàang rai rêu·ang ...

la conservation	การอนุรักษ์สิ่งแวดล้อม	kaan à-nóu-rák sìng wêit lórm
la déforestation	การทำลายป่า	kaan tram lai pàa
la sécheresse	ภาวะขาดแคลนน้ำ	praa-wá kràat klein náam
les écosystèmes	ระบบนิเวศวิทยา	rá-bòp ní-wêt-wít-trá-yaa
les espèces en voie de disparition	สัตว์ที่ใกล้จะสูญพันธุ์	sàt trîi klâi tyà sŏun pran
l'hydroélectricité	พลังไฟฟ้าจากน้ำ	prá-lang fai fáa tyàak náam
l'irrigation	การทดน้ำ	kaan trót náam
les pesticides	ยาฆ่าแมลง	yaa krăa má-leing
la pollution	มลพิษ	mon-la-prít
les déchets toxiques	ขยะมีพิษ	krà-yà mii prít
l'approvisionnement en eau	แหล่งน้ำใช้	lèing náam chái

S'agit-il d'... protégé(es) ?	อันนี้เป็น ... สงวนไหม	an níi pen ... sà-ngŏu·an măi
une forêt	ป่า	pàa
un parc	อุทยาน	òu-trá-yaan
espèces	สัตว์	sàt

où sortir

ที่ไป

Qu'y a-t-il à faire ici le soir ?
มีอะไรบ้างให้ทำตอนเย็น — mii à-rai bâang hâi tram torn yen

Où pourrait-on aller ?
จะไปไหนกันดี — tyà pai năi kan dii

Qu'y a-t-il… ?	มีอะไรทำ …	mii à-rai tram …
dans le coin	แถวๆ นี้	trĕi·ow trĕi·ow níi
ce week-end	เสาร์อาทิตย์นี้	săo aa-trít níi
aujourd'hui	วันนี้	wan níi
ce soir	คืนนี้	kreun níi

Où peut-on trouver… ?	จะหา … ได้ที่ไหน	tyà hăa … dâi trîi năi
des clubs	ไนท์คลับ	nai krláp
des boîtes gays	สถานบันเทิงสำหรับชาวเกย์	sà-trăan ban-treung săm-ràp chao ke
des restaurants	ที่ทานอาหาร	trîi traan aa-hăan
des pubs	ผับ	pràp

Y a-t-il un guide local… ?	มีคู่มือ … สำหรับแถวนี้ไหม	mii krôu meu … săm ràp trĕi·ow níi măi
des spectacles	สถานบันเทิง	sà-trăan ban-treung
des films	ภาพยนตร์	prâap-prá-yon
pour les gays	สำหรับคนเกย์	săm-ràp kron ke
de la musique	ดนตรี	don-trii

J'ai envie d'aller…	ผม/ดิฉัน อยากจะไป …	prŏm/dì-chăn yàak tyà pai … **m/f**
dans un bar	บาร์	baa
dans un café	ร้านกาแฟ	ráan kaa-fei
à un concert	ดูการแสดงดนตรี	dou kaan sà-deing don-trii
voir un film	ดูหนัง	dou năng
à la fête de la pleine lune	งานปาร์ตี้พระจันทร์เต็มดวง	ngaan paa-tîi prá tyan tem dou·ang
au karaoké	คาราโอเกะ	kraa-raa-o-ké
en boîte	ไนท์คลับ	nai krláp
à une fête	งานปาร์ตี้	ngaan paa-tîi
à un spectacle	ดูงานแสดง	dou ngaan sà-deing
au pub	ผับ	pràp
au restaurant	ร้านอาหาร	ráan aa-hăan

Pour en savoir plus sur les bars et les boissons, voir le chapitre **se restaurer**, p. 153.

invitations

การเชิญชวน

Qu'est-ce que tu fais… ?	คุณกำลังทำอะไรอยู่ …	kroun kam-lang tram à-rai yòu…
maintenant	เดี๋ยวนี้	dĭ·eiw níi
ce week-end	เสาร์อาทิตย์นี้	săo aa-trít níi
ce soir	คืนนี้	kroun níi

Aimerais-tu aller… ?	อยากจะไป … ไหม	yàak tyà pai … măi
J'ai envie d'aller…	ฉันอยากจะไป …	chăn yàhk jà pai …
boire un café	กินกาแฟ	kin kaa fei
danser	เต้นรำ	tên ram
prendre un verre	ดื่ม	dèum
manger	ทานอาหาร	traan aa-hăan
quelque part	เที่ยวข้างนอก	trîi·eiw krâang nôrk
te promener	เดินเล่น	deun lên

C'est ma tournée.
คราวนี้ผม/ดิฉันจ่าย — kraa·o níi prŏm/dì-chăn tyài **m/f**

Connais-tu un bon restaurant ?
รู้จักร้านอาหารดีๆไหม — róu tyàk ráan aa-hăan dii dii măi

Veux-tu venir au concert avec moi ?
คุณอยากจะไปดูดนตรีกับฉันไหม — kroun yàak tyà pai dou don-trii kàp chăn măi

Nous allons faire une fête.
เรากำลังจัดงานเลี้ยงอยู่ — rao kam-lang tyàt ngaan líi·eing yòu

Tu devrais venir.
คุณน่าจะมานะ — kroun nâa tyà maa ná

répondre à une invitation

การตอบคำเชิญชวน

Bien sûr ! ได้เลย — dâi leu·y

Oui, j'en serais ravi(e).
ไป ครับ/ค่ะ ยินดีมากเลย — pai kráp/krâ, yin dii mâak leu·y **m/f**

C'est très gentil de ta part.
คุณใจดีจัง — kroun tyai dii tyang

Je suis désolé(e), je ne peux pas.
ขอโทษนะไปไม่ได้ — krŏr trôt ná, pai mâi dâi

Désolé(e), mais je ne sais pas chanter.
ขอโทษ ร้องเพลงไม่เป็น — krŏr trôt, rórng prleng mâi pen

Désolé(e), mais je ne sais pas danser.
ขอโทษ เต้นรำไม่เป็น krŏr trôt, tên ram mâi pen

Et pourquoi pas demain ?
พรุ่งนี้ได้ไหม prôung nii dâi măi

organiser un rendez-vous

การนัดพบ

À quelle heure se retrouve-t-on ?
จะพบกันกี่โมง tyà próp kan kìi mong

Où se retrouve-t-on ?
จะพบกันที่ไหน tyà próp kan trîi năi

Retrouvons-nous à… พบกัน … ดีไหม próp kan … dii măi
(20h) (สองทุ่ม) (sŏrng troûm)
l'(entrée) ที่ (ทางเข้า) trîi (traang krâo)

Je passerai te chercher.
ฉันจะไปรับคุณ chăn tyà pai ráp kroun

Es-tu prêt(e) ? พร้อมหรือยัง prórm rĕu yang
Je suis prêt(e). พร้อมแล้ว prórm léi·ow

J'arriverai plus tard. ฉันจะมาทีหลัง chăn tyà maa trii lăng
Où seras-tu ? คุณจะอยู่ที่ไหน kroun tyà yòu trîi năi

Si je ne suis pas là à (21h), ne m'attends pas.
ถ้าถึงเวลา (สามทุ่ม) ฉัน ไม่มา ไม่ต้องรอนะ trâa trĕung we-laa (săam trôum) chăn mâi maa mâi tôrng ror ná

EN SOCIÉTÉ

D'accord !	ตกลง	tòk long
Allez, à bientôt.	เจอกันตอนนั้นนะ	tyeu kan torn nán ná
À plus tard.	เดี๋ยวพบกันทีหลัง	dĭ·eiw próp kan trii lăng
À demain.	พบกันพรุ่งนี้	próp kan prôung níi

Je suis tellement ravi(e).
ตื่นเต้นจัง — tèun tên tyang

Désolé(e), je suis en retard.
ขอโทษที่มาช้า — krŏr trôt trîi maa cháa

Ce n'est pas grave.
ไม่เป็นไร — mâi pen rai

noms d'oiseau

Employé seul, le mot krîi ขี้ veut dire "crotte", mais en discutant avec les Thaïs, vous prendrez l'habitude d'entendre ce mot dans un tout autre contexte. Le mot krîi peut être utilisé pour décrire la personalité de quelqu'un de manière rabaissante. On peut ainsi rencontrer les mots krîi kìi·at ขี้เกียจ (paresseux-euse), krîi klou·a ขี้กลัว (peureux-euse), krîi krlàat ขี้ขลาด (lâche), krîi mó ขี้โม้ (vantard-e), et krîi mo-hŏ ขี้โมโห (colérique). Il est aussi utilisé pour décrire des déchets, tels que krîi lêu·ay ขี้เลื่อย (la sciure), krîi lèk ขี้เหล็ก (la limaille de fer) et krîi kleu·a ขี้เกลือ (le résidu salin).

Dans un contexte moins raffiné, le mot krîi fait référence à toutes les sécrétions du corps, telles que krîi taa ขี้ตา (la chassie), krîi hŏu ขี้หู (le cérumen), krîi môuk ขี้มูก (le mucus nasal) et krîi krlai ขี้ไคล (la crasse). Si jamais vous ne donnez pas assez de pourboire, vous pourrez entendre les mots krîi nĭi·ow ขี้เหนียว (radin), que l'on peut traduire littéralement par "crotte gluante".

drogue

ยาเสพติด

Je ne touche pas à la drogue.
ฉันไม่เสพยา — chăn mâi sèp yaa

Je prends du … occasionnellement.
ฉัน เสพ … เป็นบางครั้ง — chăn sèp … pen baang kráng

Tu veux fumer ?
จะสูบไหม — jà sòup mǎi

Tu as du feu ?
มีไฟไหม — mii fai mǎi

Lonely Planet déconseille à ses lecteurs l'usage de drogues, même les plus "douces", qui modifient le comportement

rendez-vous

การขอไปเที่ยวกัน

Aimerais-tu faire quelque chose (demain) ?
คุณอยากจะไปทำอะไรสัก อย่าง (พรุ่งนี้) ไหม — kroun yàak tyà pai tram à-rai sàk yàang (prôung níi) măi

Où aimerais-tu aller (ce soir) ?
คุณอยากจะไปไหน (คืนนี้) — kroun yàak tyà pai năi (kreun níi)

Oui, j'adorerais.
ไปครับ/ค่ะ ยินดีมาก — pai kráp/krâ, yin dii mâak **m/f**

Je suis pris(e).
ฉันติดธุระ — chăn tìt tróu-rá

C'est adorable !
น่ารักจัง — nâa rák tyang

Il/Elle aime sortir.
เขา/เธอเที่ยวเก่งนะ — krăo/treu trîi·eiw kèng ná

parler local

C'est…	เขา/เธอ …	krăo/treu …
une super nana	น่ารักจัง	nâa rák tyang
un sale type	เลว	le·ow
une garce	สำส่อน	săm sòrn
quelqu'un de chaud	เร่าร้อน	râo rórn

séduction

ศัพท์สำหรับการจีบกัน

Veux-tu boire quelque chose ?
จะดื่มอะไรไหม — tyà dèum à-rai măi

Tu me fais penser à quelqu'un que je connais.
คุณหน้าคุ้นๆ — kroun nâa króun króun

Tu danses vraiment bien.
คุณเต้นรำเก่งมากเลย — kroun tên ram kèng mâak leu·y

Puis-je… ?	… ได้ไหม	… däi mäi
danser avec toi	เต้นกับคุณ	tên kàp kroun
m'asseoir ici	นั่งที่นี่	nâng trîi nîi
te raccompagner	พาคุณกลับบ้าน	praa kroun klàp bâan

refus

การปฏิเสธ

Je suis avec mon petit ami/ma petite amie.
ฉันอยู่กับแฟน — chăn yòu kàp fein

Excusez-moi, je dois partir maintenant.
ขอโทษนะ ต้องไปแล้ว — krŏr trôt ná, tôrng pai léi·ow

Je n'ai pas très envie.
คิดว่าไม่นะ — krít wâa mâi ná

Non, merci.
ไม่นะ ครับ/ค่ะ ขอบคุณ — mâi ná krap/krâ, kròrp kroun m/f

quelques expressions

Laisse-moi tranquille !	อย่ายุ่งกับฉัน	yàa yôung kàp chăn
Va-t-en !	ไปให้พ้น	pai hâi prón

tentatives d'approche

การสนิทสนม

Je t'aime beaucoup.
ฉันชอบคุณมากๆ — chăn chôrp kroun mâak mâak

Est-ce que je peux t'embrasser ?
จูบคุณได้ไหม — tyòup kroun dâi măi

Veux-tu entrer une minute ?
จะเข้ามาข้างในหน่อยไหม — tyà krâo maa krâang nai nòy măi

Tu veux que je te fasse un massage ?
อยากให้นวดไหม — yàak hâi nôu·at măi

rapport sexuel protégé

ร่วมเพศแบบปลอดภัย

Tu as un préservatif ?
มีถุงยางไหม — mii trŏung yaang măi

On va utiliser un préservatif.
ใช้ถุงยางกันเถิด — chái trŏung yaang kan trèut

Je ne le ferai pas sans protection.
ฉันจะไม่ทำถ้าไม่มีอะไรป้องกัน — chăn tyà mâi tram trâa mâi mii à-rai pôrng kan

sexe

การร่วมเพศ

J'ai envie de faire l'amour avec toi.
ฉันอยากจะร่วมรักกับเธอ chăn yàak tyà rôu·am rák kàp treu

Embrasse-moi.	จูบฉันเถิด	tyòup chăn trèut
J'ai envie de toi.	ต้องการเธอแล้ว	tôrng kaan treu lél·ow
Allons au lit.	ไปที่นอนนะ	pai trîi norn ná
Touche-moi ici.	แตะฉันตรงนี้	tèi chăn trong níi
Ça te plaît ?	แบบนี้ชอบไหม	bèip níi chôrp măi
J' (je n') aime pas ça.	(ไม่) ชอบ	(mâi) chôrp

Je crois qu'il vaudrait mieux arrêter.
คิดว่าหยุดดีกว่า krít wâa yòut dii kwàa

Oh oui !	ใช่เลย	châi leu·y
Oh mon Dieu !	คุณพระช่วย	kroun prá chôu·ay
C'est bon.	ยอดเลย	yôrt leu·y
Vas-y mollo !	ใจเย็นๆนะ	tyai yen yen ná
plus vite	เร็วขึ้น	re ow krêun
plus fort	แรงขึ้น	reing krêun
plus lentement	ช้าลง	cháa long
moins fort	เบาลง	bao long

C'est ma première fois.
นี่เป็นครั้งแรก nîi pen kráng rèik

Il faut avoir le sens de l'humour.
ต้องมีอารมณ์ขันหน่อย tôrng mii aa-rom krăn nòy

Ne t'inquiète pas, je vais le faire moi-même.
ไม่ต้องกังวล ฉันจะทำเอง măi torng kang-won, chăn tyà tram eng

et après...

ช่วงหลัง

C'était…	นั่นก็ …	nân kôr …
excellent	น่าอัศจรรย์	nâa àt-sà-tyan
bizarre	แปลก	plèik
fougueux	รุนแรง	roun reing

Je peux… ?	… ได้ไหม	… dâi măi
t'appeler	โทรถึงคุณ	tro trĕung kroun
te voir demain	พบกับคุณพรุ่งนี้	próp kàp kroun prôung níi
rester ici	ค้างที่นี่	kráang trîi nîi

amour

ความรัก

Je t'aime.	ฉันรักเธอ	chăn rák treu
Tu es formidable.	คุณนี่ยอดเลย	kroun nîi yôrt leu·y

Je trouve qu'on est bien ensemble.
ฉันคิดว่าเราสองคนเข้ากันได้ดี — chăn krít wâa rao sŏrng kron krâo kan dâi dii

Veux-tu… ?	เธอจะ … ไหม	treu tyà … măi
sortir avec moi	ไปเที่ยวกับฉัน	pai trîi·eiw kàp chăn
vivre avec moi	มาอยู่กับฉัน	maa yòu kàp chăn
m'épouser	แต่งงานกับฉัน	tèing ngaan kàp chăn

mots doux

Mon chéri/Ma chérie	สุดที่รัก	sòut trîi rák
Chéri(e)	ยอดรัก	yôrt rák
Mon amour	ที่รัก	trîi rák
Mon cœur	หวานใจ	wăan tyai

reproches

ปัญหา

Est-ce que tu sors avec quelqu'un d'autre ?
เธอคบกับคนอื่นใช่ไหม — treu króp kàp kron èun châi măi

C'est juste un(e) ami(e).
เขาแค่เพื่อนเฉยๆ — krăo krêi prêu·an chĕu·y chĕu·y

Tu n'es avec moi que pour le sexe.
เธอใช้ฉันแค่ประโลม ทางเพศเฉยๆ — treu chái chăn krêi prà-lom traang prêt chĕu·y chĕu·y

Je ne veux plus jamais te revoir.
ฉันไม่อยากจะเห็นหน้าเธอ อีกแล้ว — chăn mâi yàak tyà hĕn nâa treu ìik léi·ow

Je ne pense pas que ça marchera.
ฉันรู้สึกว่ามันกำลังเป็น ไปไม่ได้ — chăn róu-sèuk wâa man kam-lang pen pai mâi dâi

Nous trouverons une solution.
เราจะหาทางแก้ไข — rao tyà hăa traang kêi krăi

se quitter

การลา

Je dois m'en aller demain.
ฉันต้องไปพรุ่งนี้ — chăn tôrng pai prôung níi

Je…	ฉันจะ …	chăn tyà …
viendrai te voir	มาเยี่ยมคุณ	maa yîi·eim kroun
garderai contact	ติดต่อนะ	tìt tòr ná
penserai à toi	คิดถึงคุณ	krít trĕung kroun

religion

ศาสนา

Quelle est votre religion ?
คุณนับถือศาสนาอะไร kroun náp-trěu sàat-sà-năa à-rai

Je ne m'intéresse pas à la religion.
ฉันไม่สนใจเรื่องศาสนา chăn mâi sŏn-tyai rêu·ang sàat-sà-năa

bouddhiste	ชาวพุทธ	chao próut
catholique	คาทอลิก	kraa-tror-lìk
chrétien	คริสเตียน	krít-sà-tii·an
hindouiste	ชาวฮินดู	chao hin-dou
juif/juive	ชาวยิว	chao yi·ou
musulman(e)	ชาวอิสลาม	chao ìt-sà-laam

Je (ne) crois (pas)…	ผม/ดิฉัน(ไม่) เชื่อเรื่อง…	prŏm/dì-chăn (mâi) chêu·a rêu·ang … **m/f**
en l'astrologie	โหราศาสตร์	hŏ-raa-sàat
au destin	ชะตากรรม	chá-taa kam
en Dieu	พระเจ้า	prá tyâo

Puis-je … ici ?	…ที่นี่ได้ไหม	… trîi nîi dâi măi
Où peut-on… ?	จะ…ได้ที่ไหน	tyà … dâi trîi năi
assister à un office	ร่วมพิธี	rôu·am prí-trii
méditer	ฝึกสมาธิ	fèuk sà-maa-trí
prier	สวดมนต์	sòu·at mon

Y a-t-il un professeur de méditation ici ?
ที่นี่มีอาจารย์สอนทำสมาธิไหม trîi nîi mii aa-tyaan sŏrn tram sà-maa-trí măi

réciter des prières	การสวดมนต์	kaan sòu·at mon
méditation	การทำสมาธิ	kaan tram sà-maa-trí
monastère	วัด	wát
petit moine	เณร	nen
nonne	แม่ชี	mêi chii
moine/bonze	พระสงฆ์	prá sŏng
autel	แท่นพระ	trêin prá
stupa	พระสถูป	prá sà-tròup
temple	วัด	wát

différences culturelles

ความแตกต่างทางวัฒนธรรม

Est-ce une coutume locale ou nationale ?
นี่เป็นประเพณีประจำชาติหรือเฉพาะท้องถิ่น — nîi pen prà-pre-nii prà-tyam châat rĕu chá-prór trórng trìn

Je ne voudrais pas vous offenser.
ผม/ดิฉันไม่อยากจะทำผิดประเพณีของคุณ — prŏm/dì-chăn mâi yàak tyà tram prìt prà-pre-nii krŏrng kroun **m/f**

Je ne suis pas habitué(e) à cela.
ผม/ดิฉันไม่คุ้นเคยกับการทำอย่างนี้ — prŏm/dì-chăn mâi króun kreu·y kàp kaan tram yàang níi **m/f**

Je ne préfère pas participer.
ผม/ดิฉันคิดว่าไม่ร่วมดีกว่า — prŏm/dì-chăn krít wâa mâi rou·am dii kwàa **m/f**

Je ne voulais pas commettre de maladresse.
ผม/ดิฉันไม่ได้เจตนาทำอะไรผิด — prŏm/dì-chăn mâi dâi tyèt tà-naa tram à-rai prìt **m/f**

Je suis désolé(e), c'est contre ma ... — ขอโทษนะมันขัดกับ ... ของผม/ดิฉัน — krŏr trôt ná man kràt kàp ... krŏrng prŏm/dì-chăn **m/f**

croyance	ความเชื่อถือ	krwaam chêu·a trĕu
religion	ศาสนา	sàat-sà-năa

art

ศิลปะ

À quelle heure ouvre la galerie ?
ห้องแสดงศิลปเปิดกี่โมง — hôrng sà-deing sĭn-la-pà pèut kìi mong

À quelle heure ouvre le musée ?
พิพิธภัณฑ์เปิดกี่โมง — prí-prít-trá-pran pèut kìi mong

Quel genre d'art vous/t'intéresse ?
คุณสนใจศิลปะแบบไหน — kroun sŏn-tyai sĭn-lá-pà bèip năi

Qu'y a-t-il dans la collection ?
มีอะไรบ้างในชุดนี้ — mii à-rai bâang nai chóut níi

Que pensez-vous/penses-tu de… ?
คุณคิดอย่างไรเรื่อง... — kroun krít yàang rai rêu·ang …

Je m'intéresse à…
ผม/ดิฉันสนใจ... — prŏm/dì-chăn sŏn-tyai … **m/f**

J'aime les œuvres de…
ผม/ดิฉันชอบงานของ... — prŏm/dì-chăn chôrp ngaan krŏrng … **m/f**

Cela me rappelle…
ทำให้นึกถึง... — tram hâi néuk trĕung …

l'art/les arts...	ศิลปะ...	sĭn-lá-pà …
graphiques	การขีดเขียน	kaan kriit krĭi·an
moderne	สมัยใหม่	sà-măi mài
du spectacle	การแสดง	kann sà-deing

gloires du passé

période de Sukhothai (XIIIe–XVe siècle ap. J.-C.)
ยุคสุโขทัย — yóuk sòu-krŏ-trai

période d'Ayutthaya (XIVe–XVIIIe siècle ap. J.-C.)
ยุคอยุธยา — yóuk à-yóut-trá-yaa

période de Srivijaya (VIIe–XIIIe siècle ap. J.-C.)
ยุคศรีวิชัย — yóuk sĭi-wí-chai

objet d'art	งานศิลปะ	ngaan sĭn-lá-pà
conservateur	ผู้ดูแล	prôu dou lei
design	การออกแบบ	kaan òrk bèip
gravure	ภาพแกะพิมพ์	prâap kèi prim
exposition	งานแสดง	ngaan sà-deing
salle d'exposition	ห้องนิทรรศการ	hôrng ní-trát-sà-kaan
scénographie	การติดตั้ง	kaan tìt tâng
ouverture	งานเปิด	ngaan pèut
peintre	จิตรกร	tyit-tra-korn
peinture	จิตรกรรม	tyit-tra-kam
période/époque	ยุค	yóuk
imprimé	ภาพพิมพ์	prâap prim
sculpteur	ช่างปั้น	châang pân
sculpture (sur bois)	รูปสลัก	rôup sà-làk
sculpture (modelée)	รูปปั้น	rôup pân
statue	รูปหล่อ	rôup lòr
studio	ห้องทำงาน	hôrng tram ngaan
style	แบบ/ทรง	bèip/song
technique	เทคนิค	trék-ník

en parler

ความสนใจเกี่ยวกับกีฬา

Quel sport … -vous ?	คุณ...กีฬาอะไร	kroun … kii-laa à-rai
pratiquez	เล่น	lên
suivez	ติดตาม	tìt taam

Je pratique le/la/l'…	ผม/ดิฉันเล่น...	prŏm/dì-chăn lên … **m/f**
Je suis le/la/l'…	ผม/ดิฉันติดตาม...	prŏm/dì-chăn tìt taam … **m/f**
athlétisme	กรีฑา	krii-traa
badminton	แบดมินตัน	bèit-min-tan
basket-ball	บาสเกตบอล	baa-sà-kèt born
boxe	มวยสากล	mou·ay săa-kon
football	ฟุตบอล	fóut-born
karaté	คาราเต้	kraa-raa-tê
muay thaï (boxe thaïlandaise)	มวยไทย	mou·ay trai
ping-pong	ปิงปอง	ping-porng
takraw (jeu de balle au pied plus ou moins proche du volley-ball)	เซปักตะกร้อ	se pàk tà-krôr
tennis	เทนนิส	tren-nít
plongée sous-marine	การดำน้ำใช้ถังออกซิเจน	kaan dam náam chái trăng òrk-sí-tyen
volley-ball	วอลเลย์บอล	worn-le-born

Je…	ผม/ดิฉัน…	prŏm/dì-chăn … **m/f**
fais du vélo	ขี่จักรยาน	krìi tyàk-kà-yaan
cours	วิ่ง	wîng
marche	เดิน	deun

Vous aimez/Tu aimes (le football) ?	คุณชอบ(ฟุตบอล) ไหม	kroun chôrp (fóut-born) măi
Oui, beaucoup.	ชอบมาก	chôrp mâak
Pas vraiment.	ไม่เท่าไร	mâi trâo-rai

J'aime bien regarder.	ชอบดู	chôrp dou

Quel(le) est ton… préféré(e) ?	ใครเป็น… ที่คุณชอบที่สุด	krai pen … trîi kroun chôrp trîi-sòut
sportif	นักกีฬา	nák kii-laa
équipe	ทีมกีฬา	triim kii-laa

assister à un match

การไปดูเกม

Voulez-vous/Veux-tu aller voir un match ?
คุณอยากจะไปดูเกมไหม — kroun yàak tyà pai dou kem măi

Vous êtes/Tu es pour quelle équipe ?
คุณเชียร์ใคร — kroun chii·a krai

Qui…?	ใครกำลัง…อยู่	krai kam-lang … yòu
joue	เล่น	lên
gagne	ชนะ	chá-ná

parler sportif

Quel(le)… !	…ยอดเลย	… yôrt leu·y
but	ประตู	prà-tou
coup	ต่อย	tòy
tir	เตะ	tè
passe	ส่งลูก	sòng lôuk
performance	เล่น	lên

EN SOCIÉTÉ

notions de combat

La boxe thaïe, ou le *muay thaï* est un sport national de renommée internationale. Ces termes de boxe vous aideront à suivre l'action en temps réel :

ring de boxe	เวทีมวย	we-trii mou·ay
coude	ศอก	sòrk
coup de pied	เตะ	tè
genou	เข่า	krào
knock-out	ชนะน็อค	chá-na nórk
points décisifs	ชนะคะแนน	chá-ná krá-nein
coup de poing	ชก	chók
arbitre	กรรมการ	kam-má-kaan
round	ยก	yók

Ce match était… !	นั่นเป็นเกม...	nân pen kem …
nul	ห่วย	hôu·ay
ennuyeux	น่าเบื่อ	nâa bèu·a
génial	เยี่ยม	yîi·eim

pratiquer un sport

การเล่นกีฬา

Vous voulez/Tu veux jouer ?
คุณอยากจะเล่นไหม — kroun yàak tyà lên măi

Est-ce que je peux participer ?
ฉันร่วมด้วยได้ไหม — chăn rôu·am dôu·ay dâi măi

Bonne idée.	นั่นก็เยี่ยม	nân kôr yîi·eim
Je ne peux pas.	ไม่ได้	mâi dâi
Je suis blessé(e).	ฉันบาดเจ็บ	chăn bàat tyèp

expressions courantes

têim krŏrng kroun/chăn แต้มของคุณ/ฉัน	**Un point pour toi/moi.**
tè maa hâi chăn เตะมาให้ฉัน	**Fais-moi une passe !**
kòrp kroun săm-ràp kaan lên ขอบคุณสำหรับการเล่น	**Merci pour le match.**
kroun lên kèng ná คุณเล่นเก่งนะ	**Tu es un(e) bon(ne) joueur/joueuse.**
sòng lôuk maa hâi chăn ส่งลูกมาให้ฉัน	**Passe-le/la moi !**

Où y a-t-il un bon endroit pour… ?	ที่ไหนมีที่...ที่ดี	trîi năi mii trîi … trîi dii
pêcher	หาปลา	hăa plaa
faire du cheval	ขี่ม้า	krìi máa
courir	วิ่ง	wîng
la plongée	ดำน้ำใช้ท่อหายใจ	dam náam chái trôr hăi tyai
surfer	เล่นโต้คลื่น	lên tô krlêun

Où se trouve le/la plus proche… ?	ที่ไหน...ที่ใกล้ที่สุด	trîi năi … trîi klâi trîi sòut
terrain de golf	สนามกอล์ฟ	sà-năam kòrp
gymnase	ห้องออกกำลังกาย	hôrng òrk kam-lang kai
piscine	สระว่ายน้ำ	sà wâi náam
court de tennis	สนามเทนนิส	sà-năam tren-nít

Faut-il être membre pour entrer ?
ต้องเป็นสมาชิกถึงจะเข้าได้ใช่ไหม — tôrng pen sà-maa-chík tyeung tyà krâo dâi châi măi

Y a-t-il une session réservée aux femmes ?
มีช่วงเวลาสำหรับเฉพาะผู้หญิงไหม — mii chôu-ang we-laa săm-ràp chà-prór prôu yĭng măi

Où se trouvent les vestiaires ?
ห้องเปลี่ยนเสื้อผ้าอยู่ที่ไหน — hôrng plìi·an sêu·a prâa yòu trîi năi

Quel est le prix par… ?	คิดค่า...ละเท่าไร	krít krâa … lá trâo-rai
jour	วัน	wan
match	เกม	kem
heure	ชั่วโมง	chôu·a mong
visite	ครั้ง	kráng

Puis-je louer… ?	เช่า...ได้ไหม	châo … dâi măi
un ballon	ลูกบอล	lôuk born
un vélo	จักรยาน	tyàk-kà-yaan
un court	สนาม	sà-năam
une raquette	ไม้ตี	mái tii

la plongée

การดำน้ำ

Où se trouvent les bons sites de plongée ?
ที่ไหนมีที่ดำน้ำที่ดี — trîi năi mii trîi dam náam trîi dii

La visibilité est-elle bonne ?
การมองเห็นชัดไหม — kaan morng hĕn chát măi

Jusqu'à quelle profondeur peut-on plonger ?
ดำได้ลึกเท่าไร — dam dâi léuk trâo-rai

Je dois recharger ma bouteille d'oxygène.
ต้องเติมออกซิเจน — tôrng teum òrk-sí-tyen

Y a-t-il...?	มี...ไหม	mii ... măi
de forts courants	กระแสน้ำแรง	krà-sĕi náam reing
des requins	ปลาฉลาม	plaa chà-läam
des baleines	ปลาวาฬ	plaa-waan

Je veux louer un(e)...	อยากจะเช่า...	yàak tyà châo ...
gilet stabilisateur	เสื้อชูชีพ	sêu·a chou chîip
équipement de plongée	อุปกรณ์ดำน้ำ	òup-pà-korn dam náam
des palmes	ตีนกบ	tiin kòp
masque	หน้ากากดำน้ำ	nâa kàak dam náam
régulateur	เครื่องปรับลม	krêu·ang pràp lom
tuba	ท่อหายใจ	trôr hăi tyai
bouteille d'oxygène	ถังออกซิเจน	trăng òrk-sí-tyen
gilet de lestage	เข็มขัดถ่วงน้ำหนัก	krĕm-kràt tròu-ang nám-nàk
combinaison	ชุดหนัง	chóut năng

J'aimerais...	ฉันอยากจะ...	chăn yàak tyà ...
explorer des grottes	ไปสำรวจถ้ำ	pai săm-ròu·at trăm
explorer des épaves	ไปสำรวจซากเรือเก่า	pai săm-ròu·at sâak reu·a kào
faire une plongée nocturne	ไปดำน้ำกลางคืน	pai dam náam klaang kreun
faire de la plongée bouteille	ไปดำน้ำใช้ถังออกซิเจน	pai dam náam chái trăng òrk-sí-tyen
faire de la plongée libre (snorkeling)	ไปดำน้ำใช้ท่อหายใจ	pai dam náam chái trôr hăi tyai
faire une sortie plongée	ไปเข้าคณะดำน้ำ	pai krâo krá-ná dam náam
apprendre à plonger	เรียนวิธีดำน้ำ	ri·ein wí-trii dam náam

EN SOCIÉTÉ

camarade	เพื่อน	prêu·an
grotte	ถ้ำ	trâm
bateau de plongée	เรือสำหรับการไปดำน้ำ	reu·a săm-ràp kaan pai dam náam
cours de plongée	หลักสูตรดำน้ำ	làk sòut dam náam
plongée nocturne	ดำน้ำกลางคืน	dam náam klaang kreun
épave	ซากเรือเก่า	sâak reu·a kào

football

ฟุตบอล

Qui joue pour (la Thai Farmers Bank) ?
ใครเล่นให้ทีม(ธนาคารกสิกรไทย) — krai lên hâi triim (trá-naa-kraan kà-sì-korn trai)

C'est un très bon joueur.
เขาเป็นนักเล่นที่เก่ง — krăo pen nák lên trîi kèng

Il a vraiment très bien joué contre (le Cambodge).
เขาเล่นเก่งมากตอนที่เล่นแข่งกับ(เขมร) — krăo lên kèng mâak torn trîi lên krèing kàp (krà-mĕn)

Quelle équipe est en tête de la ligue ?
ทีมไหนอยู่ที่หนึ่งในการแข่งขัน — triim năi yòu trîi nèung nai kaan krèing krăn

Quelle équipe géniale/nulle !
ทีมนี้ยอด/ฮ่วยเลย — triim níi yôrt/hôu·ay leu·y

ballon	ลูกบอล	lôuk born
entraîneur	โค้ช	krót
corner	เตะมุม	đè mum
expulsion	ไล่ออก	lâi òrk
supporter	แฟนบอล	fein born
faute	ฟาวล์	fao

coup franc	เตะกินเปล่า	tè kin plào
but	ประตู	prà-tou
gardien de but	ผู้รักษาประตู	prôu rák-saa prà-tou
directeur sportif	ผู้จัดการทีม	prôu-tyàt-kaan triim
hors jeu	ล้ำหน้า	lám nâa
penalty	เตะลูกโทษ	tè lôuk trôt
joueur	นักเล่น	nák lên
carton rouge	ใบแดง	bai deing
arbitre	กรรมการผู้ตัดสิน	kam-má-kaan prôu tàt sĭn
buteur	ตัวยิง	tou·a ying
remise en jeu	ทุ่มเข้า	trôum krâo
carton jaune	ใบเหลือง	bai lĕu·ang

tennis

เทนนิส

J'ai envie de jouer au tennis.
อยากจะเล่นเทนนิส — yàak tyà lên tren-nít

Peut-on jouer ce soir ?
เล่นกลางคืนได้ไหม — lên klaang kreun dâi măi

J'ai besoin de faire recorder ma raquette.
ต้องขึงเอ็นไม้เทนนิสใหม่ — tôrng kreung en mái tren-nít mài

ace	เสิร์ฟลูกฆ่า	sèup lôuk krâa
avantage	ได้เปรียบ	dâi prìi·ap
faute	ฟอลท์	forn
jeu, set, match	จบการแข่งขัน	tyòp kaan krèing krăn
gazon	หญ้า	yâa
surface en dur	สนามแข็ง	sà-năam krĕing
filet	เนต	nét
jouer en double	เล่นคู่	lên krôu
raquette	ไม้ตี	mái tii
servir	เสิร์ฟ	sèup
set	เซท	sét
balle de tennis	ลูกบอล	lôuk born

EN SOCIÉTÉ

score		
Quel est le score ?	ได้คะแนนเท่าไร	dâi krá-nein trâo-rai
égalité	เสมอกัน	sà-mĕu kan
zéro	ศูนย์	sŏun
balle de match	แต้มชนะการแข่งขัน	têim chá-ná kaan krèing krăn
nul	สูญ	sŏun

sports aquatiques

กีฬาน้ำ

Puis-je réserver une leçon ?	สมัครเรียนได้ไหม	sa-mak ri·ein dâi măi
Puis-je louer un(e)/du/des…	เช่า…ได้ไหม	châo … dâi măi
bateau	เรือ	reu·a
canoë	เรือแคนู	reu·a krei-nou
kayak	เรือไคยัก	reu·a krai-yák
gilet de sauvetage	เสื้อชูชีพ	sêu·a chou chîip
matériel de plongée en apnée	อุปกรณ์ดำน้ำใช้ท่อหายใจ	òup-pà-korn dam náam chái trôr hăi tyai
skis nautiques	สกีน้ำ	sà-kii náam
combinaison	ชุดหนัง	chóut năng
Où y a-t-il des… ?	มี…ไหม	mii … măi
rochers	หินโสโครก	hĭn sŏ-krôk
coraux	หินปะการัง	hĭn pa-kaa-rang
coins dangereux	อันตรายในน้ำ	an-tà-rai nai náam
guide	ไกด์	kai
bateau à moteur	เรือยนต์	reu·a yon
rame	ไม้พาย	mái prai
voilier	เรือใบ	reu·a bai
planche de surf	กระดานโต้คลื่น	krà-daan tô krlêun
surfer	การเล่นกระดานโต้คลื่น	kaan lên krà-daan tô krlêun
vague	คลื่น	krlêun
planche à voile	การเล่นกระดานโต้ลม	kaan lên krà-daan tô lom

golf

กอล์ฟ

Combien coûte... ?	...เท่าไร	... trâ-rai
une tournée	เล่นรอบหนึ่ง	lên rôrp nèung
le parcours de 9/18 trous	เล่นเก้า/สิบแปด หลุม	lên kâo/sìp-pèit lŏum

Peut-on louer des clubs ?
เช่าไม้ตีได้ไหม — châo mái tii dâi mäi

Comment faut-il s'habiller ?
ต้องแต่งตัวอย่างไร — tôrng tèing tou·a yàang rai

Faut-il des chaussures de golf ?
ต้องใช้รองเท้ากอล์ฟหรือเปล่า — tôrng chái rorng tráo kòrp rĕu plào

À crampons durs ou souples ?
ปุ่มแข็งหรือปุ่มนุ่ม — pöum krĕing rĕu pôum nôum

gardez le sourire !

La Thaïlande est appelée "le pays du sourire", et ce n'est pas par hasard. En effet, les Thaïs rient et sourient très souvent, parfois même dans des situations embarrassantes (si vous trébuchez ou faites une erreur, par exemple). Il est important de comprendre qu'ils ne se moquent pas de vous, mais qu'ils préfèrent rire des petits malheurs de l'existence : c'est avant tout une manière de relativiser.

Les Thaïs éprouvent eux aussi des sentiments négatifs, mais leur culture fait qu'ils ne les extériorisent pas. Il est ainsi mal vu de se mettre en colère en public ou de tenter d'intimider quelqu'un en haussant le ton. Votre mine furibonde n'aura pour seul effet que de vous couvrir de ridicule.

randonnée

การเดินป่า

Où puis-je… ?	จะ...ได้ที่ไหน	tyà … dâi trîi năi
acheter des provisions	ซื้อเสบียง	séu sà-bi-eing
trouver quelqu'un qui connaît le secteur	หาคนที่รู้จักพื้นที่แถวๆนี้	hăa kron trîi róu tyàk préun trîi trĕi·ow trĕi·ow níi
trouver une carte	หาแผนที่	hăa prĕin trîi
louer du matériel de randonnée	เช่าอุปกรณ์เดินป่า	châo òup-pà-korn deun pàa
Quel/Quelle… ?	...เท่าไร	… trâo-rai
est la hauteur de de la côte	การปีนสูง	kaan piin sŏung
est la longueur du parcours	ทางไกล	traang klai

Avons-nous besoin d'un guide ?
ต้องมีไกด์ไหม — tôrng mii kai măi

Proposez-vous des randonnées organisées ?
มีการนำทางเดินป่าไหม — mii kaan nam traang deun pàa măi

Quelle compagnie de trek recommandez-vous ?
คุณแนะนำบริษัทนำเที่ยวตามป่าได้ไหม — kroun néi-nam bor-rí-sàt nam trîi·eiw taam pàa dâi măi

Combien de personnes y aura-t-il pour le trek ?
จะเดินป่ากี่คน — tyà deun pàa kìi kron

Y aura-t-il une navette pour nous déposer ?
บริการรถถึงที่ด้วยไหม — bor-rí-kaan rót trĕung trîi dôu·ay măi

Quand commence et finit le trek ?
การเดินเริ่มต้นและจบลงที่ไหนกันแน่ — kaan deun rêum tôn léi tyòp long trîi năi kan nêi

Y aura-t-il d'autres touristes au même endroit ?

จะมีนักท่องเที่ยวคนอื่นอยู่แถวนั้นในเวลาเดียวกันไหม	tyà mii nák trôrng trîi·eiw kron èun yòu trěi·ow nán nai we-laa di·eiw kan măi

Le guide connaît-il les langues locales ?

ไกด์พูดภาษาท้องถิ่นได้ไหม	kai prôut praa-săa trórng trìn dâi măi

Est-ce sans danger ?

ปลอดภัยไหม	plòrt prai măi

Y a-t-il des champs de mines dans le secteur ?

มีทุ่นระเบิดฝังอยู่แถวนี้ไหม	mii trôun rá-bèut făng yòu trěi·ow níi măi

Est-ce dangereux de s'écarter des sentiers ?

ถ้าออกจากเส้นทางจะปลอดภัยไหม	trâa òrk tyàak sên traang tyà plòrt prai măi

À quelle heure tombe la nuit ?

เริ่มค่ำกี่โมง	rêum krâm kîi mong

Devons nous apporter... ?	จะต้องเอา...ไปด้วยไหม	tyà tôrng ao ... pai dou·ay măi
un duvet	เครื่องนอน	krêu·ang norn
à manger	อาหาร	aa-hăan
de l'eau	น้ำ	náam
Le sentier est-il... ?	ทาง...ไหม	traang ... măi
(bien) balisé	หมายไว้(ชัด)	măi wái (chát)
dégagé	เปิดใช้	pèut chái
panoramique	มีทิวทัศน์สวย	mii tri·ou-trát sŏu·ay
Quel est le chemin le plus... ?	ทางไหน....ที่สุด	traang năi ... trîi sòut
facile	ง่าย	ngâi
intéressant	น่าสนใจ	nâa sŏn-tyai
court	ใกล้	klâi

EN SOCIÉTÉ

Où se trouve(nt)… ?	จะหา...ได้ที่ไหน	tyà hăa … dâi trîi năi
le terrain de camping	ค่ายพัก	krâi prák
le village le plus proche	หมู่บ้านใกล้ที่สุด	mòu bâan klâi trîi sòut
les douches	ห้องน้ำฝักบัว	hôrng náam fàk bou·a
les toilettes	ห้องส้วม	hôrng sôu·am

D'où êtes-vous/es-tu parti(e) ?
คุณเดินทางมาจากไหน — kroun deun traang maa tyàak năi

Combien de temps avez-vous mis ?
ใช้เวลานานเท่าไร — chái we-laa naan trâo-rai

Ce chemin mène-t-il à… ?
ทางนี้ไป...ไหม — traang níi pai … măi

Puis-je passer par ici ?
ไปทางนี้ได้ไหม — pai traang níi dâi măi

L'eau est-elle potable ?
น้ำกินได้ไหม — náam kin dâi măi

Je suis perdu(e).
ฉันหลงทาง — chăn lŏng traang

Où puis-je acheter… ?	จะซื้อ...ได้ที่ไหน	tyà séu … dâi trîi năi
des bouteilles d'eau	น้ำดื่มเป็นขวด	náam dèum pen kròu·at
de l'iode	ไอโอดีน	ai-o-diin
de l'anti-moustique	ยากันยุง	yaa kan young
des purificateurs d'eau en tablettes	ยาเม็ดทำให้น้ำบริสุทธิ์	yaa mét tram hâi náam bor-rí-sòut

à la plage

ชายหาด

Où se trouve la plage… ?	ชายหาด...อยู่ที่ไหน	chai hàat … yòu trîi năi
la plus belle	ที่ดีที่สุด	trîi dii trîi sòut
la plus proche	ที่ใกล้ที่สุด	trîi klâi trîi sòut
publique	สาธารณะ	săa-traa-rá-ná

panneaux

ห้ามกระโดดน้ำ
hâam krà-dòt náam — Plongée interdite.

ห้ามว่ายน้ำ
hâam wâi náam — Baignade interdite.

La plongée est-elle sûre ici ?
ที่นี่กระโดดน้ำจะปลอดภัยไหม — trîi nîi krà-dot náam tyà plòrt prai măi

La baignade est-elle sûre ici ?
ที่นี่ว่ายน้ำจะปลอดภัยไหม — trîi nîi wâi náam tyà plòrt prai măi

À quelle heure est la marée haute/basse ?
น้ำขึ้น/ลงกี่โมง — náam krêun/long kìi mong

Devons-nous payer ?
จะต้องเสียเงินไหม — tyà tôrng sĭ-a ngeun măi

Où puis-je louer un(e)… ?	จะเช่า…ได้ที่ไหน	tyà châo … dâi trîi năi
canoë de mer	เรือแคนูทะเล	reu-a krei-nou tá-le
planche à volle	กระดานโต้ลม	krà-daan tô lom

Combien coûte la location… ?	…ราคาเท่าไร	… raa-kraa trâo-rai
d'une chaise	เก้าอี้	kâo-îi
d'un parasol	ร่มกันแดด	rôm kan dèit

expressions courantes

rá-wang krà-sĕi tâi náam
ระวังกระแสใต้น้ำ — Attention aux courants sous-marins !

an-tà-rai
อันตราย — C'est dangereux !

météo

อากาศ

Quel temps fait-il ?
อากาศเป็นอย่างไร — aa-kàat pen yàang rai

Quel temps fera-t-il demain ?
พรุ่งนี้อากาศจะเป็นอย่างไร — prôung-níi aa-kàat tyà pen yàang rai

C'est/Il (fait)...	มัน...	man ...
nuageux	ฟ้าครึ้ม	fáa kreum
froid	หนาว	năo
beau	แจ่มใส	tyèim săi
inondé	กำลังน้ำท่วม	kam-lang náam trôu·am
chaud	ร้อน	rórn
pleut	มีฝน	mii fŏn
ensoleillé	แดดจ้า	dèit tyâa
doux	อุ่น	òun
venteux	มีลม	mii lom

Où puis-je acheter... ?	จะซื้อ...ได้ที่ไหน	tyà séu .... dâi trîi năi
un imperméable	เสื้อกันฝน	sêu·a kan fŏn
un parapluie	ร่ม	rôm

Pour le vocabulaire relatif aux saisons, voir le chapitre **heure et date**, p. 37.

faune et flore

สัตว์และพืช

Quel(le) est... ?	นั่น...อะไร	nân ... à-rai
cet animal	สัตว์	sàt
cette fleur	ดอกไม้	dòrk mái
cette plante	พืช	prêut
cet arbre	ต้นไม้	tôn mái

À quoi cela sert-il ?
ใช้ประโยชน์อะไร — chái prà-yòt à-rai

Peut-on manger ce fruit ?
ผลมันกินได้ไหม — prön man kin dâi măi

Est-ce une espèce... ?	มัน...ไหม	man ... măi
commune	หาง่าย	hăa ngâi
dangereuse	อันตราย	an-tà-rai
menacée de disparition	ใกล้จะสูญพันธุ์	klâi tyà sŏun pran
protégée	เป็นของสงวน	pen krörng sà-ngŏu·an
rare	หายาก	hăa yâak

plantes et animaux sauvages

bambou	ไม้ไผ่	mái prài
cobra	งูเห่า	ngou hào
éléphant	ช้าง	cháang
cobra royal	งูจงอาง	ngou tyong-aang
singe	ลิง	ling
orchidée	กล้วยไม้	klôu·ay mái
tigre	เสือ	sěu·a

EN SOCIÉTÉ

À TABLE > se restaurer

การทานอาหารข้างนอก

La nourriture tient une large place dans la culture thaïe. Une question que les Thaïs aiment poser est kin krâao rĕu yang กินข้าวหรือยัง qui signifie "Avez-vous déjà mangé ?" Si la réponse est yang ยัง (litt : pas encore), ce chapitre vous aidera à remplir votre assiette.

vocabulaire de base

ศัพท์สำคัญ

petit-déjeuner	อาหารเช้า	aa-hăan cháo
déjeuner	อาหารกลางวัน	aa-hăan klaang wan
dîner	อาหารเย็น	aa-hăan yen
collation	อาหารว่าง	aa-hăan wâang
Je voudrais…	ผม/ดิฉันต้องการ…	prŏm/dì-chăn tôrng kaan … **m/f**
S'il vous plaît.	ขอ	krŏr
Merci.	ขอบคุณ	kròrp kroun
Je meurs de faim !	หิวจะตาย	hĭ·ou tyà tai

où se restaurer

การหาที่จะทานอาหาร

Où peut-on aller pour… ?	ถ้าคุณจะ…คุณจะไปไหน	trâa kroun tyà … kroun tyà pai năi
un repas bon marché	ไปหาอาหารราคาถูกๆ	pai hăa aa-hăan raa-kraa tròuk tròuk
des spécialités locales	ไปหาอาหารรสเด็ดๆของแถวนี้	pai hăa aa-hăan rót dèt dèt krŏrng trĕi·ow níi

Pouvez-vous me conseiller un(e)...	แนะนำ...ได้ไหม	néi-nam ... dâi măi
bar	บาร์	baa
café	ร้านกาแฟ	ráan kaa-fei
échoppe de poulets de Hainan	ร้านข้าวมันไก่	ráan krâao man kài
échoppe de nouilles	ร้านก๋วยเตี๋ยว	ráan kŏu·ay tĭi·ow
échoppe de riz et de currys	ร้านข้าวราดแกง	ráan krâao râat keing
échoppe de riz au porc rouge	ร้านข้าวหมูแดง	ráan krâao mŏu deing
échoppe de bouillies de riz	ร้านโจ๊ก	ráan tyók
échoppe de soupes de riz	ร้านข้าวต้ม	ráan krâao tôm
un restaurant	ร้านอาหาร	ráan aa-hăan

J'aimerais réserver une table pour...	ผม/ดิฉันอยากจะจองโต๊ะสำหรับ...	prŏm/dì-chăn yàak tyà tyorng tó săm-ràp... **m/f**
(2) personnes	(สอง) คน	(sŏrng) kron
(8)h	เวลา(สองทุ่ม)	we-laa (sŏrng trôum)

Je voudrais..., s'il vous plaît.	ขอ...หน่อย	krŏr ... nòy
une carte (en français)	รายการอาหาร (เป็นภาษาฝรั่งเศส)	rai kaan aa-hăan pen praa-săa fà-ràng-sèt
une table pour (5)	โต๊ะสำหรับ (ห้า) คน	tó săm-ràp (hâa) kron
être dans l'espace non-fumeur	อยู่ที่เขตห้ามสูบบุหรี่	trìi krèt hâam sòup bòu-rìi
être dans l'espace fumeur	อยู่ที่เขตสูบบุหรี่ได้	trîi krèt sòup bòu-rìi dâi
la carte des boissons	รายการเครื่องดื่ม	rai kaan krêu·ang dèum
la carte	รายการอาหาร	rai kaan aa-hăan

Servez-vous encore à manger ?
ยังบริการอาหารไหม — yang bor-rí-kaan aa-hăan măi

Combien de temps faut-il attendre ?
ต้องรอนานเท่าไร — tôrng ror naan trâo-rai

au restaurant

ร้านอาหาร

Que me recommandez-vous ?
คุณแนะนำอะไรบ้าง — kroun néi-nam à-rai bâang

Qu'y a-t-il dans ce plat ?
จานนี้มีอะไร — tyaan níi mii à-rai

Je prendrai ceci.
เอาอันนี้นะ — ao an níi ná

Le service est-il inclus dans le prix ?
ค่าบริการรวมในบิลล์ด้วยไหม — krâa bor-rí-kaan rou·am nai bin dôu·ay măi

Est-ce que c'est offert ?
ของเหล่านี้แถมไหม — krŏrng lào níi trĕim măi

Je voudrais…	อยากจะทาน…	yàak tyà traan …
du poulet	ไก่	kài
une spécialité locale	อาหารพิเศษของถิ่นนี้สักอย่างหนึ่ง	aa-hăan prí-sèt krŏrng trìn níi sàk yàang nèung
un repas digne d'un roi	อาหารอย่างดี	aa-hăan yàang dii

expressions courantes

pìt léi·ow ปิดแล้ว	**C'est fermé.**
tem léi·ow เต็มแล้ว	**C'est complet.**
tyà ráp à-rai măi kráp/krâ **m/f** จะรับอะไรไหมครับ/ค่ะ	**Que désirez-vous ?**
kroun yàak tyà nâng trîi năi คุณอยากจะนั่งที่ไหน	**Où voulez-vous vous asseoir ?**
sàk krôu สักครู่	**Un instant.**

Je le voudrais avec du/de l'…	ต้องการแบบมี...	tôrng kaan bèip mii…
Je le voudrais sans…	ต้องการแบบไม่มี	tôrng kaan bèip mâi mii…
piment	พริก	prík
ail	กระเทียม	krà-trii·am
cacahuète	ถั่วลิสง	tròu·a lí-sŏng
huile	น้ำมัน	nám man

Pour les repas plus spécifiques, voir le chapitre **végétariens/ régimes spéciaux**, p. 169.

expressions courantes

kroun chôrp … măi คุณชอบ...ไหม	**Aimez-vous… ?**
tyà hâi ploùng bèip năi จะให้ปรุงแบบไหน	**Quelle cuisson ?**
prŏm/dì-chăn krŏr néi-nam … **m/f** ผม/ดิฉันขอแนะนำ...	**Je vous conseille…**

Pour les autres mots que vous verrez sur la carte, voir le **lexique culinaire**, p. 171.

à table

ที่โต๊ะอาหาร

Puis-je avoir…, s'il vous plaît ?	ขอ...หน่อย	krŏr … nòy
l'addition	บิลล์	bin
un torchon	ผ้าเช็ดมือ	prâa
une serviette	ผ้าเช็ดปาก	prâa chét pàak
un verre (à vin)	แก้ว(ไวน์)	kêi·ow (wai)

déchiffrer le menu

อาหารเรียกน้ำย่อย	aa-hăan ri·eik nám yôy	**amuse-bouche**
น้ำซุป	náam sóup	**soupes**
อาหารว่าง	aa-hăan wâang	**entrées**
ผักสลัด	pràk sa-lat	**salades**
อาหารจานหลัก	aa-hăan tyaan làk	**plats principaux**
ของหวาน	krŏrng wăan	**desserts**
เหล้าให้เจริญอาหาร	lâo hâi tyà-reun aa-hăan	**apéritifs**
น้ำอัดลม	náam àt lom	**boissons sans alcool**
สุรา	sòu-raa	**alcools forts**
เบียร์	bii·a	**bière**
ไวน์ขาว	wai krăo	**vin blanc**
ไวน์แดง	wai deing	**vin rouge**

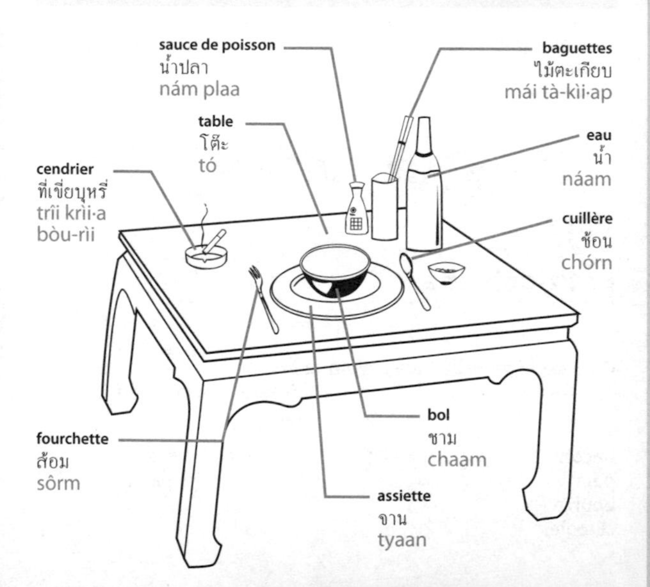

parler gastronomie

การพูดเรื่องอาหาร

J'adore ce plat.
ชอบอาหารนี้จัง — chôrp aa-hăan níi tyang

J'adore la cuisine locale.
ชอบอาหารท้องถิ่นมาก — chôrp aa-hàan trórng tìn mâak

C'était délicieux !
อร่อยมาก — à-ròy mâak

Mes compliments au chef.
ขอฝากคำชมให้พ่อครัวด้วย — krŏr fàak kram chom hâi prôr krou·a dôu·ay

Je n'ai plus faim.
อิ่มแล้ว — ìm léi·ow

C'est…	อันนี้…	an níi …
(trop) froid	เย็น(เกินไป)	yen (keun pai)
épicé	เผ็ด	prèt
superbe	อร่อยมาก	à-ròy mâak

petit-déjeuner

อาหารเช้า

Quel est le petit-déjeuner typique ?
ปกติอาหารเช้าทานอะไร — pò kà-tì aa-hăan cháo traan à-rai

bacon	หมูเบค่อน	mŏu be-krôrn
pain	ขนมปัง	krà-nŏm pang
beurre	เนย	neu·y
céréales	ซีเรียล	sii-rii·an

œuf(s)…	ไข่…	kràì …
à la coque	ยางมะตูม	yaang-ma-toun
au plat	ดาว	dao
dur	ต้ม	tôm
poché	ทอดในน้ำ	trôrt nai náam
brouillé	คน	kron

lait	นม	nom
muesli	มิวส์ลี่	mi·ou-lîi
omelette	ไข่เจียว	kràì tyii·ow
bouillie de riz	โจ๊ก	tyók
bouillie de riz avec œuf	โจ๊กใส่ไข่	tyók sài kràì
soupe de riz	ข้าวต้ม	krâao tôm
pain grillé	ขนมปังปิ้ง	krà-nŏm pang pîng

Pour plus de vocabulaire concernant le petit-déjeuner, voir le chapitre **cuisiner**, p. 165, et le **lexique culinaire**, p. 171.

en-cas

อาหารว่าง

Comment ça s'appelle ?
อันนั้นเรียกว่าอะไร — an nán ri·eik wâa à-rai

flan thaï sucré	ขนมหม้อแกง	krà-nŏm môr keing
crêpes thaïes sucrées	ขนมครก	krà-nŏm krók
beignet chinois	ปาท่องโก๋	paa-trôrng-kŏ
poulet avec trois accompagnements	ไก่สามอย่าง	kài săam yàang
nouilles de riz	ก๋วยเตี๋ยว	kŏu·ay tĭi·ow
riz gluant et poulet grillé/rôti	ข้าวเหนียวไก่ย่าง	krâao nĭi·ow kài yâang
boulettes de poisson/ viande grillées	ลูกชิ้นปลา/เนื้อปิ้ง	lôuk chín plah/ néu·a pîng
brioches à la vapeur	ซาลาเปา	saa-laa-pao
riz gluant sucré dans du bambou	ข้าวหลาม	krâao lăam

condiments

เครื่องปรุง

Avez-vous du/ de la/des… ?	มี...ไหม	mii … măi
sauce pimentée	น้ำพริก	nám prík
marinade	น้ำจิ้ม	nám tyîm
sauce de poisson	น้ำปลา	nám plaa
cacahuètes pilées	ถั่วลิสงป่น	tròu·a lí-sŏng pòn
piments pilés	พริกป่น	prík pòn
ketchup/ sauce tomate	ซอสมะเขือเทศ	sórt má-krĕu·a trêt
poivre	พริกไทย	prík trai
sel	เกลือ	kleu·a
sauce de poisson avec du piment	พริกน้ำปลา	prík nám plaa
vinaigre avec du piment	พริกน้ำส้ม	prík nám sôm

Pour plus de vocabulaire, reportez-vous au **lexique culinaire**, p. 171.

cuisson et préparation

วิธีจัดอาหาร

Je le voudrais…	ต้องการ...	tôrng kaan …
Je ne le veux pas…	ไม่ต้องการ...	mâi tôrng kaan …
bouilli	ต้ม	tôm
frit	ทอด	trôrt
sauté	ผัด	pràt
grillé	ย่าง	yâang
à point	ปานกลาง	paan klaang
saignant	ไม่สุกมาก	mâi sòuk mâak
réchauffé	อุ่นใหม่	òun mài
épicé	เผ็ด	prèt
cuit à la vapeur	นึ่ง	nêung
bien cuit	สุกมากหน่อย	sòuk mâak nòy
sans…	ไม่ใส่...	mâi sài …

au bar

ที่บาร์

Excusez-moi ! ขอโทษ krŏr trôt

C'est mon tour. ฉันเป็นคนต่อไป chăn pen kron tòr pai

Je voudrais… จะเอา... tyà ao …

La même chose, s'il vous plaît.
ขอเหมือนเดิมอีกครั้งหนึ่ง krŏr mĕu·an deum ìik kráng nèung

Pas de glaçons, merci.
ไม่ใส่น้ำแข็งขอบคุณ mâi sài náam krĕing kròrp kroun

Je vous/t'offre un verre.
ฉันจะเลี้ยงเครื่องดื่มคุณ chăn tyà líi·eing krêu·ang dèum kroun

Que prendrez-vous/prendras-tu ?
จะรับอะไร tyà ráp à-rai

C'est ma tournée.
คราวนี้ฉันเป็นฝ่ายเลี้ยง kraa·o níi chăn pen fa·ay líi·eing

Ça fait combien ?
เท่าไร trâo-rai

Servez-vous à manger ici ?
ที่นี่บริการอาหารด้วยไหม trîi nîi bor-rí-kaan aa-hăan dôu·ay măi

expressions courantes

krít wâa kroun dèum mâak pror léi·ow ná
คิดว่าคุณดื่มมากพอแล้วนะ **Je pense que ça suffit.**

kroun tyà ráp à-rai
คุณจะรับอะไร **Que désirez-vous prendre ?**

sàng kráng sòut trái ná kráp/krâ **m/f**
สั่งครั้งสุดท้ายนะครับ/ค่ะ **Dernières commandes.**

boissons non alcoolisées

เครื่องดื่มที่ไม่มีแอลกอฮอล์

eau minérale…	น้ำแร่…	náam rêi …
gazeuse	อัดลม	àt lom
plate	ธรรมดา	tram-má-daa
eau…	น้ำ…	náam …
bouillie	ต้ม	tôm
purifiée	บริสุทธิ์	bor-rí-sòut
thé chinois	น้ำชาจีน	náam chaa tyiin
café glacé	กาแฟเย็น	kaa-fei yen
limonade glacée et sucrée	น้ำมะนาวใส่น้ำตาล	náam má-nao sài nám-taan
thé glacé	น้ำชาเย็น	náam chaa yen
jus d'orange pressée	น้ำส้มคั้น	náam sŏm krán
boisson sans alcool	น้ำอัดลม	náam àt lom
eau (chaude)	น้ำ(ร้อน)	náam (rórn)
(tasse de) café	กาแฟ(ถ้วยหนึ่ง)	kaa-fei (trôu·ay nèung)
(tasse de) thé…	ชา(ถ้วยหนึ่ง)…	chaa (trôu·ay nèung) …
avec du lait	ใส่นม	sài nom
sans…	ไม่ใส่	mâi sài …
sucre	น้ำตาล	nám-taan
feuilles de thé	ใบชา	bai chaa

café

café noir	กาแฟดำ	kaa-fei dam
café décaféine	กาแฟไม่มีกาเฟอีน	kaa-fei mâi mii ka-fe-iin
café glacé	กาแฟเย็น	kaa-fei yen
café serré	กาแฟแก่ๆ	kaa-fei kèi kèi
café thaï (café sac)	กาแฟถุง	kaa-fei trŏung
café léger	กาแฟอ่อน	kaa-fei òrn
café au lait	กาแฟใส่นม	kaa-fei sài nom

boissons alcoolisées

เครื่องดื่มที่มีแอลกอฮอล์

un petit verre de/d'…	…ช็อตหนึ่ง	… chórt nèung
eau de vie	เหล้า	lâo
gin	ยิน	yin
alcool aromatisé	เหล้ายาดอง	lâo yaa dorng
alcool illicite	เหล้าเถื่อน	lâo trèu·an
whisky Mékong	วิสกี้แม่โขง	wít-sà-kîi mêi krŏng
rhum	เหล้ารัม	lâo ram
vodka	เหล้าวอดก้า	lâo vôrt-kâa
whisky	วิสกี้	wít-sà-kîi
alcool blanc	เหล้าขาว	lâo krăo

une bouteille/ un verre de vin…	ไวน์…ขวดหนึ่ง/ แก้วหนึ่ง	wai … kròu·at nèung/ kêi·ow nèung
rouge	แดง	deing
blanc	ขาว	krăo

un(e) … de bière	เบียร์…หนึ่ง	bii·a … nèung
verre	แก้ว	kêi·ow
cruche	เหยือก	yèu·ak
grande bouteille	ขวดใหญ่ขวด	kròu·at yài kròu·at
demi	ไพนต์	prai
petite bouteille	ขวดเล็กขวด	kròu·at lék kròu·at

garçon !

Si vous voulez appeler un serveur ou une serveuse, il vous faudra utiliser les termes appropriés et l'intonation juste. Un serveur est appelé bŏy บ๋อย, un moyen de s'en souvenir est de penser au mot anglais "boy".

"Serveuse" se dit nórng น้อง (litt : plus jeune), mais ce mot peut être utilisé pour une fille ou un garçon.

boire un verre

การดื่ม

Santé !
โชคดี — chôk dii

C'est justement ce qu'il me faut.
เข้าท่าดี — kräo tràa dii

Je me sens vraiment bien !
รู้สึกดีมาก — róu-sèuk dii mâak

Je crois que j'ai bu un coup de trop.
สงสัยฉันดื่มมากไปกระมัง — sŏng-săi chăn dèum mâak pai krà-mang

Je suis ivre.
เมาแล้ว — mao léi·ow

Je ne me sens pas bien.
รู้สึกไม่สบาย — róu-sèuk mäi sà-bal

Je crois que je vais vomir.
สงสัยจะอ้วก — sŏng-săi tyà ôu·ak

Où sont les toilettes ?
ห้องส้วมอยู่ไหน — hôrng sôu·am yòu năi

Je suis fatigué(e), je devrais rentrer.
เหนื่อยแล้วกลับบ้านดีกว่า — nèu·ay léi·ow, klàp bâan dii kwàa

Pouvez-vous m'appeler un taxi ?
เรียกแท็กซี่ให้หน่อยได้ไหม — ri·eik tréik-sii hâl nòy dâi măi

Je ne pense pas que vous soyez en état de conduire.
คิดว่าคุณไม่ขับรถดีกว่า — krít wâa kroun mâi kràp rot dii kwàa

faire les courses

การซื้ออาหาร

Quelle est la spécialité locale ?
อาหารรสเด็ดๆของแถว นี้คืออะไร — aa-hăan rót dèt dèt krŏrng trĕi·ow níi kreu à-rai

Qu'est-ce que c'est ?
นั่นคืออะไร — nân kreu à-rai

Puis-je goûter ?
ชิมได้ไหม — chim dâi măi

Puis-je avoir un sac, s'il vous plaît ?
ขอถุงใบหนึ่ง — krŏr trŏung bai nèung

C'est combien (le kilo de mangue) ?
(มะม่วงกิโลหนึ่ง) เท่าไร — (má-môu·ang kì-lo nèung) trâo-rai

Combien ?	เท่าไร	trâo-rai
Moins.	น้อยลง	nóy long
Un peu plus.	มากขึ้นหน่อย	mâak krêun nòy
C'est assez !	พอแล้ว	pror léi·ow

expressions courantes

mii à-rai tyà hâi chôu·ay măi
มีอะไรจะให้ช่วยไหม — **Que puis-je faire pour vous ?**

tyà ao à-rai kráp/krá **m/f**
จะเอาอะไรครับ/คะ — **Vous désirez ?**

tyà ao à-rai ìik măi
จะเอาอะไรอีกไหม — **Désirez-vous autre chose ?**

(hâa) bàat
(ห้า) บาท — **Ça fait (cinq) bahts.**

Je voudrais…	ต้องการ…	tôrng kaan …
(200) grammes	(สองร้อย) กรัม	(sŏrng róy) kram
une demi-douzaine	ครึ่งโหล	krêung lŏ
une douzaine	โหลหนึ่ง	lŏ nèung
un demi-kilo	ครึ่งกิโล	krêung kì-lo
un kilo	กิโลหนึ่ง	kì-lo nèung
(2) kilos	(สอง) กิโล	(sŏrng) ki-lo
une bouteille	ขวดหนึ่ง	kròu·at nèung
un bocal	กระปุกหนึ่ง	krà-pòuk nèung
un paquet	ห่อหนึ่ง	hòr nèung
un morceau	ชิ้นหนึ่ง	chín nèung
(3) morceaux	(สาม) ชิ้น	(săam) chín
une tranche	ชิ้นหนึ่ง	chín nèung
(6) tranches	(หก) ชิ้น	(hòk) chín
une boîte	กระป๋องหนึ่ง	krà-pŏrng nèung
(juste) un peu	(แค่) นิดหน่อย	(tèi) nít-nòy
plus	อีก	ìik
celui-là	อันนั้น	an nán
celui-ci	อันนี้	an níi

Avez-vous… ?	มี…ไหม	mii … măi
quelque chose de moins cher	ถูกกว่า	tròuk kwàa
autre chose	ชนิดอื่น	chá nít èun

cuit(e)	สุก	souk
mûri(e)	บ่ม	bòm
séché(e)	ตากแห้ง	tàak hêing
frais/fraîche	สด	sòt
surgelé(e)	แช่แข็ง	chêi krĕing
fumé(e)	อบควัน	òp krwan
cru(e)	ดิบ	dìp
saumuré(e)	ดอง	dorng

Où puis-je trouver le rayon… ?	จะหาแผนก ...ได้ที่ไหน	tyà hăa prà-nèik … dâi trîi năi
des produits laitiers	อาหารจำพวกนม	aa-hăan tyam-prôu·ak nom
poissonnerie	ปลา	plaa
des surgelés	อาหารแช่แข็ง	aa-hăan chêi krĕing
des fruits et légumes	ผักผลไม้	pràk prŏn-lá-mái
boucherie	เนื้อ	néu·a
des volailles	เนื้อไก่	néu·a kài

le fruit fà-ràng

Un des premiers mots que beaucoup de personnes apprennent en Thaïlande, est fà-ràng ฝรั่ง qui désigne un étranger d'origine occidentale. Il y a plusieurs théories quant à l'origine du mot. L'une des plus populaires est que fà-ràng est une abrévation de fà-ràng-sèt (personne d'origine française).

Plus probablement, le mot fait référence aux armées franques et germaines qui participèrent aux croisades. De là serait né le mot arabe *faranji* qui désigne l'Européen chrétien (à savoir "l'étranger" dans le Moyen-Orient). Il aurait intégré le vocabulaire thaïlandais dans le cadre des échanges avec les commerçants arabes.

Les pays voisins de la Thaïlande ont des mots similaires pour désigner un étranger. Au Cambodge, on appelle les Occidentaux *barang* et au Vietnam, on les appelle *pha-rang* ou *pha-lang-xa*. En Thaïlande, fà-ràng signifie aussi "goyave" (probablement parce que la goyave n'est pas originaire de Thaïlande). Les Occidentaux qui sont aperçus en train de manger de la goyave peuvent donc être sujets à des jeux de mots idiots.

ustensiles de cuisine

ยุปกรณ์ทำอาหาร

Puis-je vous emprunter un(e)… ?	ขอยืม…หน่อย	krŏr yeum … nòy
J'ai besoin d'un(e)…	ต้องการ…	tôrng kaan …
ouvre-bouteilles	เครื่องเปิดขวด	krêu·ang pèut kròu·at
bol	ชาม	chaam
ouvre-boîtes	เครื่องเปิดกระป๋อง	krêu·ang pèut krà-pŏrng
planche à découper	เขียง	krĭi·ang
paire de baguettes	ตะเกียบหนึ่งคู่	tà-kìi·ap nèung krôu
décapsuleur	เหล็กเปิดจุกขวด	lèk pèut tyòuk kròu·at
tasse	ถ้วย	trôu·ay
fourchette	ส้อม	sôrm
réfrigérateur	ตู้เย็น	tôu yen
poêle à frire	กระทะ	krà-trá
verre	แก้ว	kêi·ow
couteau	มีด	mîit
couperet	มีดสับ	mîit sàp
four à micro-ondes	ตู้ไมโครเวฟ	tôu mai-kro wêp
four	เตาอบ	tao òp
assiette	จาน	tyaan
cuiseur de riz	หม้อหุงข้าว	môr hŏung krâo
casserole	หม้อ	mŏr
cuillère	ช้อน	chórn
wok	กระทะ	krà-trá

commander

การสั่งอาหาร

Je ne mange que végétarien.
ผม/ดิฉันทานแต่อาหารเจ — prŏm/dì-chăn traan tèi aa-hăan tye **m/f**

Y a-t-il un restaurant … près d'ici ?
มีร้านอาหาร...อยู่แถวๆนี้ไหม — mii ráan aa-hăan … yòu trĕi·ow trĕi·ow níi măi

Avez-vous de la nourriture… ?	มีอาหาร...ไหม	mii aa-hăan … măi
halal	ที่จัดทำตาม หลักศาสนาอิสลาม	trîi tyàt tram taam làk sàat-sà-năa ìt-sà-laam
casher	ที่จัดทำตาม หลักศาสนายิว	trîi tyàt tram taam làk sàat-sà-năa yi·ou
végétarienne	เจ	tye
Je ne mange pas…	ผม/ดิฉันไม่ทาน...	prŏm/dì-chăn mâi traan … **m/f**
Est-ce cuit dans/avec… ?	อันนี้ทำกับ...ไหม	an níi tram kàp … măi
Pouvez-vous préparer un repas sans… ?	ทำอาหารไม่ใส่...ได้ไหม	tram aa-hăan mâi sài … dâi măi
beurre	เนย	neu·y
œufs	ไข่	kràì
poisson	ปลา	plaa
bouillon de viande	ซุปก้อนเนื้อ	sóup kôrn néu·a
glutamate	ชูรส	chou-rót
porc	เนื้อหมู	néu·a mŏu
volaille	เนื้อไก่	néu·a kài
viande rouge	เนื้อแดง	néu·a deing

allergies et régimes spéciaux

กาหารพิเศษและการแพ้

Je suis…	ผม/ดิฉัน...	prŏm/dì-chăn … **m/f**
végétalien	ไม่ทานอาหารที่มาจากสัตว์	mâi traan aa-hăan trîi maa tyàak sàt
végétarien	ทานอาหารเจ	traan aa-hăan tye
Je suis un régime spécial.	ผม/ดิฉันทานอาหารพิเศษ	prŏm/dì-chăn traan aa-hăan prí-sèt **m/f**
Je suis allergique…	ผม/ดิฉันแพ้...	prŏm/dì-chăn préi…
aux piments	พริก	prík
aux produits laitiers	อาหารจำพวกนม	aa-hăan tyam-prôu·ak nom
aux œufs	ไข่	kràì
à la gélatine	วุ้น	wóun
au gluten	โปรตีน	pro tiin
au miel	น้ำผึ้ง	nám prêung
au glutamate	ชูรส	chou-rót
aux noix	ถั่ว	tròu·a
aux fruits de mer	อาหารทะเล	aa-hăan trá-le
aux crustacés	หอย	hŏy

à la noix !

Sachez qu'en thaï, le terme générique "noix" (tròu·a ถั่ว) veut aussi dire "haricot". Si vous avez besoin du terme précis pour indiquer la variété de noix à laquelle vous êtes allergique, reportez-vous au dictionnaire à la fin de l'ouvrage.

Les plats et les ingrédients figurant dans ce lexique sont classés par ordre alphabétique, à partir de la transcription du thaï. Cela vous aidera à comprendre ce que l'on vous proposera et à commander au gré de vos envies.

Pouvez-vous me recommander une spécialité locale ?

แนะนำอาหารรสเด็ดๆของแถวนี้ได้ไหม	néi-nam aa-hăan rót dèt dèt krŏrng trĕi·ow níi dâi măi

Avez-vous… ?

มี...ไหม	mii … măi

b

bai hŏ-rá-praa ใบโหระพา *"basilic doux" – une plante vivace, à larges feuilles, utilisées dans certains* keing *(curry), des plats de fruits de mer et notamment les* pràt prèt *(plats sautés aux piments)*

bai kà-prao ใบกะเพรา *"holy" ou basilic thaï – qui doit son premier nom à son statut sacré en Inde*

bai má-kròut ใบมะกรูด *feuilles de citron kaffir*

bai meing-lák ใบแมงลัก *diverses appellations telles que basilic thaï, basilic citronné ou basilic mentholé – populaire dans les soupes et comme condiment pour les* krà-nŏm tyiin náam yaa *et les* lâap

bai sà-rá-nèi ใบสะระแหน่ *feuilles de menthe poivrée, utilisées dans les* yam *et les* lâap *qui sont appréciées crues dans le nord-est de la Thaïlande*

bai teu·y ใบเตย *feuilles de pandanus – très utilisées pour ajouter un arôme vanillé, notamment dans les desserts*

bai torng ใบตอง *feuilles de bananier*

bà-mìi บะหมี่ *nouilles de couleur jaune à base de farine de blé et parfois d'œufs*

bà-mìi hêing บะหมี่แห้ง bà-mìi *servies dans un bol avec un peu d'huile à l'ail, de la viande, des fruits de mer ou des légumes*

bà-mìi kíi-o pou บะหมี่เกี๊ยวปู *soupe avec des* bà-mìi*, des raviolis de won ton et de a chair de crabe*

bà-mìi náam บะหมี่น้ำ bà-mìi *dans du bouillon, avec de la viande, des fruits de mer ou des légumes*

bou·a loy บัวลอย *"lotus flottant" – dessert chaud composé de petites boulettes de pâte de farine de riz gluant, dans du lait de coco sucré et légèrement salé*

bòu·ap บวบ *courge*

bòu·ap lìi·am บวบเหลี่ยม *courge éponge*

bòu·ap ngou บวบงู *courge serpent*

ch

chá-om ชะอม *feuille d'acacia pennata amère*

chom-prôu ชมพู่ *pomme d'eau ou pomme rosée*

f

fák ฟัก *courge • calebasse*

fák krii-elw ฟักเขียว *courge cireuse*

fák ngou ฟักงู *concombre serpent ou melon serpent*

fák trorng ฟักทอง *citrouille ou potiron thaï*

fà-ràng ฝรั่ง *goyave (ce mot fait aussi référence à un Occidental d'origine européenne)*

fŏy trorng ฝอยทอง *"fils d'or" – petit tas de fils sucrés, à base de jaune d'œuf, fait partie des desserts thaïs*

h

hăang kà-tí หางกะทิ *lait de coco dilué*

hèt hŏrm เห็ดหอม *champignon shiitake*

hŏm deing หอมแดง *échalote*

hòr mòk ห่อหมก *semblable au soufflé, composé d'une mixture de pâte de curry rouge, d'œufs battus, de lait de coco et de poisson, le tout disposé dans une coupe de feuilles de bananier et cuit à la vapeur (centre de la Thaïlande)*

hòr mòk hŏy má-leing prôu ห่อหมกหอยแมลงภู่ hòr mòk *de moules vertes, disposé et cuit dans les coquille des moules*

hòr mòk krài plaa ห่อหมกไข่ปลา *œufs de poisson et pâte de curry rouge, recouverts de lamelles de feuilles de citron kaffir, le tout disposé dans une coupe de feuilles de bananier et cuit à la vapeur (sud de la Thaïlande)*

hòr mòk trá-le ห่อหมกทะเล hòr mòk *de pâte de curry rouge, d'œufs battus, de lait de coco et d'un assortiment de fruits de mer, le tout disposé dans une coupe de feuilles de bananier et cuit à la vapeur (centre de la Thaïlande)*

hŏu·a chai tráo หัวไชเท้า *radis blanc*

hŏu·a kà-trí หัวกะทิ *crème de coco*

hŏu·a plii หัวปลี *fleur de bananier – de couleur pourpre et de forme ovale, elle a un goût fort et âcre quand on la mange crue pour accompagner un* lâap *dans le nord-est*

hŏu·a pràk kàat kră·ow หัวผักกาดขาว *radis blanc géant*

hŏy หอย *palourdes et huîtres (terme générique)*

hŏy kreing หอยแครง *coque*

hŏy má-leing prôu หอยแมลงภู่ *moule verte*

hŏy naang rom หอยนางรม *huître*

hŏy prát หอยพัด *coquille Saint-Jacques*

hŏy trôrt หอยทอด *huîtres fraîches rapidement rissolées avec des œufs battus, des germes de soja et de la ciboule émincée (centre de la Thaïlande)*

k

kaa-lăa กาหลา *"rose de porcelaine" – bouton de fleur de gingembre sauvage, découpé en fines tranches, parfois dans une salade de riz* krâao yam *(sud de la Thaïlande)*

kài ไก่ *poulet*

kài be-tong ไก่เบตง *plat de Betong, composé de poulet cuit à la vapeur, découpé ou haché, et assaisonné d'une sauce de soja maison, puis sauté avec des légumes*

kài hòr bai teuy ไก่ห่อใบเตย *poulet mariné dans la sauce de soja et enveloppé dans une feuille de pandanus, assaisonné d'huile de sésame, d'ail et de racines de coriandre, puis frit ou grillé et servi avec une sauce marinade*

kài pîng ไก่ปิ้ง *poulet grillé à la façon du nord-est (Isan) (voir à* kài yâang*)*

kài pràt krĭng ไก่ผัดขิง *sauté de poulet au gingembre, ail et piments, assaisonné avec de la sauce de poisson*

kài pràt mét má-môu·ang hĭm-má-praan ไก่ผัดเม็ดมะม่วงหิมพานต์ *sauté de poulet aux piments séchés et aux noix de cajou*

kài săam yàang ไก่สามอย่าง *"poulet aux trois accompagnements"– avec gingembre haché, cacahuètes et tranches citron vert, se mange à la main*

kài tọ̀un ไก่ตุ๋น *soupe de poulet cuit à la vapeur, généralement un bouillon de couleur foncée par la sauce de soja et les épices (cannelle, anis étoilé ou le mélange des cinq épices chinoises)*

kài trôrt ไก่ทอด *poulet frit*

kài yâang ไก่ย่าง *poulet grillé à la façon de l'Isan* (pîng kài *ou* kài pîng *en dialecte isan) – mariné dans de l'ail, des racines de coriandre, du poivre noir et du sel ou de la sauce de poisson, puis cuit lentement au charbon*

kà-pì กะปิ *pâte de crevette*

kàp klêim กับแกล้ม *"amuse-bouche" – mets destinés à accompagner la consommation de boissons alcoolisées*

kà-rìi กะหรี่ *équivalent thaï du terme anglo-hindou "curry"*

kà-trí กะทิ *lait de coco*

keing แกง *currys épicés classiques, qui font la réputation de la cuisine thaïe autant que les plats servis avec une sauce très liquide (ils s'apparentent à des soupes)*

keing hang-le แกงฮังเล *curry à la birmane, sans lait de coco*

keing hó แกงโฮะ *soupe épicée, composée de pousses de bambou en saumure (nord de la Thaïlande)*

keing kaa-yŏu แกงกาหยู *curry à base de noix de cajou fraîches – populaire à Phuket et à Ranong*

keing kà-rìi kài แกงกะหรี่ไก่ *curry similaire à un curry indien, composé de pommes de terre et de poulet*

keing krà-nŏun แกงขนุน *curry de jeune fruit de jacquier – apprécié dans le nord de la Thaïlande, mais répandu ailleurs*

keing krei แกงแค *soupe à base de "coriandre-chardon" et d'aubergine amère (nord de la Thaïlande)*

keing krĭi·eiw wăan แกงเขียวหวาน *curry vert*

keing krôu·a sôm sàp-pà-rót แกงคั่วส้มสัปปะรด *curry de crabe de mer et d'ananas poêlé*

keing lĕu·ang แกงเหลือง *"curry jaune" – plat épicé, composé de poisson, courge verte, ananas, haricot vert et papaye verte (sud de la Thaïlande)*

keing lii·eing แกงเลียง *soupe épicée à base de grains de poivre vert ou noir, courge éponge, jeune épis de maïs, chou-fleur et différents légumes verts, agrémentée de morceaux de poulet, de crevettes ou de porc haché – probablement l'une des plus anciennes recettes de Thaïlande*

keing mát-sà-màn แกงมัสมั่น *curry musulman d'origine indienne, assaisonné avec du cumin et un mélange d'épices dont la cannelle et la cardamome*

keing mét má-môu·ang hĭm-má-praan แกงเม็ดมะม่วงหิมพานต์ *curry à base de noix de cajou fraîches*

keing morn แกงมอญ *curry d'origine môn*

keing pàa แกงป่า *"curry de la forêt" – curry très relevé et sans lait de coco*

keing pràk hóu-an แกงผักฮ้วน *soupe au jus de tamarin (nord de la Thaïlande)*

keing pràk wăan แกงผักหวาน *soupe avec de "tendres légumes verts" (nord de la Thaïlande)*

keing prá-neing แกงพะแนง *similaire au curry rouge classique, mais de consistance plus épaisse, plus doux et sans légumes*

keing prèt แกงเผ็ด *curry rouge*

keing prèt pèt yâang แกงเผ็ดเป็ดย่าง *curry rouge thaï composé de canard rôti à la chinoise et assaisonné aux cinq épices*

keing sôm แกงส้ม *curry salé et aigre-doux composé de piment séché, d'échalote, d'ail et d'une mixture broyée au mortier à base de galangale (*krà-chai*), de sel,* kà-pì *et de sauce de poisson*

keing tai plaa แกงไตปลา *curry composé d'intestins de poisson, haricots verts, pousses de bambou en saumure et pommes de terre (sud de la Thaïlande)*

keing tyèut แกงจืด *"soupe douce" – d'origine cantonaise dont les ingrédients fréquents sont le tofu mou, la courge verte, le radis blanc, le concombre amer, le porc haché et les vermicelles de soja*

keing tyèut wóun sên แกงจืดวุ้นเส้น *soupe de vermicelles de soja,* keing tyèut *avec* wóun-sên

keing yòu·ak แกงหยวก *curry à base de cœur de faux tronc de bananier et de jeune fruit de jacquier (nord de la Thaïlande)*

kíi·ow เกี๊ยว *won ton – carré de pâte de farine de blé qui sert à envelopper de la viande hachée ou du poisson*

klâa กล้า *pousses de riz*

klôu·ay กล้วย *banane*

klôu·ay bòu·at chii กล้วยบวชชี *"bananes qui se sont faites nonnes" – morceaux de banane flottant dans un sirop blanc et sucré, et du lait de coco légèrement salé*

klôu·ay hŏrm กล้วยหอม *banane parfumée*

klôu·ay krài กล้วยไข่ *"banane œuf" – mini banane originaire de Kamphaeng Phet*

klôu·ay lép meu naang กล้วยเล็บมือนาง *"banane ongle de princesse" – originaire de la province de Chumphon (sud de la Thaïlande)*

klôu·ay nám wáa กล้วยน้ำว้า *banane dodue et de longueur moyenne*

klôu·ay trôrt กล้วยทอด *beignet de banane*

kòp กบ *grenouille – que l'on mange dans le nord et le nord-est de la Thaïlande*

ko-pii โกปี๊ *café en dialecte hokkien, habituellement employé dans la province de Trang*

ko-píi dam โกปี๊ดำ *café noir sucré*

ko-píi dam mâi sài nám-taan โกปี๊ดำไม่ใส่น้ำตาล *café noir sans sucre*

kŏu·ay tĭi·ow ก๋วยเตี๋ยว *nouilles de riz confectionnées à partir de farine de riz et d'eau que l'on fait cuire à la vapeur en larges plaques fines*

kŏu·ay tĭi·ow hêing ก๋วยเตี๋ยวแห้ง *nouilles de riz sèches, à savoir sans le bouillon*

kŏu·ay tĭi·ow hêing sòu-krŏ-trai ก๋วยเตี๋ยวแห้งสุโขทัย *"nouilles de riz sèches à la façon de Sukhothai" – fines nouilles de riz servies dans un bol avec des cacahuètes, du porc grillé, du piment séché et broyé, des haricots verts et des germes de soja*

kŏu·ay tĭi·ow lôuk chín plaa ก๋วยเตี๋ยวลูกชิ้นปลา *nouilles de riz avec des boulettes de poisson*

kŏu·ay tĭi·ow náam ก๋วยเตี๋ยวน้ำ *nouilles de riz dans un bol de bouillon de poulet ou de bœuf, contenant des morceaux de viande et du chou en saumure, le tout garni de feuilles de coriandre*

kŏu·ay tĭi·ow pràt ก๋วยเตี๋ยวผัด *nouilles de riz sautées avec de la viande émincée, du chou kale, de la sauce d'huître et divers assaisonnements – le plat favori lors des fêtes dans les temples à travers le pays*

kŏu·ay tĭi·ow pràt krîi mao ก๋วยเตี๋ยวผัดขี้เมา *"nouilles de riz sautées de l'ivrogne" – un plat épicé de larges nouilles de riz, de feuilles de basilic frais, de poulet ou de porc, assaisonné et relevé de fines tranches de piments frais*

kŏu·ay tĭi·ow pràt trai ก๋วยเตี๋ยวผัดไทย *un plat de fines nouilles de riz sautées avec des crevettes sèches ou fraîches, des germes de soja, du tofu frit, un œuf et de l'assaisonnement (*pràt trai *en abrégé)*

kŏu·ay tĭi·ow râat nâa ก๋วยเตี๋ยวราดหน้า *nouilles braisées arrosées d'une sauce claire et épaissie à l'aide de fécule de maïs, avec du porc ou du poulet, du brocolis chinois ou du chou kale et de la sauce d'huître*

kŏu·ay tĭi·ow râat nâa trá-le ก๋วยเตี๋ยวราดหน้าทะเล râat nâa *avec des fruits de mer*

kŏu·ay tĭi·ow reu·a ก๋วยเตี๋ยวเรือ *"nouilles de riz bateau" – nouilles de riz dans un bouillon de bœuf de couleur foncée, plat vendu seulement sur les bateaux qui naviguent à travers les canaux de Rangsit*

kŏu·ay tĭi·ow tyan-trá-bòun ก๋วยเตี๋ยวจันทบูรณ์ *nouilles de riz sèches (sans bouillon) de Chanthaburi*

kŏu·ay tyáp ก๋วยจั๊บ *épais bouillon d'émincés de champignons chinois avec des morceaux de poulet ou de porc*

kôung กุ้ง *terme générique pour désigner les crevettes, langoustes et homards*

kôung chóup pêing trôrt กุ้งชุบแป้งทอด *beignet de crevette*

kôung kòu-laa dam กุ้งกุลาดำ *crevette tigrée*

kôung mang-korn กุ้งมังกร *"crevette dragon" – fait référence au homard*

kôung pràt krĭng กุ้งผัดขิง *sauté de crevettes au gingembre*

kôung pràt sà-tor กุ้งผัดสะตอ *sauté de fèves petai avec du piment, des crevettes et de la pâte de crevette (sud de la Thaïlande)*

kôy ก้อย *salade d'émincés de viande crue et épicée*

kôy wou·a ก้อยวัว *salade d'émincés de viande de bœuf crue et épicée*

krà-chai กระชาย *galangale – une racine de la famille des gingembres, utilisée en tant que remède traditionnel contre de nombreux problèmes gastro-intestinaux*

krà-yaa săat กระยาสารท *biscuit de riz et de cacahuètes sucrées, populaire dans certains festivals bouddhistes*

kr

kràa ข่า *galanga – une racine de la famille des gingembres, proche de la galangale (voir* krà-chai*)*

krâao ข้าว *riz*

krâao bao ข้าวเบา *"riz léger" – de début de saison*

krâao chêi ข้าวแช่ *soupe de riz accompagnée de petits bols d'aliments variés*

krâao chêi prét-bòu-rii ข้าวแช่เพชรบุรี *riz froid et humide, servi avec des viandes sucrées – une spécialité môn en saison chaude*

krâao hŏrm má-lí ข้าวหอมมะลิ *riz au jasmin*

krâao keing ข้าวแกง *du riz avec un curry*

krâao klaang ข้าวกลาง *"riz intermédiaire" – riz qui arrive à maturité à mi-saison*

krâao klàm ข้าวกล่ำ *variété de riz gluant de couleur pourpre foncée, presque noire, et utilisée pour les desserts ; dans le nord-est, il sert à produire un alcool de riz doux du même nom*

krâao klôrng ข้าวกล้อง *riz brun*

krâao krìi·ap kôung ข้าวเกรียบกุ้ง *chips de crevettes*

krâao krôu·a pòn ข้าวคั่วป่น *riz cru et sec, grillé dans une poêle jusqu'à ce qu'il brunisse, puis pilé au mortier – c'est l'ingrédient le plus important du* lâap

krâao lăam ข้าวหลาม *riz gluant et noix de coco cuit à la vapeur dans un tronçon de bambou, une spécialité de Nakhon Pathom*

krâao man kài ข้าวมันไก่ *plat de Hainan composé d'émincés de poulet cuit à la vapeur, disposés sur du riz cuit dans un bouillon de poulet et d'ail*

krâao mòk kài ข้าวหมกไก่ *une version sudiste du poulet biryani – le riz et le poulet sont cuits ensemble avec le clou de girofle, la cannelle et le curcuma, servis avec un bol de bouillon de poulet, une sauce de piments grillés et de lamelles de concombre, du sucre et des piments rouges*

krâao mŏu deing ข้าวหมูแดง *riz accompagné de porc rouge*

krâao naa pii ข้าวนาปี *riz "d'une récolte par an"*

krâao naa prang ข้าวนาปรัง *riz "hors saison"*

krâao nàk ข้าวหนัก *"riz lourd" – riz de fin de saison*

krâao nĭi·ow ข้าวเหนียว *riz gluant, très populaire dans le nord et le nord-est de la Thaïlande*

krâao nĭi·ow má-môu·ang ข้าวเหนียวมะม่วง *lamelles de mangue mûre servies avec du riz gluant sucré et du lait de coco*

krâao plào ข้าวเปล่า *riz nature*

krâao poun ข้าวปุ้น *terme [illegible] de* kra-nŏm tyiin

krâao prà-dàp din ข้าวประดับดิน *"riz pour décorer le sol" – petites boules de riz laissées en guise d'offrande, au pied des stupas dans les temples ou sous les banyans lors des festivals bouddhistes*

krâao pràt ข้าวผัด *riz sauté*

krâao pràt bai kà-prao ข้าวผัดใบกะเพรา *sauté de poulet ou de porc au basilic, servi sur du riz*

krâao pràt mŏu krài dao ข้าวผัดหมูไข่ดาว *riz sauté au porc avec un œuf au plat*

krâao pröt ข้าวโพด *maïs*

krâao prôt òrn ข้าวโพดอ่อน *jeunes épis de maïs*

krâao râat keing ข้าวราดแกง *riz recouvert d'un curry*

krâao râi ข้าวไร่ *plantation de riz ou riz de montagne*

krâao săan ข้าวสาร *riz cru*

krâao sŏu·ay ข้าวสวย *riz cuit*

krâao soy ข้าวซอย *plat d'origine shan ou du yunnan, composé de nouilles à base d'œufs avec un curry de poulet ou de bœuf, servies avec de l'échalote émincé, du chou en saumure sucré et épicé, une sauce épaisse de citron vert et de piments rouges*

krâao tôm ข้าวต้ม *soupe de riz, un plat populaire durant la nuit*

krâao tôm kà-tí ข้าวต้มกะทิ *dessert thaï à base de riz gluant, de lait de coco et de noix de coco râpée, enveloppé et cuit dans une feuille de bananier*

krâao tôm pràt ข้าวต้มผัด *dessert thaï à base de riz gluant et de lait de coco, de haricots noirs ou de morceaux de banane, enveloppé et cuit dans une feuille de bananier*

krâao tôn reu-dou ข้าวต้นฤดู *riz "de début de saison"*

krâao tyâo ข้าวเจ้า *riz blanc*

krài ไข่ *œuf*

krài lôuk krĕu·y ไข่ลูกเขย *"œufs pour le beau-fils" – œufs cuits à l'eau, puis frits et servis dans une sauce sucrée*

krài mót deing ไข่มดแดง *larves de fourmi rouge utilisées dans les soupes (nord-est de la Thaïlande)*

krài pîng ไข่ปิ้ง *œufs embrochés sur un bâton en bambou et grillés sur du charbon*

krài pràt hèt hŏu nŏu ไข่ผัดเห็ดหูหนู *œufs frits aux champignons noirs*

kràì tyii·ow ไข่เจียว *omelette thaïe – servie en guise d'entremets aux divers repas*

kràì yát sâi ไข่ยัดไส้ *omelette farcie avec du porc haché et rissolé, des tomates, des oignons et du piment*

krà-mîn ขมิ้น *curcuma – populaire dans la cuisine thaïe du sud*

krà-nŏm ขนม *desserts ou douceurs thaïs*

krà-nŏm bêu·ang you·an ขนมเบื้องญวน *crêpe vietnamienne farcie aux légumes et préparé dans un wok*

krà-nŏm krók ขนมครก *une pâte sucrée-salée à base de lait de coco et de farine de riz, que l'on verse dans les petits creux d'un moule semi-rond et qu'on place sur le feu*

krà-nŏm môr keing ขนมหม้อแกง *flan à double couche de Phetchaburi, à base de haricot mungo, œufs, lait de coco et sucre*

krà-nŏm pao-láng ขนมเปาลั้ง *mélange de riz gluant noir, crevette, noix de coco, poivre noir et piment, enveloppé d'une feuille de bananier et cuit à la vapeur – apprécié des Thaïs musulmans à Phang-Nga*

krà-nŏm trii·an ขนมเทียน *"gâteau bougie" – mélange de farine de riz ou de maïs, de lait de coco sucré et de graines de sésame, enveloppé dans une grande feuille de bananier et cuit à la vapeur*

krà-nŏm trôu·ay ขนมถ้วย *dessert à base de farine de tapioca et de lait de coco, cuit à la vapeur dans un petit bol en porcelaine*

krà-nŏm tyiin ขนมจีน *"gâteau chinois" – vermicelles de pâte de riz cuits à l'eau bouillante – servis avec différents currys*

krà-nŏm tyiin náam ngíi·ow ขนมจีนน้ำเงี้ยว *plat de nouilles sucrées et épicées du Yunnan, avec côtes de porc, tomates et sauce de haricot noir, le tout sauté dans une pâte de curry composée de piment, racine de coriandre, citronnelle, galanga, curcuma, échalote, ail et pâte de crevettes*

krà-nŏm tyiin náam yaa ขนมจีนน้ำยา *nouilles de riz fines plongées dans une sauce au curry à la malaisienne, à base de poisson haché, servies avec des concombres frais, haricots verts longs à la vapeur, germes de soja blanchis, papaye râpée, chou en saumure et morceaux d'ananas frais (sud de la Thaïlande)*

krà-nŏm tyiin sao náam ขนมจีนซาวน้ำ *plat composé d'un mélange d'ananas, noix de coco, crevettes séchées, gingembre et ail, servi avec les* krà-nŏm tyiin

krà-nŏm tyiin trôrt man ขนมจีนทอดมัน *nouilles de riz fines aux galettes de poisson frit de Phetchaburi*

krà-nŏm tyìip ขนมจีบ *raviolis chinois farcis aux crevettes ou au porc*

krà-nŏun ขนุน *fruit du jacquier (aussi appelé* màak mîi *en dialecte isan)*

krêu·ang keing เครื่องแกง *pâte de curry confectionnée à partir d'une multitude d'ingrédients écrasés et pilés au mortier, pour obtenir une pâte aromatique, épaisse et au goût saisissant (aussi appelé* nám prík keing*)*

krêu·ang keing prèt เครื่องแกงเผ็ด krêu·ang keing *rouge à base de piments rouges séchés*

krêun-chài ขึ้นฉ่าย *céleri chinois*

krĭng ขิง *gingembre*

krŏrng cham ของชำ *se dit de tous les articles de bouche ou non que l'on trouve dans une épicerie (*ráan krăi krŏrng cham*)*

krŏrng wăan ของหวาน *dessert*

l

laang sàat ลางสาด *fruit ovale à la chair blanche et parfumée, cultivé dans la province de Uttaradit*

lâap ลาบ *salade d'émincés de viande, de volaille ou de poisson d'eau douce, assaisonnée de jus de citron vert, de sauce de poisson, de piments, de feuilles de menthe fraîches, de ciboule hachée et de riz pilé (nord-est de la Thaïlande)*
lâap pèt ลาบเป็ด lâap *de canard, une spécialité de Ubon Ratchathani*
lâap sòuk ลาบสุก lâap *cuit*
lá-mòut ละมุด *sapotille*
lam yai ลำไย *longane (aussi appelé "œil de dragon")*
lôuk chín plaa ลูกชิ้นปลา *boulettes de poisson*
lôuk chóup ลูกชุบ *"faux fruit confit" – mélange de pâte de graines de soja, de sucre et de lait de coco, porté à ébullition, coloré et modelé en forme de fruits et de légumes miniatures*
lôuk krà-waan ลูกกระวาน *cardamome*

m

má-fai มะไฟ *rambai*
má-kòrk มะกอก *fruit au parfum irritant, qui ressemble à une petite mangue (aussi appelé olive thaï, pomme otaheite ou pomme cythère)*
má-krăam มะขาม *tamarin*
má-krăam pìi-ak มะขามเปียก *pâte condensée de couleur brune, obtenue à partir de chair et de graines de tamarin pressées*
má-krĕu-a มะเขือ *aubergine*
má-krĕu-a pròr มะเขือเปราะ *"aubergine thaï" – ingrédient populaire du curry*
má-krĕu-a prou-ang มะเขือพวง *"aubergine pois en grappe" – ingrédient populaire du curry, en particulier pour le* keing krĭi-eiw-wăan
má-krĕu-a trêt มะเขือเทศ *tomates*
má-krĕu-a yao มะเขือยาว *"aubergine longue" – aussi appelée aubergine japonaise*
má-kròut มะกรูด *citron kaffir – petit agrume à l'écorce cabossée et ridée*
má-lá-kor มะละกอ *paw paw • papaye*
má-môu-ang มะม่วง *mangue*
má-nao มะนาว *citron*
man fà-ràng มันฝรั่ง *pomme de terre*
man fà-ràng trôrt มันฝรั่งทอด *pommes frites*
man kĕi-ow มันแกว *racine de yam • jicama*
má-práo มะพร้าว *noix de coco*
má-práo òrn มะพร้าวอ่อน *jeune noix de coco*
má-tà-bà มะตะบะ *roti (pain sans levain) farci avec du poulet ou du bœuf haché, des oignons et des épices*
meing daa naa แมงดานา *punaise d'eau géante qu'on trouve dans les rizières et qui sont utilisées dans quelques* nám prík *(pâtes de piments et de crevettes)*
mét má-môu-ang hĭm-má-praan trôrt
เม็ดมะม่วงหิมพานต์ทอด *noix de cajou frites*
mîi-eing kram เมี่ยงคำ *un en-cas à composer soi-même, avec des morceaux de gingembre, échalotes, cacahuètes, flocons de noix de coco, citron vert et crevettes séchées, le tout enveloppé dans une feuille de thé sauvage ou de laitue, et accompagné d'une sauce aigre-douce*
mìi pran หมี่พัน *mélange épicé de nouilles de riz fines, de germes de soja et de feuilles de coriandre enroulé dans une galette de riz – une spécialité du district de Laplae (province de Uttaradit)*
mŏu หมู *porc*
mŏu deing หมูแดง *tranches de porc rouge au barbecue*
mŏu pîng หมูปิ้ง *porc grillé*

mŏu săam chán หมูสามชั้น *"porc à trois niveaux" – morceau contenant la viande, le gras et la peau*

mŏu sàp หมูสับ *porc haché*

mŏu yâang หมูย่าง *tranches de porc grillées accompagnées d'une sauce marinade épicée*

mŏu yor หมูยอ*pâté vietnamien au porc*

n

náam krĕing kòt น้ำแข็งกด *sorte de glace à l'eau, à base de glace en cube, sucre et un peu de jus de fruit*

nám kreu·y น้ำเคย *sauce composée de sucre de palme, sucre de canne brute, pâte de crevettes, sauce de poisson, sel, poivre noir, échalote, galanga, feuilles de citron kaffir et citronnelle (sud de la Thaïlande)*

nám ngíi-ow น้ำเงี้ยว *bouillon sucré et épicé, on y plonge les* krà-nŏm tyiin *(nord de la Thaïlande)*

náam ôy น้ำอ้อย *jus de canne à sucre*

nám plaa น้ำปลา *sauce de poisson – sauce fluide, claire et de couleur ambrée, obtenue à partir d'anchois fermentés, sert d'assaisonnement aux plats thaïs*

nám pou น้ำปู *condiment fait à partir de petits crabes de rizières broyés et mélangés à une pâte, puis cuit avec de l'eau jusqu'à obtention d'un liquide collant et noir (nord de la Thaïlande)*

nám prík น้ำพริก *sauce épaisse à base de piments ou de pâte de crevettes, accompagnant habituellement les légumes frais ou cuits à la vapeur et les* krà-nŏm tyiin *(vermicelles de riz)*

nám prík chíi fáa น้ำพริกชี้ฟ้า *sauce composée de piments séchés, d'huile à l'ail, de sel et de sucre – qu'on fait cuire brièvement afin que toutes les saveurs se mélangent et que la sauce prenne une couleur foncée (nord-est de la Thaïlande)*

nám prík kà-pì น้ำพริกกะปิ nám prík *à base de pâte de crevettes et de* prík krîi nŏu *(piment "crotte de souris") frais, accompagne habituellement les maquereaux cuits à la vapeur et puis frits, ou bien les poissons à tête de serpent frits (centre de la Thaïllande)*

nám prík kràa น้ำพริกข่า *sauce de piments avec du galanga – souvent servie pour accompagner les champignons frais cuits à la vapeur ou grillés (nord de la Thaïlande)*

nám prík meing daa น้ำพริกแมงดา *pâte piquante à base de punaises d'eau géante*

nám prík nám pou น้ำพริกน้ำปู *pâte piquante à base de* nám pou, *d'échalotes, d'ail et de piments séchés (nord de la Thaïlande)*

nám prík nòum น้ำพริกหนุ่ม *sauce de piments jeunes à base de piments verts frais et d'aubergines grillées (nord de la Thaïlande)*

nám prík prăo น้ำพริกเผา *pâte épaisse à base de piments séchés et grillés et de* kà-pì *qu'on écrasera au mortier avec de la sauce de poisson et un peu de sucre ou de miel (se mange avec le* kài yâang*)*

nám prík sĭi-raa-chaa น้ำพริกศรีราชา *sauce de piments aigre-douce et de couleur orangée, originaire de Sriracha (sud-est de Bangkok)*

nám prík taa deing น้ำพริกตาแดง *"sauce de piments qui donne les yeux rouges" – sauce très relevée*

nám sii-íou น้ำซีอิ๊ว *sauce de soja*

nám sôm prík น้ำส้มพริก *fines tranches de piments verts dans du vinaigre*

nám-taan píip น้ำตาลปี๊บ *pur sucre de palme liquide*

nám tyèi·ow น้ำแจ่ว *sauce isan pour poulet, à base de flocons de piments rouges séchés et pilés, échalotes, pâte de crevettes et un peu de jus de tamarin, formant une sauce épaisse comme une confiture (aussi appelée* tyèi·ow*)*

nám tyîm น้ำจิ้ม *sauces marinade*

nám tyîm aa-haan trá-le น้ำจิ้มอาหารทะเล *sauce pour fruits de mer,* príк nám plaa *agrémentée d'ail émincé, de jus de citron vert et de sucre*

nám tyîm kài น้ำจิ้มไก่ *sauce pour poulet – composée de flocons de piments rouges séchés, miel (ou sucre) et vinaigre de riz*

nám yaa น้ำยา *sorte de curry dans lequel on plonge les* krà-nŏm tyiin*, composé de galangale (*krà-chai*) et de poisson haché ou broyé*

nĕim แหนม *hachis de porc cru en saumure*

néu·a เนื้อ *bœuf*

néu·a tŏun เนื้อตุ๋น *soupe composée de bœuf cuit à la vapeur, généralement d'un bouillon de couleur foncée par la sauce de soja et d'épices (cannelle, anis étoilé ou le mélange des cinq épices chinoises)*

néu·a pràt nám-man hŏy เนื้อผัดน้ำมันหอย *bœuf sauté à la sauce d'huître*

néu·a yâang nám tòk เนื้อย่างน้ำตก *"bœuf cascade" – émincés de bœuf cuits au barbecue, préalablement marinés dans un mélange de jus de citron vert, de piments pilés et d'autres assaisonnements*

nòr mái หน่อไม้ *pousses de bambou*

nòr mái prii·eiw หน่อไม้เปรี้ยว *pousses de bambou en saumure*

nóy-nàa น้อยหน่า *pomme cannelle*

p

paa-trôrng-kŏ ปาท่องโก๋ *pâtisserie frite à base de farine, semblable à un beignet non sucré*

pèt เป็ด *canard*

pèt tŏun เป็ดตุ๋น *potage de canard cuit à la vapeur, dont le bouillon est de couleur foncée par la sauce de soja et les épices (cannelle, anis étoilé ou mélange de cinq épices chinois)*

pèt yâang เป็ดย่าง *canard rôti*

plaa ปลา *poisson*

plaa bèuk ปลาบึก *poisson-chat géant du Mékong*

plaa chôrn ปลาช่อน *poisson à tête de serpent – une espèce d'eau douce*

plaa dèik ปลาแดก *voir à* plaa-ráa

plaa dèit di·eiw ปลาแดดเดียว *"poisson séché une demi-journée au soleil" – frit et servi avec une salade de mangue épicée*

plaa dòuk ปลาดุก *poisson-chat*

plaa kà-pronq ปลากะพง *serran • perche de mer*

plaa kăo ปลาเก๋า *mérou • morue ou cabillaud de récif*

plaa kà-tàk ปลากะตัก *un type d'anchois utilisé dans les* nám plaa *(sauces de poisson)*

plaa klóuk krà-mîn ปลาคลุกขมิ้น *poisson frais mariné dans la pâte de curcuma, de l'ail et du sel, avant d'être grillé ou frit*

plaa krà-bòrk ปลากระบอก *mulet*

plaa krem ปลาเค็ม *poisson fermenté au sel*

plaa lăi ปลาไหล *anguille d'eau douce*

plaa lòt ปลาหลด *anguille de mer*

plaa mèuk klôu·ay ปลาหมึกกล้วย *calmar • calamar*

plaa mèuk krà-dorng ปลาหมึกกระดอง *seiche*

plaa mèuk pîng ปลาหมึกปิ้ง *calmar séché et aplati comme une feuille avec une machine spéciale, puis grillé au charbon – l'un des en-cas favoris, vendus la nuit dans la rue*

plaa mèuk pràt prŏng kà-rìi ปลาหมึกผัดผงกะหรี่ *calmars sautés au curry*

plaa nêung ปลานึ่ง *poisson cuit à la vapeur avec du basilic thaï, de la citronnelle et d'autres légumes (nord-est de la Thaïlande)*
plaa nin ปลานิล *tilapia (une variété de poisson)*
plaa prăo ปลาเผา *poisson enveloppé dans une feuille de bananier ou d'aluminium, et cuit sur du (ou couvert de) charbon*
plaa-ráa ปลาร้า *"poisson fermenté ou pourri" – version non pasteurisée de* nám plaa *vendu dans des pots en terre cuite (nord-est de la Thaïlande)*
plaa saa-diin ปลาซาร์ดีน *sardine*
plaa săm-lii ปลาสำลี *carangue ignobilis*
plaa săm-lii dèit di·eiw ปลาสำลีแดดเดียว *"carangue ignobilis séchée au soleil" – un poisson entier ouvert par le milieu, séché une demi-journée au soleil, puis frit rapidement dans un wok*
plaa săm-lii prăo ปลาสำลีเผา *"carangue ignobilis braisée" – poisson grillé sur du charbon*
plaa trôrt ปลาทอด *poisson frit*
plaa trou ปลาทู *maquereau*
por-píi·a ปอเปี๊ยะ *rouleaux de feuilles de brick farcis et frits*
por-píi·a sòt ปอเปี๊ยะสด *rouleaux de printemps*
por-píi·a tôrt ปอเปี๊ยะทอด *nems*
pó tèik โป๊ะแตก *"potage de poissons émiéttés" –* tôm yam *agrémenté de basilic doux ou basilic thaï, et un assortiment de fruits de mer (calmar, crabe, poisson, moules et crevettes)*
pou ปู *crabe*
pou naa ปูนา *crabes de rizières*
pou òp wóun-sên ปูอบวุ้นเส้น *vermicelles de soja cuits au four avec du crabe et assaisonnés, le tout dans un pot en argile couvert*
pou pràt prŏng kà-rìi ปูผัดผงกะหรี่ *crabe entier sauté au curry et aux œufs*
pou trá-lé ปูทะเล *crabe de mer*

pr

pràt trai ผัดไทย *abréviation de* kŏu·ay tĭi·ow pràt trai
prík chíi-fáa พริกชี้ฟ้า *"piment pointant le ciel" – aussi appelé piment thaï dragon, piment thaï ou piment japonais*
prík krîi nŏu พริกขี้หนู *"piment crotte de souris" – le piment le plus fort de Thaïlande (aussi appelé piment œil d'oiseau)*
prík nám plaa พริกน้ำปลา *condiment de base composé de fines lamelles de* prík krîi nŏu *(piments frais rouges et verts) dans de la sauce de poisson*
prík nám sôm พริกน้ำส้ม *jeune* prík yòu·ak *fermenté dans du vinaigre – un condiment populaire pour les plats de nouilles et la nourriture chinoise*
prík pòn พริกป่น *piment rouge séché, puis pilé ou broyé au mortier (utilisé dans le* nám prík chíi fáa*)*
prík trai พริกไทย *poivre noir (aussi appelé piment thaï)*
prík wăan พริกหวาน *"piment sucré" – poivron vert*
prík yòu·ak พริกหยวก *piment doux – apparenté au poivron, habituellement consommé cuit ou en saumure*

r

râat nâa ราดหน้า *abréviation du plat* kŏu·ay-tĭi·ow râat nâa, *souvent utilisée pour passer commande*
râat prík ราดพริก *mélange de* prík, *d'ail et d'oignon – accompagnant habituellement les plats de poisson d'eau douce*

ro-tii โรตี *galette de pain à base de farine de blé, de forme ronde et plate, similaire au* roti *paratha d'Inde*
ro-tii kɛng โรตีแกง roti *trempé dans une sauce curry au poulet, bœuf ou crabe*
ro-tii klôu·ay โรตีกล้วย roti *garni de morceaux de banane fraîche ou de pâte de banane, et agrémenté de lait concentré sucré*
ro-tii kài โรตีไข่ roti *avec un œuf*

s

saa-laa-pao ซาลาเปา *brioche à la vapeur fourrée avec de la viande de porc ou de la pâte de haricot sucré*
sâi òu·a ไส้อั่ว *saucisse faite à partir d'une pâte de curry aux piments séchés, ail, échalotes, citronnelle et zestes de citron kaffir, le tout mélangé à du porc haché qu'on fourre dans des intestins de porc, pour ensuite les cuire (nord de la Thaïlande)*
săng-kà-yăa สังขยา *flan*
săng-kà-yăa fák trorng สังขยาฟักทอง *potiron farci avec du flan*
sao náam ซาวน้ำ *sauce composée d'ananas, de crevettes séchées, de noix de coco, de gingembre et d'ail, sorte de curry dans lequel on plonge les* krà-nŏm tyiin
sàp-pà-rót สับปะรด *ananas*
sà-rá-nɛ̀ สะระแหน่ *menthe*
sà-té สะเต๊ะ *satay – petites brochettes de bœuf, porc ou poulet au barbecue, servies avec une sauce aux cacahuètes épicée*
sà-té mŏu สะเต๊ะหมู *brochette de porc satay*
sà-té néu·a สะเต๊ะเนื้อ *brochette de bœuf satay*
sà-tor สะตอ *une grosse fève plate, au goût amer (sud de la Thaïlande)*
sii-íou dam ซีอิ๊วดำ *"soja noir" – épaisse sauce de soja noir*
sii-íou kăo ซีอิ๊วขาว *"soja blanc" – sauce de soja légère*
súp krà-nŭn ซุปขนุน *soupe de jeunes fruits de jacquier, agrémentée de* krâo krôu·a pòn, *de jus de citron vert et de piment (nord-est de la Thaïlande)*
súp má-kĕu·a ซุปมะเขือ *soupe d'aubergines, agrémentée de* krâao krôu·a pòn, *de jus de citron vert et de piment (nord-est de la Thaïlande)*
súp nòr mái ซุปหน่อไม้ *"soupe de pousses de bambou" – avec des pousses de bambou blanchies ou en saumure, agrémentée de* krâao krôu·a pòn, *de jus de citron vert et de piment (nord-est de la Thaïlande)*
sên lék เส้นเล็ก *nouilles de riz fines*
sên mìi เส้นหมี่ *vermicelles de riz*
sen yài เส้นใหญ่ *nouilles de riz larges*
sôm kĭi·eiw wăan ส้มเขียวหวาน *mandarine*
sôm o ส้มโอ *pomelo – très prisé dans le nord de la Thaïlande*
sôm tam ส้มตำ *salade de papaye verte épicée (aussi appelée* tam-sôm *ou* tam má-lá-kor*)*
sù-kîi สุกี้ *abréviation de* sù-kii-yaa-kîi
sù-kii-yaa-kîi สุกี้ยากี้ *"ragoût" – sorte de fondue thaïe-japonaise, versée dans une grande marmite qui est posée sur un réchaud à gaz, chacun y fait cuire ses aliments crus tels que vermicelles de soja, œuf, liseron d'eau et chou (centre de la Thaïlande)*

t

tà kô ตะโก้ *dessert populaire, de consistance gélatineuse, à base de farine de tapioca et recouvert de lait de coco*
tà-krái ตะไคร้ *citronnelle – utilisée dans les pâtes de curry, les* tôm yam, *les* yam *et certaines sortes de* lâap

tam málákor ตำมะละกอ *voir à* sôm tam

tam-ràp kàp krâao ตำรับกับข้าว *manuel de recettes de base*

tam sôm ตำส้ม *voir à* sôm tam

tâo hôu เต้าหู้ *tofu (pâte de soja)*

tâo tyîi·ow เต้าเจี้ยว *sauce de graines de soja, salées et fermentées, jaunes ou noires*

tâo tyîi·ow dam เต้าเจี้ยวดำ *sauce de soja noir*

teing mo แตงโม *pastèque*

tôm ต้ม *soupe de l'Isan (nord-est de la Thaïlande) semblable au* tôm yam *composée de citronnelle, galanga, ciboule, feuilles de citron kaffir et de* prík krîi nŏu *frais et entiers, puis servie accompagnée d'un jus de citron vert et de sauce de poisson (cette soupe est aussi appelée* tôm sêip*)*

tôm fák ต้มฟัก tôm *de l'Isan composée de courges vertes, souvent accompagnée d'une salade de canard*

tôm kài sài bai má-krăam òrn ต้มไก่ใส่ใบมะขามอ่อน tôm *de l'Isan à base de poulet et de feuilles de tamarin*

tôm kràa kài ต้มข่าไก่ *"bouillon de poulet au galanga" – composé de citrons verts, piments et lait de coco (centre de la Thaïlande)*

tôm prîi·ow ต้มเปรี้ยว *"bouillon acidulé" – soupe* tôm yam *agrémentée de tamarin*

tôm sêip ต้มแซ่บ *voir à* tôm

tôm wou·a ต้มวัว tôm *de l'Isan composée de tripes et de foie de bœuf*

tôm yam ต้มยำ *soupe populaire composée de piments, citronnelle, citron vert et habituellement de fruits de mer*

tôm yam hêing ต้มยำแห้ง *une version de* tôm yam kôung *sans le bouillon*

tôm yam kôung ต้มยำกุ้ง tôm yam *de crevettes*

tôm yam pó tèik ต้มยำโป๊ะแตก tôm yam *composée d'un mélange de fruits de mer*

tôn hŏrm ต้นหอม *"plante aromatique" – ciboule ou ciboulette*

tr

tráp-trim kròrp ทับทิมกรอบ *"rubis croquant" – lait de coco sucré-salé dans lequel baignent des morceaux de châtaigne d'eau enrobés d'une pâte gélatineuse teintée en rouge*

trôrt man kôung ทอดมันกุ้ง *galette de crevette frite*

trôrt man plaa ทอดมันปลา *galette de poisson frit*

tròu·a fàk yao ถั่วฝักยาว *haricot long, haricot kilomètre ou haricot vert*

tròu·a lan-tao ถั่วลันเตา *pois gourmands*

tròu·a lĕu·ang ถั่วเหลือง *graine de soja jaune*

tròu·a ngôrk ถั่วงอก *germes de soja*

tròu·a pòn ถั่วป่น *cacahuètes pilées*

tròu·a prou ถั่วพู *haricot vert dentelé – sorte de haricot vert long et plat, dont on aurait incisé les côtés et qui ressemble à une étoile à quatre branches*

tròu·a trôrt ถั่วทอด *cacahuètes frites*

ty

tyè·ow แจ่ว *voir à* nám tyè·ow

tyè·ow hórn แจ่วฮ้อน *une version de l'Isan du populaire sukiyaki* (sòu-kii-yaa-kîi) *thaï du centre, mais avec vermicelles de soja, viande et tripes de bœuf, œuf, liseron d'eau, chou et tomates cerises*

tyók โจ๊ก *soupe de riz épais • bouillie de riz*

tyók kài โจ๊กไก่ *soupe de riz épais au poulet*

tyók mŏu โจ๊กหมู *soupe de riz épais aux boulettes de porc*

w

wóun sên วุ้นเส้น *vermicelles fabriqués à partir de fécule de haricot mungo et d'eau, pour former une pâte translucide (parfois appelés "nouilles cellophane", "nouilles cristal" ou "vermicelles de soja")*

y

yam ยำ *salade épicée, composée de citron vert, piment et herbes fraîches, puis au choix des fruits de mer, des légumes grillés, des nouilles ou de la viande*

yam hèt hŏrm ยำเห็ดหอม *salade de champignons shiitake frais épicée*

yam kài ยำไก่ *salade de poulet et de menthe épicée*

yam krài dao ยำไข่ดาว *salade épicée agrémentée d'œufs au plat*

yam má-krĕu·a yao ยำมะเขือยาว *salade épicée, composée d'aubergines longues grillées et de crevettes, avec jus de citron, porc haché, feuilles de coriandre, piments, ail et sauce de poisson*

yam má-môu·ang ยำมะม่วง *salade de mangue épicée*

yam néu·a ยำเนื้อ *salade de bœuf grillé épicée*

yam plaa dòuk fou ยำปลาดุกฟู *salade épicée à base de poisson-chat frit et émietté, piments, cacahuètes et une vinaigrette à la mangue*

yam plaa mèuk ยำปลาหมึก *salade de calmars épicée*

yam săam kròrp ยำสามกรอบ *salade de calmar frit, vessie de poisson et noix de cajou, agrémentée de* nám plaa*, sucre, jus de citron vert et piments*

yam sôm o ยำส้มโอ *salade de pomelo épicée (Chiang Mai)*

yam tròu·a prou ยำถั่วพู *salade de haricot vert dentelé épicée*

yam wóun sên ยำวุ้นเส้น *salade épicée, composée de vermicelles de soja tièdes, agrémentée de jus de citron vert, de* prík krii nŏu *frais finement coupés, champignons, crevettes séchées ou fraîches, porc haché, feuilles de coriandre et jus de citron vert*

yii-raa ยี่หร่ า *cumin*

Au secours !	ช่วยด้วย	chôu·ay dôu·ay
Stop !	หยุด	yòut
Partez !	ไปให้พ้น	pai hâi prón
Au voleur !	ขโมย	krà-moy
Au feu !	ไฟไหม้	fai mâi
Attention !	ระวัง	rá-wang

C'est une urgence !
เป็นเหตุฉุกเฉิน — pen hèt chòuk-chěun

Appelez un médecin !
ตามหมอหน่อย — taam mŏr nòy

Appelez une ambulance !
ตามรถพยาบาล — taam rót pá-yaa-baan

Je suis malade.
ผม/ดิฉันป่วย — prŏm/dì-chăn pòu·ay **m/f**

Mon ami(e) est malade.
เพื่อนของผม/ดิฉันป่วย — prêu·an krŏrng prŏm/dì-chăn pòu·ay **m/f**

Mon enfant est malade.
ลูกของผม/ดิฉันป่วย — lôuk krŏrng prŏm/dì-chăn pòu·ay **m/f**

Mon ami(e) a pris une surdose.
เพื่อนของฉันเสพยาเกินขนาด — prêu·an krŏrng chăn sèp yaa keun krà·nàat

Il/Elle est en train de faire un(e)... — เขากำลัง... — krăo kam-lang ...

réaction allergique	เกิดอาการแพ้	kèut aa-kaan préi
crise d'asthme	เป็นโรคหืด	pen rôk hèut
accouchement	คลอดลูก	krlôrt lôuk
crise d'épilepsie	เป็นลมบ้าหมู	pen lom bâa mŏu
crise cardiaque	หัวใจวาย	hŏu·a tyai wai

panneaux

แผนกฉุกเฉิน **Urgences**	prà-nèik chòuk-chĕun
โรงพยาบาล **Hôpital**	rong prá-yaa-baan
ตำรวจ **Police**	tam-ròu·at
สถานีตำรวจ **Commissariat de police**	sà-trăa-nii tam-ròu·at

Pouvez-vous m'aider, s'il vous plaît ?
ช่วยได้ไหม — chôu·ay dâi măi

Puis-je utiliser votre téléphone ?
ใช้โทรศัพท์ของคุณได้ไหม — chái tro-rá-sàp krŏrng kroun dâi măi

Je suis perdu(e).
ผม/ดิฉันหลงทาง — prŏm/dì-chăn lŏng traang **m/f**

Où se trouvent les toilettes ?
ห้องน้ำอยู่ที่ไหน — hôrng náam yòu trîi năi

police

ตำรวจ

Où se trouve le commissariat ?
สถานีตำรวจอยู่ที่ไหน — sà-trăa-nii tam-ròu·at yòu trîi năi

Appelez la police touristique, s'il vous plaît.
ขอโทรตามตำรวจนักท่องเที่ยว — krŏr tro taam tam-ròu·at nák trôrng trîi·eiw

Je voudrais porter plainte.
ผม/ดิฉันอยากจะแจ้งความ prŏm/dì-chăn yàak tyà tyêing krwaam **m/f**

J'ai été…	ผม/ดิฉันโดน…	prŏm/dì-chăn don … **m/f**
Il/Elle a été…	เขาโดน…	krăo don …
agressé(e)	ทำร้ายร่างกาย	tram rái râang kai
drogué(e)	วางยา	waang yaa
violé(e)	ข่มขืน	kròm krĕun
volé(e)	ขโมย	krà-moy

C'était lui/elle.
เป็นคนนั้น pen kron nán

On m'a volé mon/ma/mes…	…ของผม/ดิฉัน ถูกขโมย	… krŏrng prŏm dì-chăn tròuk krà-moy **m/f**
sac à dos	เป้	pê
sac à main	กระเป๋าหิ้ว	krà-păo hîw
bijoux	เพชรพลอย	prét prloy
argent	เงิน	ngeun
porte-monnaie	กระเป๋าเงิน	krà-păo ngeun

J'ai perdu mon/ma/mes…	ผม/ดิฉันทำ…หาย	prŏm/dì-chăn tram … hăi **m/f**
sac	กระเป๋า	krà-păo
carte de crédit	บัตรเครดิต	bàt kre-dìt
papiers	เอกสาร	èk-kà-săan
passeport	หนังสือเดินทาง	năng-sĕu deun traang
chèques de voyage	เช็คเดินทาง	chék deun traang

J'ai une assurance. ผม/ดิฉันมีประกันอยู่ prŏm/dì-chăn mii prà-kan yòu **m/f**

ce que la police pourra dire...

Vous êtes inculpé(e) pour…	คุณโดนจับข้อหา...	kroun don tyàp krôr hăa …
Il/Elle est inculpé(e) pour…	เขาโดนจับข้อหา...	krăo don tyàp krôr hăa …
agression	ทำร้ายร่างกาย	tram rái râang kai
avoir troublé l'ordre public	ก่อกวนความสงบ	kòr kou·an krwaam sà-ngòp
trafic de stupéfiant	การค้ายาเสพติด	kaan kráa yaa sèp tìt
avoir jeté quelque chose par terre	การทิ้งขยะไม่เป็นที่	kaan tríng krà-yà mâi pen trîi
défaut de visa	การไม่มีวีซ่า	kaan mâi mii wii-sâa
dépassement de la durée du visa	การอยู่เกินกำหนดของวีซ่า	kaan yòu keun kam-nòt krŏrng wii-sâa
possession (de substances illicites)	การมีของผิดกฎหมายในครอบครอง	kaan mii krŏrng prìt kòt-măi nai krôrp krorng
viol	การข่มขืน	kaan kròm krĕun
vol à l'étalage	การขโมยของในร้าน	kaan krà-moy krŏrng nai ráan
vol	การขโมย	kaan krà-moy
C'est une amende pour…	เป็นการปรับ...	pen kaan pràp …
avoir jeté quelque chose par terre	การทิ้งขยะไม่เป็นที่	kaan tríng krà-yà mâi pen trîi
stationnement interdit	การจอดรถผิดกฎหมาย	kaan tyòrt rót prìt kòt-măi
excès de vitesse	การขับรถเร็วเกินกำหนด	kaan kràp rót re·ow keun kam-nòt

De quoi suis-je accusé(e) ?
ผม/ดิฉันถูกปรับข้อหาอะไร — prŏm/dì-chăn tròuk pràp krôr hăa à-rai **m/f**

Je suis désolé(e).
ขอโทษ — krŏr trôt

Je (ne) comprends (pas).
(ไม่) เข้าใจ — (mâi) krâo tyai

Je ne savais pas que je faisais quelque chose de mal.
ผม/ดิฉันไม่รู้เลยว่าได้ทำอะไรผิด — prŏm/dì-chăn mâi róu leu·y wâa dâi tram à-rai prìt **m/f**

Ce n'est pas moi.
ผม/ดิฉันไม่ได้ทำ — prŏm/dì-chăn mâi dâi tram **m/f**

Puis-je payer l'amende tout de suite ?
เสียค่าปรับเดี๋ยวนี้ได้ไหม — sĭ·a krâa pràp dĭ·eiw níi dâi măi

Je veux contacter mon ambassade.
ผม/ดิฉันอยากจะติดต่อสถานทูต — prŏm/dì-chăn yàak tyà tìt tòr sà-trăan trôut **m/f**

Je veux contacter mon consulat.
ผม/ดิฉันอยากจะติดต่อสถานกงสุล — prŏm/dì-chăn yàak tyà tìt tòr sà-trăan kong-sŏun **m/f**

Puis-je téléphoner ?
ขอโทรศัพท์ได้ไหม — krŏr tro-rá-sàp dâi măi

Puis-je avoir un avocat qui parle français ?
ขอทนายความที่พูดภาษาฝรั่งเศสได้ไหม — krŏr trá-nai krwaam trîi prôut praa-săa fà-ràng-sèt dâi măi

Je ne savais pas que ces choses étaient là-dedans.
ผม/ดิฉันไม่รู้เลยว่ามีสิ่งนั้นอยู่ในนั้น — prŏm/dì-chăn mâi róu leu·y wâa mii sìng nán yòu nai nán **m/f**

Ce n'est pas à moi.
นั่นไม่ใช่ของผม/ดิฉัน — nân mâi châi krŏrng prŏm/dì-chăn **m/f**

Ce médicament/cette drogue est pour mon usage personnel.
ยานี้สำหรับการใช้ส่วนตัว — yaa níi săm-ràp kaan chái sòu·an tou·a

J'ai une ordonnance pour ce médicament.

ผม/ดิฉันมีใบสั่งจาก แพทย์สำหรับยานี้	prŏm/dì-chăn mii bai sàng tyàak prêit săm-ràp yaa níi **m/f**

Quelle est la peine encourue pour possession de… ?	กำหนดโทษเท่าไรสำหรับการมี…ในครอบครอง	kam-nòt trôt trâo-rai săm-ràp kaan mii … nai krôrp krorng
amphétamines	ยาบ้า	yaa bâa
héroïne	เฮโรอีน	he-ro-iin
marijuana	กัญชา	kan-chaa
opium	ยาฝิ่น	yaa fìn
champignons hallucinogènes	เห็ดขี้ควาย	hèt krîi krwai

URGENCES

Où se trouve ... le/la plus proche ?	...ที่ใกล้ที่สุดอยู่ที่ไหน	... trîi klâi trîi sòut yòu trîi năi
la pharmacie (de nuit)	ร้านขายยา (กลางคืน)	ráan krăi yaa (klaang kreun)
le dentiste	หมอฟัน	mŏr fan
le médecin	หมอ	mŏr
le service des urgences	แผนกฉุกเฉิน	prà-nèik chòuk-chĕun
le dispensaire (zones rurales)	สถานีอนามัย	sà-trăa-nii à-naa-mai
l'hôpital	โรงพยาบาล	rong prá-yaa-baan
le centre médical	คลินิก	krlí-ník
l'ophtalmologue	หมอตรวจสายตา	mŏr tròu·at săi taa

J'ai besoin d'un médecin (qui parle français).
ผม/ดิฉันต้องการหมอ (ที่พูดภาษาฝรั่งเศสได้) — prŏm/dì-chăn tôrng kaan mŏr (trîi prôut praa-săa fà-ràng-sèt dâi) **m/f**

Puis-je voir un médecin femme ?
พบกับคุณหมอผู้หญิงได้ไหม — próp kàp kroun mŏr prôu yĭng dâi măi

Le médecin peut-il venir ici ?
หมอมาที่นี่ได้ไหม — mŏr maa trîi nîi dâi măi

Y a-t-il un numéro pour les urgences nocturnes ?
มีเบอร์โทรสำหรับเหตุฉุกเฉินตอนกลางคืนไหม — mii beu tro săm-ràp hèt chòuk-chĕun torn klaang kreun măi

Je n'ai plus de médicaments.
ยาของผม/ดิฉันหมดแล้ว — yaa krŏrng prŏm/dì-chăn mòt léi·ow **m/f**

Voici mes médicaments habituels.
นี่คือยาที่ใช้ประจำ — nîi kreu yaa trîi chái prà-tyam

ce que le médecin pourra dire…

Que se passe-t-il ?
เป็นอะไรครับ/ค่ะ — pen à-rai kráp/krâ **m/f**

Où avez-vous mal ?
เจ็บตรงไหน — tyèp trong năi

Avez-vous de la fièvre ?
เป็นไข้ไหม — pen krâi măi

Depuis combien de temps êtes-vous dans cet état ?
เป็นอย่างนี้มานานเท่าไร — pen yàang níi maa naan trâo-rai

Avez-vous déjà eu cela auparavant ?
เคยเป็นแบบนี้ไหม — kreu·y pen bèip níi măi

Avez-vous eu des rapports non protégés ?
ได้มีเพศสัมพันธ์โดยขาดการป้องกันหรือเปล่า — dâi mii prêt săm-pran doy kràat kaan pôrng kan rĕu plào

Utilisez-vous un moyen de contraception ?
คุณใช้วิธีคุมกำเนิดไหม — kroun chái wí-trii kroum kam-nèut măi

Avez-vous bu de l'eau non purifiée ?
ได้ดื่มน้ำที่ไม่สะอาดไหม — dâi dèum náam trîi mâi sà-àat măi

Êtes-vous allergique à quelque chose ?
คุณแพ้อะไรไหม — kroun préi à-rai măi

Est-ce que vous prenez des médicaments ?
คุณกำลังกินยาอยู่ไหม — kroun kam-lang kin yaa yòu măi

Combien de temps comptez-vous voyager ?
คุณจะเดินทางนานเท่าไร — kroun tyà deun traang naan trâo-rai

Vous devez être hospitalisé(e).
คุณจะต้องเข้าโรงพยาบาล — kroun tyà tôrng krâo rong prá-yaa-baan

Vous devriez consulter un médecin dès votre retour.
เมื่อกลับถึงบ้านควรจะไปตรวจ — mêu·a klàp trĕung bâan krou·an tyà pai trou·at

Vous devriez rentrer chez vous pour suivre un traitement.
คุณควรจะกลับบ้านเพื่อรักษา — kroun krou·an tyà klàp bâan prêu·a rák-săa

Vous êtes hypocondriaque.
คุณอุปาทานไปเอง — kroun òup-paa-traan pai eng

URGENCES

Je ne veux pas de transfusion sanguine.
ไม่ต้องการถ่ายเลือด — mâi tôrng kaan trài lêu·at

Utilisez une nouvelle seringue, s'il vous plaît.
กรุณาใช้เข็มใหม่ — kà-róu-naa chái krĕm mài

J'ai ma propre seringue.
ฉันมีเข็มของตัวเอง — chăn mii krĕm krŏrng tou·a eng

Puis-je avoir un reçu pour mon assurance ?
ขอใบเสร็จด้วยสำหรับบริษัทประกัน — krŏr bai sèt dôu·ay săm-ràp bor-rí-sàt prà-kan

J'ai été vacciné(e) contre…	ผม/ดิฉันได้ฉีดป้องกันโรค...แล้ว	prŏm/dì-chăn dâi chìit pôrng kan rôk … léi·ow **m/f**
Il/Elle a été vacciné(e) contre…	เขาฉีดป้องกันโรค...แล้ว	krăo chìit pôrng kan rôk … léi·ow
l'encéphalite japonaise B	ไข้สมองอักเสบ	krâi sà-mŏrng àk-sèp
la rage	พิษสุนัขบ้า	prít sòu-nák bâa
le tétanos	บาดทะยัก	bàat trá-yák
la typhoïde	ไข้รากสาดน้อย	krâi râak sàat nóy
l'hépatite A/B/C	ตับอักเสบเอ/บี/ซี	tàp àk-sèp e/bii/sii

symptômes et condition physique

อาการป่วย

Je suis malade.	ผม/ดิฉันป่วย	prŏm/dì-chăn pòu·ay **m/f**

Mon ami(e)/enfant est malade.
เพื่อน/ลูกของผม/ดิฉันป่วย — prêu·an/lôuk krŏrng prŏm/dì-chăn pòu·ay **m/f**

J'ai (été)…	ผม/ดิฉัน...	prŏm/dì-chăn … **m/f**
Il/Elle a (été)…	เขา...	krăo …
blessé(e)	บาดเจ็บ	bàat tyèp
vomi	อาเจียน	aa-tyi·ein
J'ai mal là.	เจ็บตรงนี้	tyèp trong níi

Je suis/me sens/ J'ai…	ผม/ดิฉันรู้สึก...	prŏm/dì-chăn róu-sèuk … **m/f**
angoisse(é)	กังวลใจ	kanq-won tyai
mieux	ดีขึ้น	dii krêun
déprimé(e)	กลุ้มใจ	klôum tyai
des vertiges	เวียนหัว	wi·ein hŏu·a
chaud et froid	หนาวๆร้อนๆ	năo năo rórn rórn
des nausées	คลื่นไส้	krlêun sâi
des frissons	หนาวสั่น	năao sàn
bizarre	แปลกๆ	plèik plèik
faible	อ่อนเพลีย	òrn prlii·a
plus mal	ทรุดลง	sóut long

J'ai un(e)/de l'/la…	ผม/ดิฉัน...	prŏm/dì-chăn … **m/f**
Il/Elle a un(e)/ de l'/la…	เขา...	krăo …
asthme	เป็นโรคหืด	pen rok hèut
constipation	ท้องผูก	trórng pròuk
toux	ไอ	ai
dengue	เป็นไข้เลือดออก	pen krâi lêu·at òrk
dépression	เป็นโรคคิดมาก	pen rôk krit maak
diarrhée	ท้องร่วง	trórng rôu·ang
fièvre	เป็นไข้	pen kâi
mycose	ติดเชื้อรา	tìt chéu·a raa
insolation	แพ้แดด	préi dèit
coup de soleil	ถูกแดดเผา	tròuk deit prăo
parasites intestinaux	เป็นพยาธิ	pen prá-yâat
infection du foie	เป็นพยาธิใบไม้	pen prá-yâat bai mái
malaria	เป็นไข้มาเลเรีย	pen krâi maa-le-rii·a
nausée	คลื่นไส้	krlêun sâi
mal	ปวด	pòu·at
éruption cutanée	เป็นผด	pen pròt
mal à la gorge	เจ็บคอ	tyèp kror

Je me suis déshydraté(e).
ผม/ดิฉันขาดน้ำ — prŏm/dì-chăn kràat náam **m/f**

Je n'arrive pas à dormir.
นอนไม่หลับ — norn mâi làp

Je pense que c'est à cause de mon traitement actuel.
คิดว่าเป็นเพราะยาที่กำลังใช้อยู่ — krít wâa pen prór yaa trîi kam-lang chái yòu

santé au féminin

สุขภาพผู้หญิง

(Je pense que) je suis enceinte.
(ดิฉันคิดว่า) ตั้งท้องแล้ว — (dì-chăn krít wâa) tâng trórng léi·ow

Je prends la pilule.
ดิฉันกินยาคุมกำเนิดอยู่ — dì-chăn kin yaa kroum kam-nèut yòu

ce que le médecin pourra dire…

Utilisez-vous un moyen de contraception ?
คุณใช้วิธีคุมกำเนิดไหม — kroun chái wí-trii kroum kam-nèut măi

Êtes-vous réglée ?
คุณเป็นระดูไหม — kroun pen rá-dou măi

Êtes-vous enceinte ?
คุณตั้งครรภ์หรือเปล่า — kroun tâng kran rĕu plào

À quand remontent vos dernières règles ?
คุณมีระดูครั้งสุดท้ายเมื่อไร — kroun mii rá-dou kráng sòut tray mêu·a rai

Vous êtes enceinte.
คุณตั้งครรภ์แล้ว — kroun tâng kran léi·ow

Je n'ai pas eu mes règles depuis (6) semaines.

ดิฉันไม่ได้มีระดู มา(หก) อาทิตย์แล้ว	dì-chăn mâi dâi mii rá-dou maa (hòk) aa-trít léi·ow

J'ai remarqué une grosseur ici.

สังเกตว่ามีก้อนเนื้ออยู่ตรงนี้	săng-kèt wâa mii kôrn néu·a yòu trong níi

J'ai besoin…	ดิฉันต้องการ…	dì-chăn tôrng kaan …
d'un test de grossesse	ตรวจการตั้งครรภ์	tròu·at kran tâng trórng
d'un contraceptif	การคุมกำเนิด	kaan kroum kam-nèut
de la pilule du lendemain	ยาคุมกำเนิดที่กินวันรุ่งขึ้น	yaa kroum kam-nèut trii kin wan rôung krêun

allergies

โรคภูมิแพ้

Je suis allergique à/au/aux…	ผม/ดิฉันแพ้…	prŏm/dì-chăn préi … m/f
Il/Elle est allergique à/au/aux…	เขาแพ้…	krăo préi …
antibiotiques	ยาปฏิชีวนะ	yaa pà tì chii-wá-ná
anti-inflammatoires	ยาแก้อักเสบ	yaa kêi àk-sèp
l'aspirine	ยาแอสไพริน	yaa èlt-sà-prai-rin
abeilles	ตัวผึ้ง	tou·a prêung
la pénicilline	ยาเพนนิซิลลิน	yaa pen-ní-sin-lin
pollen	เกสรดอกไม้	ke-sŏrn dòrk mái
médicaments à base de sulfure	ยาที่ประกอบด้วยซัลเฟอร์	yaa trii prà-kòrp dôu·ay san-feu

Pour les allergies alimentaires, voir le chapitre **végétariens et régimes spéciaux**, p. 169.

les parties du corps

ส่วนต่างๆของร่างกาย

Mon/Ma … me fait mal. — …ของผม/ดิฉัน เจ็บ — … krŏrng prŏm/ dì-chăn tyèp **m/f**

Je ne peux plus bouger mon/ma… — ขยับ…ไม้ได้ — krà-yàp … mâi dâi

J'ai une crampe à/au… — เป็นตะคริวที่… — pen tà-kriw trîi …

Mon/Ma … est enflé(e). — …ของผม/ดิฉัน บวม — … krŏrng prŏm/ dì-chăn bou·am **m/f**

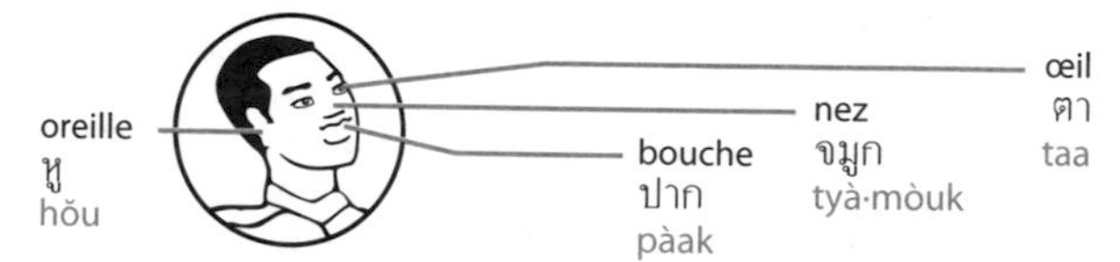

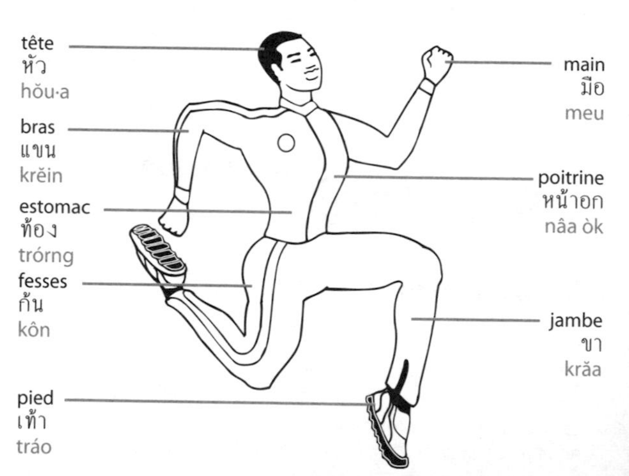

médecines douces

การรักษาทางเลือก

Je ne prends pas de (médicaments occidentaux).
ผม/ดิฉันไม่ใช้(ยาต่างประเทศ) prŏm/dì-chăn mâi chái (yaa tàang prà-trêt) **m/f**

Je préfère…	ผม/ดิฉันนิยม...	prŏm/dì-chăn ní-yom … **m/f**
Puis-je voir un(e) spécialiste de/du… ?	พบกับหมอที่ชานาญทาง...ได้ไหม	próp kàp mŏr trîi cham-naan traang … dâi măi
l'acupuncture	ฝังเข็ม	făng krĕm
phytothérapie	ยาสมุนไพร	yaa sà-mŏun-prai
l'autoguérison	การรักษาแบบใช้พลังภายใน	kaan rák-săa bèip chái prá-lang prai nai
massage thaï traditionnel	การนวดแผนโบราณ	kaan nôu·at prĕin bo-raan
médecine thaïe traditionnelle	ยาพื้นเมืองของประเทศไทย	yaa préun meu·ang krŏrng prà-trêt trai
naturopathie	การรักษาแบบธรรมชาติ	kaan rák-săa bèip tram-má châat
réflexologie	การนวดเส้น	kaan nôu·at sên

à la pharmacie

เภสัชกร

J'ai besoin d'un médicament pour…
ต้องการยาสำหรับ... tôrng kaan yaa săm-ràp …

Ai-je besoin d'une ordonnance pour… ?
ต้องมีใบสั่งยาสำหรับ...ไหม tôrng mii bai sàng yaa săm-ràp … măi

Combien de fois par jour ?
วันละกี่ครั้ง wan lá kìi kráng

Y a-t-il un risque de somnolence ?
จะทำให้ง่วงนอนไหม tyà tram hâi ngôu·ang norn măi

ce que le pharmacien pourra dire...

Deux fois par jour... วันละสองครั้ง... wan lá sŏrng kráng ...
après les repas หลังอาหาร lăng aa-hăan
avant les repas ก่อนอาหาร kòrn aa-hăan
en mangeant พร้อมอาหาร prórm aa-hăan

Avez-vous déjà pris ce médicament auparavant ?
เคยใช้ยาแบบนี้มาก่อนไหม kreu·y chái yaa bèip níi maa kòrn măi

Vous devez suivre le traitement jusqu'au bout.
ต้องใช้ยาจนหมด tôrng chái yaa tyon mòt

crème anti-mycose	ยาฆ่าเชื้อรา	yaa krâa chéu·a raa
médicament contre la malaria	ยาป้องกันมาเลเรีย	yaa pôrng kan maa-le-rii·a
antiseptique	ยาฆ่าเชื้อ	yaa krâa chéu·a
contraceptif	ยาคุมกำเนิด	yaa kroum kam-nèut
traitement anti-poux	ยาฆ่าเหา	yaa krâa hăo
médicament antidiarrhéique	ยาระงับอาการท้องร่วง	yaa rá-ngáp aa-kaan trórng rôu·ang
antidouleurs	ยาแก้ปวด	yaa kêi pòu·at
thermomètre	ปรอท	pà-ròrt
sels de réhydratation	เกลือแร่	kleu·a rêi
filtre à eau	กรองน้ำ	krorng náam

dentiste

หมอฟัน

J'ai…	ผม/ดิฉัน...	prŏm/dì-chăn … **m/f**
une dent cassée	ฟันหัก	fan hàk
une carie	ฟันผุ	fan pròu
mal aux dents	ปวดฟัน	pòu·at fan
Je voudrais…	ต้องการ...	tôrng kaan …
une anesthésie	ยาชา	yaa chaa
un plombage	อุดฟัน	òut fan

J'ai perdu un plombage.
ที่อุดฟันหลุดไป — trîi òut fan lòut pai

J'ai mal aux gencives.
เจ็บที่เหงือก — tyèp trîi ngèu·ak

Je ne veux pas me faire arracher la dent.
ไม่อยากจะถอน — mâi yàak tyà trŏrn

Aïe ! — เอ้า — âo

Ce que le dentiste pourra dire…

Ouvrez grand.
อ้าปากให้กว้าง — âa pàak hâi kwâang

Ça ne fera pas mal.
ไม่เจ็บหรอก — mâi tyèp ròrk

Mordez ça.
กัดอันนี้ไว้ — kàt an níi wái

Ne bougez pas.
อย่าขยับ — yàa krà-yàp

Rincez-vous la bouche !
บ้วนปาก — bôu·an pàak

Revenez, ce n'est pas fini.
กลับมานะยังไม่เสร็จ — klàp maa ná, yang mâi sèt

TOURISME RESPONSABLE

À l'heure des grands débats sur l'avenir de la planète, la question des effets du tourisme se pose avec de plus en plus d'insistance. L'une des réponses dans le cadre de vos voyages consiste à faire en sorte que votre impact sur l'environnement, les cultures régionales et l'économie locale soit aussi positif que possible. Voici quelques phrases basiques pour vous aider…

différences culturelles et communication

J'aimerais apprendre l'un de vos dialectes régionaux.

ผม/ดิฉันอยากจะเรียน ภาษาพื้นเมืองของ คุณบ้าง	prŏm/dì-chăn yàak tyà ri·ein praa-săa préun meu·ang krŏrng kroun bâang **m/f**

Voulez-vous que je vous apprenne un peu le français ?

คุณอยากจะให้ผม/ดิฉัน สอนภาษาฝรั่งเศสให้ไหม	kroun yàak tyà hâi prŏm/dì-chăn sŏrn praa-săa fà-ràng-sèt hâi măi **m/f**

S'agit-il d'une coutume locale ou nationale ?

อันนี้เป็นประเพณีระดับ ชาติหรือระดับท้องถิ่น	an níi pen prà-pre-nii rá-dàp châat rĕu rá-dàp trórng trìn

Je respecte vos coutumes.

ผม/ดิฉันนับถือ ประเพณีของคุณ	prŏm/dì-chăn náp-trĕu prà-pre-nii krŏrng kroun **m/f**

problèmes de société

À quels problèmes est confrontée cette communauté ?

ชุมชนนี้มี ปัญหาอะไรบ้าง	choum chon níi mii pan-hăa à-rai bâang

la corruption	การติดสินบน	kaan tìt sĭn bon
les problèmes de corruption	ปัญหาการทุจริต	pan-hăa kaan tróu-tyà-rìt

la liberté de la presse	เสรีภาพของ สื่อมวลชน	se-rii-prâap krŏrng sèu mou·an chon
les catastrophes naturelles	ภัยธรรมชาติ	prai tram-ma-châat
la pauvreté	ปัญหาความ ยากจน	pan-hăa krwaam yâak tyon

J'aimerais proposer mes compétences.
ผม/ดิฉันอยากจะสมัคร เป็นอาสาสมัคร ให้ความช่วยเหลือ — prŏm/dì-chăn yàak tyà sà-màk pen aa-săa sà-màk hâi krwaam chôu·ay lĕu·a **m/f**

Y a-t-il des programmes de bénévolat dans la région ?
มีโครงการอาสาสมัคร บ้างไหมในท้องถิ่นนี้ — mii krong kaan aa-săa sà-màk bâang măi nai trórng trìn níi

environnement

Où puis je recycler ceci ?
จะทิ้งอันนี้ได้ที่ไหน — tyà tíng an níi dâi trîi năi

transports

Peut-on s'y rendre en transports en commun ?
จะไปทางรถโดย สารได้ไหม — tyà pai traang rót doy săan dâi măi

Peut-on s'y rendre en vélo ?
จะไปทางรถ จักรยานได้ไหม — tyà pai traang rót tyàk-krà-yaan dâi măi

Je préfère y aller à pied.
ขอเดินไปดีกว่า — krŏr deun pai dii kwàa

hébergement

J'aimerais loger dans un hôtel géré par une personne d'ici.

ผม/ดิฉันอยากจะพักที่ โรงแรมที่มีคน ท้องถิ่นบริหาร — prŏm/dì-chăn yàak tyà prák trîi rong reim trîi mii kron trórng trìn bo-rí-hăan **m/f**

Puis-je arrêter l'air conditionné et ouvrir la fenêtre ?

ปิดแอร์เปิดหน้าต่างได้ไหม — pìt e pèut nâa tàang dâi măi

Y a-t-il des logements écologiques par ici ?

มีสถานที่พักแบบ ธรรมชาติแถวนี้ไหม — mii sà-trăan trîi prák bèip tram-má-châat trĕi·ow níi măi

achats

Où puis-je acheter des objets fabriqués sur place ?

จะซื้อผลิตภัณฑ์ท้อง ถิ่นได้ที่ไหน — tyà séu prà-lìt-tá-pran trórng trìn dâi trîi năi

Où puis-je acheter des souvenirs produits sur place ?

จะซื้อของที่ระลึกที่ทำใน ท้องถิ่นได้ที่ไหน — tyà séu krŏrng trîi rá-léuk trîi tram nai trórng trìn dâi trîi năi

Est-ce fabriqué à partir de/d'... ?	อันนี้ทำมา จาก...ไหม	an níi tram maa tyàak ... măi
peaux animales	หนังสัตว์	năng sàt
défenses d'éléphants	งาช้าง	ngaa chąang
cornes	เขาสัตว์	krăo sàt
animaux sauvages	สัตว์ป่า	sàt pàa

alimentation

Vendez-vous... ?	คุณขาย...ไหม	kroun krăi ... măi
des produits alimentaires locaux	อาหารผลิต จากท้องถิ่น	aa-hăan prà-lìt tyàak trórng trìn
des produits bio	อาหารปลอด สารเคมี	aa-hăan plòrt săan kre-mii

Pouvez-vous me dire quels plats traditionnels je dois goûter ?

คุณแนะนำอาหารพื้น เมืองได้ไหม	kroun nei-nam aa-hăan préun meu·ang dâi măi

visites touristiques

Est-ce que votre compagnie... ?	บริษัทของคุณ ...ไหม	bò-rí-sàt krŏrng kroun ... măi
donne de l'argent pour les œuvres de charité	บริจาคเงิน เป็นการกุศล	bò-rí-tyàak ngeun pen kaan kòu-sŏn
fait appel à des guides locaux	จ้างคนนำ ทางของ ท้องถิ่น	tyâang kron nam traang krórng trórng trìn
propose de visiter des entreprises locales	เยี่ยมเยือน ธุรกิจท้องถิ่น	yîi·eim yeu·an tróu-rá-kìt trórng trìn

Est-ce que le guide parle... ?	คนนำทางพูด ภาษา...ไหม	kron nam traang prôut praa-săa ... măi
isan	อีสาน	ii-săan
karen	กะเหรี่ยง	kà-rìi·ang
lü	ลื้อ	léu
thaï du nord	ไทยเหนือ	trai nĕu·a
yao	เย้า	yáo
phuan	พวน	prou·an
phu thaï	ผู้ไท	prôu trai
shan	ไทยใหญ่	trai yài
thaï du sud	ไทยปักษ์ใต้	trai pàk tâi
thaï dam	ไทยดำ	trai dam

Proposez-vous des circuits culturels ?

มีบริการท่องเที่ยวดู วัฒนธรรมไหม	mii bò-rí-kaan trôrng trîi·eiw dou wát-trá-ná-tram măi

DICTIONNAIRE > français/thaï

พจนานุกรมฝรั่งเศส-ไทย

Les symboles n, a et v (indiquant la nature des mots : nom, adjectif ou verbe) ont été ajoutés pour plus de clarté lorsque le mot en français ne le serait pas. Les termes de base concernant la nourriture y sont présents – pour une liste plus exhaustive des ingrédients et des plats, consultez le **lexique culinaire.**

(à l')intérieur/dedans ข้างใน krâang nai
(à l')opposé de ตรงกันข้าม trong kan krâam
(à la) hâte รีบๆ rîip rîip
(à la) maison บ้าน bâan
(celui-)là (อัน) นั้น (an) nán
(cet) après-midi บ่าย (นี้) bài (níi)
(cette) année ปี (นี้) pii (níi)
(cette) semaine อาทิตย์ (นี้) aa-trít (níi)
(en) colère โกรธ kròt
(en) danger ไม่ปลอดภัย mâi plòrt prai
(l')éveillé (bouddhisme) อรหันต์ à-rá-hăn
(le/la) plus grand(e) ใหญ่ที่สุด yài trîi sòut
(pas) encore ยัง yang
(quatre-) étoiles (สี่) ดาว (sìi) dao
(s')arrêter (à un endroit) หยุด yòut
(s')arrêter/cesser หยุด yòut
(s')asseoir นั่ง nâng
(se) décider ตัดสินใจ tàt sĭn tyai
(se) disputer ทะเลาะ trá-lór
(se) reposer ผ่อนคลาย pròrn krlai

A

à ถึง trĕung
à côté de ข้างๆ krâang krâang
à droite (direction) ขวา krwăa
à gauche (direction) ซ้าย sái
À l'aide ! ช่วยด้วย chôu·ay dôu·ay
à l'étranger ต่างประเทศ tàang prà-trêt
à l'heure ตรงเวลา trong we-laa
à ที่ trîi
à temps plein เต็มเวลา tem we-laa
à travers ข้ามจาก krâam tyàak
à/vers ไปถึง pai trĕung
abeille ผึ้ง prêung
abîmé(e) เสีย sĭ·a
abrupt(e)/raide ชัน chan
accident อุบัติเหตุ òu-bàt-hèt
accord (être d'accord avec) เห็นด้วย hĕn dôu·ay
accord (être d'accord pour) ตกลง tòk long
accueillir ต้อนรับ tôrn ráp
acheter ซื้อ séu
acteur นักแสดง nák sà-deing
activiste นักประท้วง nák prà-tróu·ang
actualité ข่าวบ้านเมือง krào bâan meu·ang
acupuncture การฝังเข็ม kaan făng krĕm
adaptateur หม้อแปลง môr pleing
addiction การติด kaan tìt
addition/note (facture) บิลล์ bin
admettre (laisser entrer) ให้เข้า hâi krâo
administration การบริหาร kaan bor-rí-hâan
admission (prix) ค่าเข้า krâa krâo
adresse ที่อยู่ trîi yòu
adulte ผู้ใหญ่ prôu yài
aérobic การเต้นแอโรบิค kaan tên ei-ro-bìk

aéroplane เครื่องบิน krêu·ang bin
aéroport สนามบิน sà-năam bin
affiche ภาพโปสเตอร์ prâap po-sà-teu
affreux/affreuse แย่ yêi
affreux/mauvais(e) แย่ yêi
Afrique ทวีปแอฟริกา trá-wiip ei-frí-kaa
âge อายุ aa-yóu
agence de voyages บริษัทท่องเที่ยว bor-rí-sàt trôrng trîi·eiw
agence immobilière บริษัทอสังหาริมทรัพย์ bor-rí-sàt à-săng-hăa-rí-má-sáp
agenda บันทึกรายวัน ban-tréuk rai wan
agent de police นายตำรวจ nai tam-ròu·at
agent immobilier คนขายอสังหาริมทรัพย์ kron krăi à-săng-hăa-rí-má-sáp
agriculture เกษตรกรรม kà-sèt-tà-kam
aide ménagère แม่บ้าน mêi bâan
aide n ความช่วยเหลือ krwaam chôu·ay lĕu·a
aider v ช่วย chôu·ay
aigre-doux เปรี้ยวหวาน prîi·ow wăan
aiguille (couture) เข็ม krĕm
aiguille (seringue) เข็มฉีด krĕm chìit
ail กระเทียม krà-trii·am
ailes ปีก piik
aimer v รัก rák
aimer/apprécier ชอบ chôrp
air (musique) ทำนองเพลง tram-norng prleng
air conditionné แอร์ ei
air อากาศ aa-kàat
alcool เหล้า lâo
allée (dans l'avion) ทางเดิน traang deun
Allemagne ประเทศเยอรมัน prà-trêt yeu-rá-man
aller retour (billet) ไปกลับ pai klàp
aller ไป pai
allergie การแพ้ kaan prél
Allô (téléphone) ฮัลโหล han-lŏ
allumé(e) เปิด pèut
allume-feu anti-moustiques ยาจุดกันยุง yaa tyòut kan young
allumette ไม้ขีดไฟ mái krìit fai
alpinisme การปีนเขา kaan piin krăo
altitude ระยะสูง rá·yá sŏung
amande เมล็ดอัลมอนด์ má-lét aa-morn
ambassade สถานทูต sà-trâan trôut
ambassadeur ทูต trôut
ambulance รถพยาบาล rót prá-yaa-baan
amende/contravention ค่าปรับ krâa pràp
amer ขม krŏm
ami(e) เพื่อน prêu·an
amical(e) เป็นมิตร pen mít
amour n ความรัก krwaam rák
amoureux/amoureuse คู่รัก krôu rák
ample หลวม lŏu·am
ampoule (électricité) หลอดไฟ lòrt fai
ampoule (pathologie) รอยพอง roy prorng
amusant(e) สนุก sà-nòuk
amuse-bouche กับแกล้ม kàp klêim
amusement ความสนุก krwaam sà-nòuk
analgésique ยาแก้ปวด yaa kêi pòu·at
ananas สับปะรด sàp-pà-rót
ancien(ne) โบราณ bo-raan
anémie โรคโลหิตจาง rôk lo-hìt tyaang
anglais(e) อังกฤษ ang-krìt
Angleterre ประเทศอังกฤษ prà-trêt ang-krìt
animal สัตว์ sàt
année ปี pii
anniversaire วันเกิด wan kèut
annonce การโฆษณา kaan kro-sà-naa
annuaire สมุดโทรศัพท์ sà-mòut tro-rá-sàp
annuler ยกเลิก yók lêuk
antibiotique ยาปฏิชีวนะ yaa pà-tì-chii-wá-ná
antinucléaire ต่อต้านพลังงานนิวเคลียร์ tòr tâan prá-lang ngaan ni-ou-krlii·a
antique วัตถุโบราณ wát-tròu bo-raan
antiseptique ยาฆ่าเชื้อ yaa krâa chéu·a
août เดือนสิงหาคม deu·an sĭng-hăa-krom
appareil auditif หูเทียม hŏu trii·eim

A

DICTIONNAIRE

appareil photo กล้องถ่ายรูป klôrng trài rôup
appartement ห้องคอนโด hôrng krorn-do
appartement ห้องแฟลต hôrng flêit
appel en PCV โทรเก็บปลายทาง tro kèp plai traang
appeler เรียก ri·eik
appendice (corps) ไส้ติ่ง sâi tìng
apporter/amener เอามา ao maa
apprendre เรียน ri·ein
après หลัง lăng
après-demain วันมะรืน wan má-reun
après-midi ตอนบ่าย torn bài
après-rasage ครีมทาหลังโกนหนวด kriim traa lăng kon nòu·at
après-shampooing (cheveux) ยานวดผม yaa nôu·at prŏm
araignée แมงมุม meing moum
arbitre กรรมการผู้ตัดสิน kam-má-kaan prôu tàt sĭn
arbre ต้นไม้ tôn mái
archéologique ทางโบราณคดี traang boa-raan-ná-krá-dii
architecte สถาปนิก sà-trăa-pà-ník
architecture สถาปัตยกรรม sà-trăa-pàt-tà-yá-kam
argent เงิน ngeun
arnaque การโกง kaan kong
aromathérapie การบำบัดโรคด้วยกลิ่นหอม kaan bam-bàt rôk dôu·ay klìn hŏrm
arrêt (bus, tramway, etc) ป้าย pâi
arrêt de bus ป้ายรถเมล์ pâi rót me
arrêter (une personne) v จับกุม tyàp koum
arrière (position) หลัง lăng
arrière (siège, etc) หลัง lăng
arrivée ขาเข้า krăa krâo
arriver มาถึง maa trĕung
art ศิลปะ sĭn-lá-pà
articulation ข้อต่อ krôr tòr
artisanat หัตถกรรม hàt-tà-kam
artiste ศิลปิน sĭn-lá-pin
arts martiaux ศิลปะการต่อสู้ป้องกันตัว sĭn-lá-pà kaan tòr sôu pôrng kan tou·a
ascenseur ลิฟต์ líp
Asie ทวีปเอเชีย trá-wîip e-sii·a
asperge หน่อไม้ฝรั่ง nòr mái fà-ràng
aspirine ยาแอสไพริน yaa èit-sà-prai-rin
assez พอ pror
assiette จาน tyaan
assistance sociale การประชาสงเคราะห์ kaan prà·chaa sŏng·krór
assurance การประกัน kaan prà-kan
asthme โรคหืด rôk hèut
atelier ห้องทำงาน hôrng tram ngaan
athlétique การกรีฑา kaan krii-traa
atmosphère บรรยากาศ ban-yaa-kàat
attendre รอ ror
attention ! ระวัง rá-wang
au revoir ลาก่อน laa kòrn
au sujet de เรื่อง rêu·ang
aube อรุณ à-roun
auberge de jeunesse บ้านเยาวชน bâan yao-wá-chon
aubergine มะเขือ má-krĕu·a
aucun(e) ไม่มี mâi mii
au-dessus ข้างบน krâang bon
aujourd'hui วันนี้ wan níi
aussi ด้วย dôu·ay
Australie ประเทศออสเตรเลีย prà-trêt or-sà-tre-lii·a
autel แท่นพระ trêin prá
autocar (bus) รถทัวร์ rót trou·a
automne หน้าใบไม้ร่วง nâa bai mái rôu·ang
autorisation ใบอนุญาต bai à-nóu-yâat
autoriser อนุญาต à-nóu-yâat
autoroute ทางด่วน traang dòu·an
autre อื่น èun
autre/un(e) autre อีก (อัน) หนึ่ง ìik (an) nèung
avant ก่อน kòrn
avant-hier เมื่อวานซืน mêu·a waan seun
avec กับ kàp

avenue/rue ถนน trà-nŏn
aveugle ตาบอด taa bòrt
avion (aéroplane) เครื่องบิน krêu·ang bin
aviron การพายเรือ kaan prai reu·a
avis/conseil คำแนะนำ kram néi-nam
avocat(e) ทนายความ trá-nai krwaam
avoine ข้าวโอ๊ต krâo ót
avoir มี mii
avoir besoin de ต้องการ tôrng kaan
avoir de la chance โชคดี chôk dii
avoir faim หิว hĭ·ou
avoir la tête qui tourne เวียนหัว wii·ein hŏu·a
avoir le nez qui coule น้ำมูกไหล náam môuk lăi
avoir mal au ventre ปวดท้อง pòu·at trórng
avoir perdu ทำหาย tram hăi
avoir soif หิวน้ำ hĭ·ou náam
avoir sommeil ง่วงนอน ngou·ang norn
avoir un zona (maladie) โรคงูสวัด rôk ngou sà-wàt
avortement การทำแท้งโดยหมอ kaan tram tréing doy mŏr
avril เดือนเมษายน deu·an me-săa-yon

B

baby-sitter พี่เลี้ยงเด็ก prîi líi·ang dèk
bacon หมูเบคอน mŏu be-krorn
bagage กระเป๋า krà-păo
bagarre/combat สู้ sôu
bague (au doigt) แหวน wĕin
baguettes ไม้ตะเกียบ mái tà-kìi·ap
baie อ่าว ào
baignoire อ่างอาบน้ำ àang àap náam
baiser n et v จูบ tyòup
balcon ระเบียง rà-bii·ang
balle de golf ลูกกอล์ฟ lôuk kórp
ballet การเต้นบัลเล่ต์ kaan tên ban-lê
ballon ลูกบอล lôuk born
bambou ไม้ไผ่ mái prài
banane กล้วย klôu·ay
bandage ผ้าพันแผล prâa pran prlĕi
bande vidéo เทปวีดีโอ trép wii-dii-o
bandit โจร tyon
Bangkok กรุงเทพฯ kroung trêp
banlieue ชานเมือง chaan meu·ang
banque ธนาคาร trá-naa-kraan
bar บาร์ baa
baratiner เกี้ยว kîi·ow
barbier/coiffeur ช่างตัดผม châang tàt prŏm
barrière รั้ว róu·a
bas/basse ต่ำ tàm
bas/chaussette ถุงน่อง trŏung nôrng
base-ball เบสบอล bèt-born
basket-ball บาสเกตบอล baa-sà-kèt-born
bateau de pêche เรือประมง reu·a prà-mong
bateau เรือ reu·a
batik บาติก baa-tík
bâtiment/immeuble ตึก tèuk
bâtir/construire ก่อสร้าง kòr sâang
bâtisseur ช่างก่อสร้าง châang kòr sâang
batterie (voiture) หม้อแบตเตอรี่ môr bèit-teu-rîi
baume pour les lèvres ขี้ผึ้งทาริมฝีปาก krîi prêung traa rim fĭi pàak
beach volley วอลเลย์บอลชายหาด worn-le-born chai hàat
beau รูปหล่อ rôup lòr
beaucoup มาก mâak
beaucoup de เยอะ yeu
beau-père พ่อตา prôr taa
bébé ทารก traa-rók
Belgique ประเทศเบลเยี่ยม prà-trêt ben-yîi-eim
belle สวย sŏu·ay
belle-mère (mère de la femme) แม่ยาย mêi yai
belle-mère (mère du mari) แม่ผัว mêi prŏu·a
bénéfice กำไร kam-rai
bestiole (insecte) แมลง má-leing

beurre เนย neu·i
Bible คัมภีร์ไบเบิ้ล kram-prii bai-bêun
bibliothèque ห้องสมุด hôrng sà-mòut
bicyclette รถจักรยาน rót tyàk-krà-yaan
bien ดี dii
bien-être ความผาสุก krwaam prăa-sòuk
bientôt เร็ว ๆ นี้ re·ow re·ow níi
bière เบียร์ bii·a
bifteck (bœuf) เนื้อสะเต๊ะ néu·a sà-té
bijoux เครื่องเพชรพลอย krêu·ang prét prloy
billard สนุกเกอร์ sà-nóuk-keu
billet ตั๋ว tŏu·a
billet de banque ธนบัตร trá-ná-bàt
Birmanie ประเทศพม่า prà-trêt prá-mâa
biscuit ขนม krà-nŏm
biscuit salé ขนมปังกรอบ krà-nŏm pang kròrp
blanc สีขาว sĭi kră·ow
blanchi(e) à l'eau/mollet(tte) ลวก lôu·ak
blanchisserie ที่ซักผ้า trîi sák prâa
blessé(e) บาดเจ็บ bàat tyèp
blessé(e) เจ็บ tyèp
blesser ทำให้เจ็บ tram hâi tyèp
blessure ที่บาดเจ็บ trîi bàat tyèp
bleu (clair) สีฟ้า sĭi fáa
bleu (foncé) สีน้ำเงิน sĭi nám ngeun
bloquer/boucher ตัน tan
bœuf (viande) เนื้อวัว néu·a wou·a
boire v ดื่ม dèum
bois de chauffage ฟืน feun
bois ไม้ mái
boisson n เครื่องดื่ม krêu·ang dèum
boisson sans alcool น้ำอัดลม náam àt lom
boîte (de conserve) กระป๋อง krà-pŏrng
boîte aux lettres ตู้ไปรษณีย์ tôu prai-sà-nii
boîte กล่อง klòrng
boîte de nuit ไนต์คลับ nai krláp
boîte de vitesse ที่เปลี่ยนเกียร์ trîi plìi·an kii·a
bol ชาม chaam
bon marché ถูก tròuk
bon/bonne (nourriture, etc) อร่อย à-ròy
bon/bonne ดี dii
bonbon ลูกอม lôuk om
bondé(e) แออัด ei àt
bonde/bouchon (évier) จุก tyòuk
Bonjour สวัสดีครับ/สวัสดีค่ะ sà-wàt-dii kráp/sà-wàt-dii krâ **m/f**
bord de la mer ริมทะเล rim trá-le
botte(s) รองเท้าบู๊ต rorng tráo bóut
bouche ปาก pàak
boucher คนขายเนื้อ kron krăi néu·a
boucherie ร้านขายเนื้อ ráan krăi néu·a
boucles d'oreille ตุ้มหู tôum hŏu
Bouddha พระพุทธเจ้า prá-próut-trá-tyâo
bouddhisme ศาสนาพุทธ sàat-sà-năa próut
bouddhiste ชาวพุทธ chao próut
boue โคลน krlon
bougie เทียนไข tri·ein krăi
bouillir ต้ม tôm
boulangerie ที่ขายขนมปัง trîi krăi krà-nŏm pang
boules Quies ที่อุดหู trîi òut hŏu
bòu-ròut prá-yaa-baan
boussole เข็มทิศ krĕm trít
bouteille ขวด kròu·at
bouteille d'eau ขวดน้ำ kròu·at náam
bouton กระดุม grà-dum
boxe การต่อยมวย kaan tòy mou·ay
boxeur นักมวย nák mou·ay
bracelet กำไลมือ kam-lai meu
brandy บรั่นดี bà-ràn-dii
bras แขน krĕin
brave กล้าหาญ klâa-hăan
briquet ไฟแช็ค fai chéik
brisé/cassé หักแล้ว hàk léi·ow
briser/casser หัก hàk
broche เข็มกลัด krĕm klàt
brochure แผ่นพับโฆษณา prèin práp kro-sà-naa
bronchite โรคหลอดลมอักเสบ rôk lòrt lom àk-sèp

B

brosse แปรง preing
brosse à cheveux แปรง preing
brosse à dents แปรงสีฟัน preing sĭi fan
brouillé(e)/bousculé(e) กวน kou·an
brûlé ไหม้แล้ว mâi léi·ow
brûler v เผา prăo
brûlure n แผลไฟไหม้ prlĕi fai mâi
brumeux มีหมอก mii mòrk
bruyant(e) เสียงดัง sĭi·eing dang
buanderie ห้องซักผ้า hôrng sák prâa
budget งบประมาณ ngóp prà-maan
buffet อาหารตั้งโต๊ะ aa-hăan tâng tó
bungalow บังกะโล bang-kà-lo
bureau de poste ที่ทำการไปรษณีย์ trîi tram kaan prai-sà-nii
bureau de tabac คนขายยาสูบ kron krăi yaa sòup
bureau des objets trouvés ที่แจ้งของหาย trîi tyêing krŏrng hăi
bureau สำนักงาน săm-nák ngaan
bus (de ville) รถเมล์ rót me
bus (interurbain) รถโัส rót bàt
business/affaires ธุรกิจ tróu-rá-kìt
but (football) ประตู prà-tou
but เป้าหมาย pâo măi

C

cabine d'essayage (dans les magasins) ห้องเปลี่ยนเสื้อ hòrng plìi·an sêu·a
cabine téléphonique ตู้โทรศัพท์ tôu tro-rá-sàp
câbles de démarrage สายพ่วง săi prôu·ang
cacahuète ถั่วลิสง tròu·a lí-sŏng
cacao โกโก้ ko-kô
cadavre/corps (mort) ศพ sòp
cadeau ของขวัญ krŏrng krwăn
cadeau de mariage ของขวัญแต่งงาน krŏrng krwăn tèing ngaan
cadenas แม่กุญแจ mêi koun-tyei
cadenas pour vélo กุญแจจักรยาน koun-tyei tyàk-krà-yaan
cafard แมลงสาบ má-leing sàap
café กาแฟ kaa-fei
café ร้านกาแฟ ráan kaa-fe
caisse แคชเชียร์ krei-chii·a
caisse enregistreuse เครื่องเก็บเงิน krêu·ang kèp ngeun
calculatrice เครื่องคิดเลข krêu·ang krít lêk
calendrier ปฏิทิน pà-tì-trin
calmar ปลาหมึก plaa mèuk
calme/tranquille เงียบ ngîi·ap
Cambodge ประเทศเขมร prà-trêt krà-mĕn
camion รถบรรทุก rót ban-tróuk
camionnette รถตู้ rót tôu
campagne ชนบท chon-ná-bot
camper พักแรม prák reim
camping ค่ายพักแรม krâi prák reim
Canada ประเทศแคนาดา prà trêt krei-naa-daa
canard เป็ด pèt
cancer โรคมะเร็ง rôk má-reng
canif มีดพับ mîit práp
canot automobile เรือยนต์ reu·a yon
capitale de province อำเภอเมือง am-preu meu·ang
caravane รถคาราวาน rót kraa-raa-waan
carnet สมุดบันทึก sà-mòut ban-tréuk
carotte แครอท krei-rôrt
carte (à jouer) ไพ่ prâi
carte (restaurant) รายการอาหาร rai kaan aa-hăan
carte de crédit บัตรเครดิต bàt kre-dit
carte d'embarquement บัตรขึ้นเครื่องบิน bàt krêun krêu·ang bin
carte d'identité บัตรประชาชน bàt prà-chaa-chon
carte postale ไปรษณียบัตร prai-sà-nii-yá-bàt
carte routière แผนที่ถนน prĕin trîi trà-nŏn
carte téléphonique บัตรโทรศัพท์ bàt tro-rá-sàp

carte/plan แผนที่ prĕin trîi
carton กล่อง klòrng
cartouche de gaz ถังแก๊ซ trăng kéit
cas urgent เหตุฉุกเฉิน hèt chòuk-chĕun
cascade น้ำตก náam tòk
cash/comptant เงินสด ngeun sòt
casher/kasher อาหารที่จัดทำตาม หลักศาสนา ยิว aa-hăan trîi tyàt tram taam làk sàat-sà-năa yi·ou
casino กาสิโน kaa-sì-no
casque หมวกกันน็อก mòu·ak kan nórk
casserole กระทะ krà-trá
cassette ม้วนเทป móu·an trép
cathédrale โบสถ์ bòt
catholique คาทอลิก kraa-tror-lìk
cause เหตุ hèt
CD ซีดี sii-dii
ce soir คืนนี้ kreun níi
ce/cette (mois, etc) (เดือน) นี้ (deu·an) níi
ceinture de sécurité เข็มขัดนิรภัย krĕm kràt ní-rá-prai
célébration การฉลอง kaan chà-lŏrng
célèbre มีชื่อเสียง mii chêu sĭi·eing
célibataire โสด sòt
cendrier ที่เขี่ยบุหรี่ trîi krìi·a bòu-rìi
cent เซ็นต์ sen
cent ร้อย róy
centimètre เซ็นติเมตร sen-tì-mét
centre commercial สรรพสินค้า sàp-prá-sĭn-kráa
centre d'appels ศูนย์โทรศัพท์ sŏun tro-rá-sàp
centre de méditation ศูนย์ภาวนา sŏun praa-wá-naa
centre ศูนย์กลาง sŏun klaang
centre-ville ใจกลางเมือง tyai klaang meu·ang
céramique กระเบื้อง krà-bêu·ang
céréale ซีเรียล sii-rii·an
cerise ลูกเชอรี่ lôuk cheu-rîi
certificat ใบประกาศ bai prà-kàat
certificat de naissance ใบเกิด bai kèut
certificat d'immatriculation ใบกรรมสิทธิ์รถยนต์ bai kam-má-sìt rót yon
cesser (une habitude) เลิก lêuk
chaîne de montagne เทือกเขา trêu·ak krăo
chaîne de vélo โซ่จักรยาน sô tyàk-krà-yaan
chaîne โซ่ sô
chaise de bébé เก้าอี้สูง kâo-îi sŏung
chaise เก้าอี้ kâo-îi
chaleur ความร้อน krwaam rórn
chambre à air ยางใน yaang nai
chambre à coucher ห้องนอน hôrng norn
chambre libre ห้องว่าง hôrng wâang
chambre pour deux ห้องคู่ hôrng krôu
chambre pour une personne ห้องเดี่ยว hôrng dìi·eiw
champ de course สนามแข่ง sà-năam krèing
champignon เห็ด hèt
champignon magique เห็ดขี้ควาย hèt krîi krwai
championnat การแข่งขัน kaan krèing krăn
chance (opportunité) โอกาส o-kàat
chance โชค chôk
change (argent) การแลกเงิน kaan lêik ngeun
changement n การเปลี่ยนแปลง kaan plìi·an pleing
changer v เปลี่ยนแปลง plìi·an pleing
changer (argent) แลก (เงิน) lêik (ngeun)
changer (un chèque) แลก (เช็ค) lêik (chék)
chanson เพลง prleng
chanter ร้องเพลง rórng prleng
chanteur/chanteuse นักร้อง nák rórng
chapeau หมวก mòu·ak
chaque แต่ละ tèi-lá
chaque/tout ทุก tróuk
charges de service ค่าบริการ krâa bor-rí-kaan
chariot รถเข็น rót krĕn
charmant(e) มีเสน่ห์ mii sà-nè

charpentier ช่างไม้ châang mái
chasse การล่าสัตว์ kaan lâa sàt
chat แมว mei·ow
châtaigne ลูกเกาลัด lôuk kao-lát
château ปราสาท praa-sàat
chaud(e) ร้อน rórn
chaud(e) อุ่น òun
chauffé(e) เร่าร้อน râo rórn
chaussette ถุงเท้า trŏung tráo
chaussure รองเท้า rorng tráo
chaussures de marche รองเท้าเดินป่า rorng tráo deun pàa
chef (cuisine) พ่อครัว prôr kroua
chef ผู้นำ prôu nam
chemin ทาง traang
chemin de montagne ทางภูเขา traang prou krăo
chemin de randonnée ทางเดินป่า traang deun pàa
chemise เสื้อเชิ้ต sêu·a chéut
chèque (banque) เช็ค chék
chèque de voyage เช็คเดินทาง chék deun traang
cher/chère แพง preing
chercher หา hăa
cheval ม้า máa
cheveux ผม prŏm
cheville ข้อเท้า krŏr tráo
chèvre แพะ prei
chèvre de montagne เลียงผา lii·eing prăa
chewing gum หมากฝรั่ง màak fà-ràng
chien d'aveugle สุนัขนำทางคนตาบอด sòu-nák nam traang kron taa bòrt
chien หมา măa
Chine ประเทศจีน prà-trêt tyiin
Chinois จีน tyiin
chiropracteur หมอดัดสันหลัง mŏr dàt săn lăng
choc/collision n ชน chon
chocolat ช็อกโกแลต chórk-ko-lét
choisir เลือก lêu·ak
chômeur/chômeuse ตกงาน tòk ngaan
chou ผักกะหล่ำปลี pràk kà-làm-plii
chou-fleur ดอกกะหล่ำ dòrk là-làm
chrétien ชาวคริสต์ chao krít
ciel ท้องฟ้า trórng fáa
cigare ซิการ์ bòu-rìi sí-gâa
cigarette บุหรี่ bòu-rìi
cime (montagne) ยอดเขา yôrt krăo
cimetière สุสาน sou-săan
cinéma โรงหนัง rong năng
circulation จราจร tyà-raa-tyorn
cirque ละครสัตว์ lá-krorn sàt
ciseaux กรรไกร kan-krai
citoyenneté/nationalité สัญชาติ săn-châat
citron มะนาว má-nao
citrouille ฟักทอง fák trorng
clair(e) (couleur) อ่อน òrn
classe (catégorie) ประเภท prà-prêt
classe affaires ชั้นธุรกิจ chán tróu-rá-kìt
classe de seconde ชั้นสอง chán sŏrng
classe économique ชั้นประหยัด chán prà-yàt
clavier คีย์บอร์ด krii-bòrt
clé ลูกกุญแจ lôuk koun-tyei
client ลูกค้า lôuk kráa
clignotant (voiture) ไฟเลี้ยว fai lii·aw
climatisé ปรับอากาศ pràp aa-kàat
clocher หอระฆัง hŏr rá-krang
clochette ระฆัง rá-krang
cocaïne โคเคน kro-kren
cochon หมู mŏu
cocktail ค็อกเทล krórk-tren
code postal รหัสไปรษณีย์ rá-hàt prai sà-nii
cœur หัวใจ hŏu·a tyai
coffre-fort n ตู้เซฟ tôu sép
coiffeur/coiffeuse ช่างตัดผม châang tàt prŏm
coin มุม moum
colis ห่อ hòr
collant ถุงน่อง trŏung nôrng
collation n อาหารว่าง aa-hăan wâang
colle กาว kao
collège วิทยาลัย wít-trá-yaa-lai

collègue เพื่อนร่วมงาน prêu·an rôu·am ngaan
collier สร้อยคอ sôy kror
colline เขาเตี้ยๆ krăo tîi·a tîi·a
combien เท่าไร trâo-rai
comédie ละครตลก lá-krorn tà-lòk
commencement จุดเริ่ม tyòut rêum
commencer เริ่ม rêum
comment อย่างไร yàang rai
commerçant(e) พ่อค้า/แม่ค้า prôr kráa/ mêi kráa **m/f**
commerce การค้า kaan kráa
commissariat สถานีตำรวจ sà-trăa-nii tam-ròu·at
commission ค่าธรรมเนียม krâa tram-nii·am
commotion cérébrale มันสมองกระทบกระเทือน man sà-mŏrng krà-tróp krà-treu·an
communication (profession) การสื่อสาร kaan sèu săan
communion (cérémonie chrétienne) ศีลมหาสนิท sĭin-má-hăa-sà-nìt
communiste คอมมิวนิสต์ krorm-miw-nít
compagnie aérienne สายการบิน săi kaan bin
compagnie/entreprise บริษัท bor-rí-sàt
compagnon/ami(e) เพื่อน prêu·an
complémentaire (gratuit) แถม trĕim
complet จองเต็มแล้ว tyorng tem léi·ow
complet (hôtel) ไม่มีห้องว่าง mâi mii hôrng wâang
composition directe โทรทางตรง tro traang trong
comprendre เข้าใจ krâo tyai
compris(e) รวมด้วย rou·am dôu·ay
compte บัญชี ban-chii
compte en banque บัญชีธนาคาร ban-chii trá-naa-kraan
compter นับ náp
compteur de vitesse เครื่องวัดความเร็ว krêu·ang wát krwaam re·ow
comptoir (au bar) โต๊ะกั้น tó kân
concert การแสดงดนตรี kaan sà-deing don-trii
concombre แตงกวา teing kwaa
conduire ขับ kràp
conférence การประชุม kaan prà-choum
confession/aveu การสารภาพผิด kaan săa-rá-prâap prìt
confirmer (une réservation) ยืนยัน yeun yan
confiture แยม yeim
confortable สบาย sà-bai
congélateur ตู้แช่แข็ง tôu chêi krĕing
conjonctivite โรคตาแดง rok taa deing
conseiller แนะนำ néi nam
conservateur หัวเก่า hŏu·a kào
consigne (à bagage) กระเป๋าฝาก krà-păo fàak
consigne automatique ตู้ฝากกระเป๋า tôu fàak krà-păo
consigne pour bagages ที่รับกระเป๋า trîi ráp krà-păo
constipation ท้องผูก trórng pròuk
consulat สถานกงสุล sà-trăan kong-sŏun
contraceptifs (pilules) ยาคุมกำเนิด yaa kroum kam-nèut
contraceptifs (préservatifs) ถุงยางอนามัย trŏung yaang à-naa-mai
contrat ใบสัญญา bai săn-yaa
contrôler v ตรวจ tròu·at
contrôleur คนเก็บตั๋ว kron kèp tŏu·a
cookie ขนมคุกกี้ krà-nŏm kròuk-kíi
copain/petit ami แฟนผู้ชาย fein prôu chai
corde à linge ราวตากผ้า rao tàak prâa
corde เชือก chêu·ak
corps (vivant) ร่างกาย râang kai
correct/exact ถูก tròuk
correspondance (transport) การต่อ kaan tòr
corrompu(e) ทุจริต tróu-tyà-rìt
cosmétique เครื่องสำอาง krêu·ang săm-aang

côte (anatomie) ซี่โครง sîi krong
côté ข้าง krâang
côte/littoral ฝั่งทะเล fàng trá-le
coton ฝ้าย fâi
coton tige ไม้สำลี mái săm-lii
couche d'ozone ชั้นโอโซนในบรรยากาศ chán o-son nai ban-yaa-kàat
couche ผ้าอ้อม prâa ôrm
coucher du soleil ตะวันตก tà-wan tòk
couchette de wagon-lit ที่นอนในตู้นอน trîi norn nai tôu norn
coudre เย็บ yép
couleur สี sii
coup de soleil ผิวเกรียมแดด prĭ-ou krii-eim dèit
coupable มีความผิด mii krwaam prìt
coupe (de cheveux) การตัดผม kaan tàt prŏm
coupe-ongles มีดตัดเล็บ mîit tàt lép
couper (viande) สับ sàp
couper v ตัด tàt
coupon คูปอง krou-porng
courant (électricité) กระแสไฟฟ้า krà-sĕi fai fáa
courir v วิ่ง wîng
courrier (lettres) จดหมาย tyòt-măi
courroie de ventilateur สายพาน săi praan
course (sport) การแข่ง kaan krèng
course การวิ่ง kaan wîng
court de tennis สนามเทนนิส sà-năam ten nít
court(e) (longueur) สั้น sân
cousin(e) ลูกพี่ลูกน้อง lôuk prîi lôuk nórng
coût มีราคา mii raa-kraa
couteau มีด mîit
coutume ประเพณี prà-pre-nii
couturier/couturière ช่างตัดเสื้อ châang tàt sêu-a
couvent คอนแวนต์ krorn-wein
couverts ช้อนส้อม chórn sôrm
couverture ผ้าห่ม prâa hòm
crabe ปู pou
crâne กะโหลกศีรษะ kà-lòk sĭi-sà
crayon ดินสอ din-sŏr
crèche ที่ฝากเลี้ยงเด็ก trîi fàak líi-eing dèk
crédit เครดิต kre-dìt
crème de bronzage ครีมอาบแดด kriim àap dèit
crème hydratante ครีมบำรุงความชื้น kriim bam-roung krwaam chéun
crème solaire ครีมกันแดด kriim kan dèit
crevaison ยางแบน yaang bein
crevette กุ้ง kôung
crier ตะโกน tà-kon
crise cardiaque หัวใจวาย hŏu-a tyai wai
critique/commentaire คำวิจารณ์ kram wí-tyaan
crocodile จระเข้ tyà-rá-krê
croix (religieux) ไม้กางเขน mái kaang krĕn
cru(e) ดิบ dìp
cube de bouillon ซุปก้อน sóup kôrn
cueillette de fruits การเก็บผลไม้ kaan kèp prŏn-lá-mái
cuillère ช้อน chórn
cuir หนัง năng
cuir chevelu หนังศีรษะ năng sĭi-sà
cuisine ครัว krou-a
cuisiner การทำอาหาร kaan tram aa-hăan
cuisiner/cuire v ทำอาหาร tram aa-haan
cuisinier/cusinière n คนครัว kron krou-a
cuit à l'eau ทอดน้ำ trôrt nám
culte/adoration บูชา bou-chaa
cure-dent ไม้จิ้มฟัน mái tyîm fan
curry แกง keing
CV ประวัติการทำงาน prà-wàt kaan tram ngaan
cybercafé ร้านอินเตอร์เนต ráan in-teu-nét
cyclisme การปั่นจักรยาน kaan pàn tyàk-kà-yaan
cycliste คนปั่นรถจักรยาน kron pàn rót tyàk-kà-yaan
cystite ตกขาว tòk krăow

D

Danemark ประเทศเดนมาร์ก prà-têt den-màak
dangereux/dangereuse อันตราย an-tà-rai
dans ใน nai
danse การเต้นรำ kaan tên ram
danser v เต้นรำ tên ram
date (jour) วันที่ wan trîi
date de naissance วันที่เกิด wan trîi kèut
datte (fruit) ลูกอินทผลัม lôuk in-trá-prà-lam
de จาก tyàak
de droite ฝ่ายขวา fài krwăa
de gauche ฝ่ายซ้าย fài sái
de valeur มีค่า mii krâa
débarcadère ท่าเรือ trâa reu·a
déboisement การทำลายป่า kaan tram lai pàa
décalage horaire การปรับตัวเข้ากับความแตกต่างของเวลา kaan pràp tou·a krâo kàp krwaam tèik tàang krŏrng we-laa
décapsuleur เหล็กเปิดจุกขวด lèk pèut tyòuk kròu·at
décembre เดือนธันวาคม deu·an tran-waa-krom
déchets nucléaires กากนิวเคลียร์ kàak ni·ou-krlii·a
déchets toxiques มูลมีพิษ moun mii prít
défectueux/défectueuse บกพร่อง bok prôrng
défoncé(e) (drogue) เมา mao
degré (température) องศา ong-săa
degré/marche (escalier) ขั้น krân
dehors ข้างนอก krâang nôrk
déjà แล้ว léi·ow
délicieux/délicieuse อร่อย à-ròy
demain พรุ่งนี้ prôung níi
demain après-midi พรุ่งนี้บ่าย prôung níi bài
demain matin พรุ่งนี้เช้า prôung níi cháo
demain soir พรุ่งนี้เย็น prôung níi yen
demander (quelque chose) ขอ krŏr
démangeaison คัน kran
démarrer (une voiture) สตาร์ท sà-táat
démissionner ลาออก laa òrk
démocratie ประชาธิปไตย prà-chaa-trí-pà-tai
dent ฟัน fan
dentelle ลูกไม้ lôuk mái
dentifrice ยาสีฟัน yaa sĭi fan
dentiste หมอฟัน mŏr fan
déodorant ยาดับกลิ่นตัว yaa dàp klìn tou·a
départ ขาออก krăa òrk
dépôt (argent) เงินมัดจำ ngeun mát tyam
dépôt des bus สถานีขนส่ง sà-trăa-nii krŏn sòng
depuis (mai, etc) ตั้งแต่ tâng tèi
dernier/dernière (précédent) สุดท้าย sòut trái
dernier/dernière (semaine) ที่แล้ว trîi léi·ow
derrière (position) ข้างล่าง krâang lâang
derrière ข้างหลัง krâang lăng
dés ลูกเต๋า lôuk tăo
descendant(e) ญาติ yâat
descendre (de train, etc) ลง long
descendre à l'hôtel พักที่โรงแรม prák trîi rong reim
désert ทะเลทราย trá-le sai
design/modèle แบบ bèip
désirable น่าใคร่ nâa krâi
dessert ของหวาน krŏrng wăan
dessous ใต้ tâi
destination จุดหมายปลายทาง tyòut măi plai traang
détails รายละเอียด rai lá·ii·eit
deux สอง sŏrng
devant ข้างหน้า krâang nâa
deviner เดา dao

devoir (dette) **เป็นหนี้** pen nîi

devoir (dette) เป็นหนี้ pen nîi
diabète โรคเบาหวาน rôk bao wăan
diaphragme (corps) กะบังลม kà bang lom
diapositive ฟิล์มสไลด์ fim sà-lái
diarrhée ท้องเสีย trórng sĭ·a
dictionnaire พจนานุกรม pót-tyà-naa-nóu-krom
Dieu พระเจ้า prá tyâo
différent de ต่างจาก tàang tyàak
différent(e) ต่างกัน tàang kan
difficile ยาก yâak
dimanche วันอาทิตย์ wan aa-trít
dinde ไก่งวง kài ngou·ang
dîner อาหารมื้อเย็น aa-hăan méu yen
dire ว่า wâa
dire บอก bòrk
direct(e) ทางตรง traang trong
directeur/directrice (entreprise) กรรมการผู้จัดการ kam-má-kaan prôu tyàt kaan
directeur/directrice ผู้จัดการ prôu tyàt kaan
direction ทิศทาง tít traang
disco ดิสโก dit-sà-ko
discrimination การแบ่งแยก kaan bèing yêik
diseuse de bonne aventure หมอดู mŏr dou
disparu(e) หาย hăi
disquaire ร้านดนตรี ráan don-trii
disque (CD-ROM) แผ่นซีดี prèin sii-dii
disque de poids จานน้ำหนัก tyaan nám-nàk
disquette (ordinateur) แผ่นดิสก์ prèin dit
dissipé(e) ดื้อ dêu
distribuer (cartes) แจก tyèik
distributeur automatique (ATM) ตู้เอ ทีเอ็ม tou e trii em
distributeur de tickets เครื่องบริการตั๋ว krêu·ang bor-rí-kaan tŏu·a
divinité เทวดา tre-wá-daa
divorcé(e) หย่าแล้ว yàa léi·ow
d'occasion มือสอง meu sŏrng
docteur หมอ mŏr
document เอกสาร èk-kà-săan
documentaire สารคดี să-rá-krá-dii
doigt นิ้ว ní·ou
dollar ดอลลาร์ dorn-laa
donc ฉะนั้น chà-nán
donner ให้ hâi
donner un coup de pied เตะ tè
dope (drogue) เสพติด sèp tìt
dormir v นอน norn
dos (corps) หลัง lăng
douane ศุลกากร sŏun-lá-kaa-korn
double/pair(e) คู่ krôu
douche ฝักบัว fàk bou·a
douleur ความปวด krwaam pòu·at
douloureux/douloureuse เจ็บ tyèp
douzaine โหล lŏ
drap de lit ผ้าปูที่นอน prâa pou trîi norn
drapeau ธง trong
drogue (illicite) ยาเสพติด yaa sèp tìt
drogué(e) ผู้ใช้ยาเสพติด prôu chái yaa sèp tìt
droit (étude, professsion) การกฎหมาย kaan kòt-măi
droit(e)/honnête ตรง trong
droits civil สิทธิประชาชน sìt-trí pra-chaa-chon
droits de l'homme สิทธิมนุษยชน sìt-trí má-nóut-sà-yá chon
drôle ตลก tà-lòk
du/de la/d'/quelconque ใด ๆ dai dai
dur (œuf) ไข่ต้ม kài tôm
dur(e) แข็ง krĕing
durian ทุเรียน tróu-ri-ein
DVD ดีวีดี dii-wii-dii

E

eau chaude น้ำร้อน náam rórn
eau du robinet น้ำประปา náam prà-paa
eau minérale น้ำแร่ náam rêi

eau น้ำ náam
eau plate น้ำเปล่า nám plào
eau potable น้ำดื่ม nám dèum
eaux thermales บ่อน้ำร้อน bòr náam rórn
échange n การแลกเปลี่ยน kaan lêik plìi·an
échanger v แลกเปลี่ยน lêik plìi·an
écharpe ผ้าพันคอ prâa pran kror
échecs หมากรุก màak róuk
échiquier กระดานหมากรุก krà-daan màak róuk
école โรงเรียน rong ri·ein
école maternelle โรงเรียนอนุบาล rong ri·ein à-nóu-baan
Écosse ประเทศสก๊อตแลนด์ prà-trêt sà-kôrt-lein
écouter ฟัง fang
écrire เขียน krĭi·an
écrivain นักเขียน nák krĭi·an
ecstasy (drogue) ยาอี yaa ii
eczéma แผลเปื่อย prlĕi pèu·ay
éducation การศึกษา kaan sèuk-săa
effort physique การออกกำลังกาย kaan òrk kam-lang kai
égalité ความเสมอภาค krwaam sà-mĕu prâak
égalité des chances โอกาสเท่าเทียมกัน o-kàat trâo tri·eim kan
église โบสถ์ bòt
égoïste เห็นแก่ตัว hĕn kèi tou·a
élection การเลือกตั้ง kaan lêu·ak tâng
électricité ไฟฟ้า fai fáa
éléphant ช้าง cháang
elle เขา krăo
éloigné(e) ห่างไกล hàang klai
e-mail อีเมล ii-men
embrayage (voiture) คลัตช์ krlát
émotif/émotive ใจอ่อนไหว tyai òrn wăi
employé(e) ลูกจ้าง lôuk tyâang
employé(e) de bureau พนักงานสำนักงาน prá-nák ngaan săm-nák ngaan
employeur นายจ้าง nai tyâang
emporter เอาไป ao pai
emprunter ยืม yeum
en face de ต่อหน้า tòr nâa
en panne เสียแล้ว sĭ·a léi·ow
en/sous/dans (une heure) ภายใน prai nai
enceinte ตั้งครรภ์ tâng kran
encore อีก ìik
en-dessous ข้างล่าง krâang lâang
énergie nucléaire พลังงานนิวเคลียร prá-lang ngaan ni-ou-klrii·a
enfant เด็ก dèk
enfants เด็กๆ dèk dèk
enflure ความบวม krwaam bou·am
ennuyeux น่าเบื่อ nâa bèu·a
énorme มหึมา má-hèu-maa
enregistrement (comptoir) เช็คอิน chék in
enregistrement การบันทึก kaan ban-tréuk
enregistrer (son) อัดเสียง àt sĭi·eing
enseignant(e) ผู้สอน prôu sŏrn
ensemble ด้วยกัน dôu·ay kan
ensoleillé(e) ฟ้าใส fáa săi
entendre ได้ยิน dâi yin
entorse ความเคล็ด krwaam krlét
entre ระหว่าง rá-wàang
entrée การเข้า kaan krâo
entrer เข้าไป krâo pai
entrevue การสัมภาษณ์ kaan săm-prâat
enveloppe ซองจดหมาย sorng tyòt-măi
environnement สิ่งแวดล้อม sìng wêit lórm
envoyer ส่ง sòng
épais/épaisse หนา năa
épaule ไหล่ lài
épicé/piquant เผ็ด prèt
épicerie ร้านขายของชำ ráan krăi krŏrng cham
épilepsie โรคลมบ้าหมู rôk lom bâa mŏu
épinard ผักโขม pràk krŏm
épouser แต่งงาน tèing ngaan
équipe ทีม triim
équipement de plongée อุปกรณ์ดำน้ำ òup-pà-korn dam nám
équipement อุปกรณ์ òup-pà-korn
équitation การขี่ม้า kaan krìi máa

erreur n ความผิดพลาด krwaam prìt prlâat
éruption cutanée ผื่น prèun
escalier บันได ban-dai
escalier roulant บันไดเลื่อน ban-dai lêu·an
escargot หอย hŏy
escrime การฟันดาบ kaan fan dàap
espace ที่ว่าง trîi wâang
espace/pièce ห้อง hôrng
Espagne ประเทศสเปน prà-trêt sà-pen
espèces grimpantes (vigne, lierre, etc) เถาวัลย์ trăo-wan
espèces menacées de disparition สัตว์ใกล้จะสูญพันธุ์ sàt klâi tyà sŏun pran
essai nucléaire การทดลองนิวเคลียร์ kaan trót lorng ni·ou krlii·a
essayer ลอง lorng
essence เบนซิน ben-sin
essence น้ำมันเบนซิน nám-man ben-sin
est ทิศตะวันออก trít tà-wan òrk
estomac ท้อง trórng
et และ léi
établissement d'enseignement secondaire โรงเรียนมัธยม rong ri·ein mát-trá-yom
étage ชั้น chán
étagère ชั้น chán
États-Unis สหรัฐอเมริกา sà-hà-rát à-mee-ri-kaa
été หน้าร้อน nâa rórn
étiquette à bagage บัตรกระเป๋า bàt krà-păo
étoile ดาว dao
étrange แปลก plèik
étranger/étrangère (origine) คนต่างชาติ kron taang châat
être enrhumé(e) เป็นหวัด pen wàt
être เป็น pen
étreinte/serrer dans ses bras กอด kòrt
étroit(e) แน่น nêin
étudiant(e) นักศึกษา nák sèuk-săa
euro ยูโร yóu-ro
Europe ทวีปยุโรป trá-wîip yóu-ròp
exactement ตรงเป๊ะ trong pé
excédent (bagage) (น้ำหนัก) เกิน (nám nàk) keun
excellent(e) ยอดเยี่ยม yôrt yîi·eim
excursion/voyage n ทัวร์ trou·a
exemple ตัวอย่าง tou·a yàang
expérience professionnelle ประสบการณ์ในการทำงาน prà-sòp kaan nai kaan tram ngaan
expérience ประสบการณ์ prà-sòp kaan
exploitation การเอารัดเอาเปรียบ kaan ao rát ao prìi-eip
exposition นิทรรศการ ní trát sà-kaan
express ด่วน dòu·an
extincteur เครื่องดับเพลิง krêu·ang dàp prleung

F

facile ง่าย ngâi
facture (restaurant etc) บิลล์ bin
faible อ่อน òrn
faire confiance à ไว้ใจ wái tyai
faire de la planche à voile การเล่นกระดานโต้ลม kaan lên krà-daan tô lom
faire de la randonnée เดินป่า deun pàa
faire de l'auto-stop โบกรถ bòk rót
faire des achats v ซื้อของ séu krŏrng
faire du skateboard การเล่นกระดานสเก็ต kaan lên krà-daan sà-kèt
faire du vélo v ปั่นจักรยาน pàn tyàk-kà-yaan
faire les magasins ไปซื้อของ kaan séu krŏrng
faire ทำ tram
faire sauter ผัด pàt
faire sécher (étendre) ตากให้แห้ง tàak hâi hêing
faire une fausse couche การแท้งโดยอุบัติเหตุ kaan tréing doy òu-bàt-hèt

faire v ทำ tram
fait(e) à la main ทำด้วยมือ tram dôu·ay meu
falaise หน้าผา nâa prăa
famille ครอบครัว krôrp krou·a
fan (sport, etc) แฟน fein
fantôme ผี prĭi
farine แป้ง pêing
fatigué(e) เหนื่อย nèu·ay
faute ความผิด krwaam prìt
faute (en football) ฟาวล์ fa·ow
fauteuil roulant รถเข็นคนพิการ rót krĕn kron prí-kaan
faux/fausse ผิด prìt
fax เครื่องแฟกซ์ krêu·ang fèik
félicitations ขอแสดงความยินดี krŏr sà-deing krwaam yin dii
femelle (animal) ตัวเมีย tou·a mii·a
féminin เพศหญิง prêt yĭng
femme ผู้หญิง prôu yĭng
femme/épouse เมีย/ภรรยา mii·a/pran-rá-yaa
fenêtre หน้าต่าง nâa tàang
fer à repasser เตารีด tao rîit
ferme ไร่นา râi naa
fermé ปิดแล้ว pìt léi·ow
fermé(e) à clé ใส่กุญแจแล้ว sài koun-tyei léi·ow
fermé(e) ปิด pìt
fermer à clé v ใส่กุญแจ sài koun-tyei
fermer v ปิด pìt
fermeture éclair ซิป síp
fermier/agriculteur ชาวไร่ชาวนา chao râi chao naa
ferry/bac เรือข้ามฟาก reu·a krâam fâak
fête de temple งานวัด ngaan wát
fête งานเลี้ยง ngaan líi·eing
feu de signalisation ไฟจราจร fai tyà-raa-tyorn
feu ไฟ fai
feuille ใบไม้ bai mái
feuille de pandanus ใบเตย bai teu·y
fève/pois/haricot ถั่ว tròu·a
février เดือนกุมภาพันธ์ deu·an koum-praa-pran
fiançailles การหมั้น kaan mân
fiancé(e) คู่หมั้น krôu mân
fiancé(e) หมั้นแล้ว mân léi·ow
ficelle เชือก chêu·ak
fiction เรื่องแต่ง rêu·ang tèing
fièvre ไข้ krâi
fil de fer ลวด lôu·at
fil dentaire เชือกขัดฟัน chêu·ak krat fan
fil เส้นด้าย sên dâi
filet ตาข่าย taa-kràì
filet เนื้อไม่มีกระดูก néu·a mâi mii krà-dòuk
fille (enfant) ลูกสาว lôuk săo
fille/jeune femme สาว săo
film (cinéma) ภาพยนตร์ prâap-prá-yon
film (pellicule) ฟิล์ม fim
fils ลูกชาย lôuk chai
filtré(e) กรอง krorng
fin สิ้นสุด sîn sòut
fin n จุดจบ tyòut tyòp
finir v จบ tyòp
Finlande ประเทศฟินแลนด์ prà-trêt fin-lein
fixer (rendez-vous) การนัด kaan nát
flash (d'appareil photo) แฟลช flêit
fleur ดอกไม้ dòrk mái
fleuriste คนขายดอกไม้ kron krăi dòrk mái
flocons de maïs คอร์นเฟล็กซ์ krorn-flèk
foie ตับ tàp
foncé(e) (couleur) เข้ม/แก่ krém/kèi
foot(ball) ฟุต(บอล) fóut-born
football américain ฟุตบอลอเมริกัน fóut-born à-me-rí-kan
football australien ฟุตบอลออสเตรเลีย fóut-born or-sà-tre-lii-a
forêt ป่า pàa
forme รูปทรง rôup song
fort (sonore) ดัง dang
fort(e) แข็งแรง krĕing reing
fou/folle บ้า bâa
four เตาอบ tao òp

four à micro-ondes ตู้ไมโครเวฟ tôu mai-kro-wép
fourchette ส้อม sôrm
fourmi มด mót
fragile บอบบาง bòrp baang
frais/fraîche (climat) เย็น yen
frais/fraîche (aliment) สด sòt
fraise ลูกสตรอว์เบอร์รี่ lôuk sà-tror-beu-rîi
France ประเทศฝรั่งเศส prà-têt fà-ràng-sèt
franchise de bagages พิกัดน้ำหนักกระเป๋า prí-kàt nám nàk krà-păo
freins เบรก brèk
frire ทอด trôrt
frit ทอด trort
froid (sensation) หนาว năo
froid เย็น yen
fromage เนยแข็ง neu·i krěing
frontière ชายแดน chai dein
frottis ตรวจภายใน tròu·at prai nai
fruit ผลไม้ prŏn-lá-mái
fruits de mer อาหารทะเล aa-hăan trá-le
fruits secs ผลไม้ตากแห้ง prŏn-lá-mái tàak hêing
fumer v สูบ sòup
funérailles งานศพ ngaan sòp
futur อนาคต à-naa-krót

G

gagnant(e) ผู้ชนะ prôu chá-na
gagner (revenu) ทำรายได้ tam raai dâi
gagner (victoire) ชนะ chá-ná
galerie d'art ห้องแสดงภาพ hôrng sà-deing prâap
gant ถุงมือ trŏung meu
gant de toilette ผ้าเช็ดหน้า prâa chét nâa
garage อู่ซ่อมรถ òu sôrm rót
garanti(e) รับประกัน ráp prà-kan
garçon เด็กชาย dèk chai
garde d'enfants การดูแลเด็ก kaan dou lei dèk
gardien de but ผู้รักษาประตู prôu rák-săa prà-tou
gare สถานีรถไฟ sà-trăa-nii rót fai
garer (une voiture) จอด tyòrt
gastro-entérite โรคกระเพาะกักเสบ rôk krà-prór àk-sèp
gâteau ขนม krà-nŏm
gâteau de mariage ขนมเค้กฉลองวันแต่งงาน krà-nŏm chà-lŏrng wan tèing ngaan
gay/homosexuel เกย์ ke
gaz ก๊าซ káat
gaze ผ้าพันแผล prâa pran prlěi
gel น้ำค้างแข็ง náam kráang krěing
gelé(e) แช่แข็ง chêi krěing
geler/congeler แช่น้ำแข็ง chêi náam krěing
gêné(e) อับอาย àp ai
génial(e) (fantastique) ยอด yôrt
genou หัวเข่า hŏu·a krào
gens คน kron
gentil/gentile ใจดี tyai dii
germe de soja ถั่วงอก tròu·a ngôrk
gilet de sauvetage เสื้อชูชีพ sêu·a chou chîip
gin เหล้ายิน lâo tyin
glace ไอศกรีม ai-sa-kriim
glacier ร้านขายไอศกรีม ráan krăi ai-sa-kriim
glaçon น้ำแข็ง náam krěing
golfe อ่าว ào
gorge คอหอย kror hŏy
gouttes pour les yeux ยาหยอดตา yaa yòrt taa
gouvernement รัฐบาล rát-trà-baan
gramme กรัม kram
grand(e) ใหญ่ yài
grand(e) (hauteur) สูง sŏung
grand frère พี่ชาย prîi chai
grand magasin สรรพสินค้า sàp-prá-sĭn-kráa
grande route ทางหลวง traang lŏu·ang
grand-mère (maternelle) ยาย yai
grand-mère (paternelle) ย่า yâa

grand-père (maternel) ตา taa
grand-père (paternel) ปู่ pòu
gras/grasse/gros/grosse อ้วน ôu·an
gratuit ฟรี frii
grenouille กบ kòp
grève n สไตร์ค sà-trái
grille-pain เครื่องปิ้งขนมปัง krêu·ang pîng krà-nŏm pang
grimper ปีน piin
grippe ไข้หวัด krâi wàt
gris(e) สีเทา sĭi trao
grosseur ก้อน kôrn
grotte ถ้ำ trâm
grotte de l'ermite ถ้ำฤษี trâm reu-sĭi
groupe (musique) วงดนตรี wong don-trii
groupe de rock วงดนตรีร็อค wong don-trii rórk
groupe sanguin กลุ่มเลือด kloum lêu·at
guerre สงคราม sŏng-kraam
guichet ช่องขายตั๋ว chôrng krăi tŏu·a
guide (livre) คู่มือนำเที่ยว krôu meu nam trîi·eiw
guide (personne) ไกด์ kai
guide de conversation คู่มือสนทนา krôu meu sŏn-trá-naa
guidon มือจับ meu tyàp
guitare กีตาร์ kii-taa
gymnase ห้องออกกำลังกาย hôrng òrk kam-lang kai
gymnastique ยิมนาสติก yim·naa·sà·tik
gynécologue นรีแพทย์ ná·rii·prêit

H

habiter อยู่ yòu
halal อาหารที่จัดทำตามหลักศาสนาอิสลาม aa·hăan trîi tyàt tram taam làk sàat·sà·năa ìt·sà·laam
hall ห้องโถง hôrng trŏng
hallucination ภาพหลอน prâap lŏrn
hamac เปลญวน ple you·an
handicapé(e) พิการ prí-kaan
harcèlement การเบียดเบียน kaan bìi·eit bii·ein
haricot vert ถั่วเขียว tròu·a krĭi·eiw
haut(e) สูง sŏung
hébergement ที่พัก trîi prák
hématome n รอยคล้ำ roy krlám
hémorragie cérébrale เส้นเลือดในสมองแตก sên lêu·at nai sà-mŏrng tèik
hépatite โรคตับอักเสบ rôk tàp àk-sèp
herbe (marijuana) กัญชา kan-chaa
herbe หญ้า yâa
herbes สมุนไพร sà-mŏun-prai
herboriste คนขายสมุนไพร kron krăi sà-mŏun-prai
héroïne เฮโรอีน he-ro-iin
heure ชั่วโมง chôu·a mong
heures d'ouverture เวลาเปิด we-laa pèut
heureux/heureuse มีความสุข mii krwaam sòuk
hier เมื่อวาน mêu·a waan
hindou(e) ศาสนาฮินดู sàat-sà-năa hin-dou
histoire นิทาน ní-traan
histoire ประวัติศาสตร์ prà-wàt-tì-sàat
historique ทางประวัติศาสตร์ traang prà-wàt-tì-sàat
hiver หน้าหนาว nâa năo
hockey sur glace ฮอกกี้น้ำแข็ง hôrk-kîi náam krĕing
hockey ฮอกกี้ hórk-kîi
homard กุ้งมังกร kôung mang-korn
homme ผู้ชาย prôu chai
homme/femme d'affaires นักธุรกิจ nák tróu-rá-kìt
homme/femme politique นักการเมือง nák kaan meu·ang
homosexuel(le) คนรักร่วมเพศ kron rák rôu·am prêt
hôpital โรงพยาบาล rong prá·yaa·baan
horaire ตารางเวลา taa-raang we-laa
horloge นาฬิกา naa-lí-kaa
horoscope ดวงโหราศาสตร์ dou·ang hŏ-raa-sàat

hors service เสีย sĭ·a
hospitalité การรับแขก kaan ráp krèik
hôtel โรงแรม rong reim
hôtesse (de bar) โฮสเตส hôt-tét
huile (moteur) น้ำมันเครื่อง nám man krêu·ang
huile d'olive น้ำมันมะกอก nám-man má-kòrk
huile น้ำมัน nám man
huître หอยนางรม hŏy naang rom
humanités/lettres classiques มนุษยศาสตร์ má-nóut-sà-yá-sàat
humeur อารมณ์ aa-rom

I

ici ที่นี่ trîi nîi
idiot(e) ปัญญาอ่อน pan-yaa òrn
il เขา krăo
il y a (trois jours) (สามวัน) ที่แล้ว (săam wan) trîi léi·ow
il/elle/lui/le/la/l' *inf* มัน man
île เกาะ kòr
ils เขา krăo
immigration ตรวจคนเข้าเมือง tròu·at kron krâo meu·ang
imperméable กันน้ำ kan náam
imperméable (habit) เสื้อกันฝน sêu·a kan fŏn
important สำคัญ săm-kran
impossible เป็นไปไม่ได้ pen pai mâi dâi
impôt sur le revenu ภาษี praa-sĭi
imprimante เครื่องพิมพ์ krêu·ang prim
inconfortable ไม่สบาย mâi sà-bai
Inconnu(e) (personne) คนแปลกหน้า kron plèik nâa
Inde ประเทศอินเดีย prà-trêt in-dii·a
indigestion อาหารไม่ย่อย aa-hăan mâi yôy
industrie อุตสาหกรรม òut-săa-hà-kam
infection การติดเชื้อ kaan tìt chéu·a
infection urinaire ท่อปัสสาวะอักเสบ trôr pàt-săa-wá àk-sèp
infirmier บุรุษพยาบาล
infirmière นางพยาบาล naang prá-yaa-baan
inflammation ที่อักเสบ trîi àk sèp
informatique ที่ใช้คอมพิวเตอร์ trîi chái krorm-priw-teu
ingénierie วิศวกรรม wít-sà-wá-kam
ingénieur วิศวกร wít-sà-wá-korn
ingrédient ส่วนประกอบ sòu·an prà-kòrp
injecter ฉีด chìit
injuste ไม่ยุติธรรม mâi yóut-tì-tram
innocent(e) บริสุทธิ์ bor-rí-sòut
inondation น้ำท่วม náam trôu·am
inquiet/inquiète กังวล kang won
insecticide ยากันแมลง yaa kan má-leing
insolation โรคแพ้แดด rôk préi dèit
interdire ห้าม hâam
intéressant(e) น่าสนใจ nâa sŏn-tyai
international(e) ระหว่างประเทศ rá-wàang prà têt
Internet อินเตอร์เนต In-teu-nét
interprète ล่าม lâam
intoxication alimentaire อาหารเป็นพิษ aa-hăan pen prít
inviter เชิญ cheun
Irlande ประเทศไอร์แลนด์ prà-trêt ai-lein
irritation à cause des couches ผื่น pèun
Israël ประเทศอิสราเอล prà trêt it-sa-raa-en
Italie ประเทศอิตาลี prà-trêt ì-taa-lii
itinéraire คู่มือการเดินทาง krôu meu kaan deun traang
ivre เมา mao

J

jaloux/jalouse อิจฉา ìt-chăa
jamais ไม่เคย mâi kreu·y
jambe ขา krăa
jambon เนื้อแฮม néu·a heim
janvier เดือนมกราคม deu·an má-kà-raa-krom
Japon ประเทศญี่ปุ่น prà-trêt yîi-pòun
jardin สวน sŏu·an

jardin botanique สวนพฤกษาชาติ sŏu·an préuk-săa-châat
jardin public สวนสาธารณะ sŏu·an săa-traa-rá-ná
jardinage การทำสวน kaan tram sŏu·an
jardinier ชาวสวน chao sŏu·an
jaune สีเหลือง sĭi lĕu·ang
je ผม/ดิฉัน prŏm/dì-chăn **m/f**
jean กางเกงยีน kaang keng yiin
jeep รถจี๊ป rót tyíip
jeu เกม kem
jeu(x) pour ordinateur เกมส์คอมพิวเตอร์ kem krorm-priw-teu
jeudi วันพฤหัสบดี wan prá-réu-hàt
jeune หนุ่ม nòum
Jeux olympiques กีฬาโอลิมปิก kii-laa o-lim-pìk
jogging การวิ่งออกกำลัง kaan wîng òrk kam-lang
joli(e) สวย sŏu·ay
jonque (bateau) เรือสำเภา reu·a săm-prao
jouer (cartes) เล่น lên
jouer de (guitare) เล่น lên
jouet ของเล่น krŏrng lên
jour วัน wan
Jour de l'an วันขึ้นปีใหม่ wan krêun pii mài
jour de Noël วันคริสต์มาส wan krít-màat
jour férié วันหยุด wan yòut
journal หนังสือพิมพ์ năng-sĕu prim
journaliste (de presse) นักเขียนหนังสือพิมพ์ nák krĭi·an năng-sĕu prim
juge ผู้พิพากษา prôu prí-prâak-săa
juif/juive ชาวยิว chao yi·ou
juillet เดือนกรกฎาคม deu·an kà-rá-kà-daa-krom
juin เดือนมิถุนายน deu·an mí-tròu-naa-yon
jumeaux/jumelles แฝด fèit
jumelles กล้องสองตา klôrng sŏrng taa
jungle ป่ารก pàa rók
jupe กระโปรง krà-prong
jus de coco น้ำมะพร้าว nám má-práo
jus de fruit(s) น้ำผลไม้ náam prŏn-lá-mái
jus d'orange น้ำส้ม náam sôm
jusqu'à (vendredi, etc) จนถึง tyon trĕung

K

ketchup ซอสมะเขือเทศ sôrt má-krĕu·a trêt
kilo กิโล kì-lo
kilogramme กิโลกรัม kì-lo-kram
kilomètre กิโลเมตร kì-lo-mêt
kiosque à journaux ที่ขายหนังสือพิมพ์ trîi krăi năng-sĕu prim
kiosque ร้านเล็กๆ ráan lék lék
kyste à l'ovaire เนื้องอกในรังไข่ néu·a ngôrk nai rang krài

L

la Coupe du Monde บอลโลก born lôk
là ที่นั่น trîi nân
lac ทะเลสาบ trá-le sàap
laine ขนแกะ krŏn kèi
lait น้ำนม nám nom
lait de coco กะทิ kà-trí
lait de soja นมถั่วเหลือง nom tròu·a lĕu·ang
lait écrémé นมพร่องมันเนย nom prôrng nom neu·y
laitue ผักกาดหอม pràk kàat hŏrm
lame de rasoir ใบมีดโกน bai mîit kon
lampe de poche ไฟฉาย fai chăi
langue ภาษา praa-săa
Laos ประเทศลาว prà-trêt lao
lapin กระต่าย krà-tài
large กว้าง kwâang
laver (quelque chose) ล้าง láang
laver (vêtements) ซัก sák
laverie โรงซักรีด rong sák rîit
laxatif ยาระบาย yaa rá-bai
le plus petit/la plus petite เล็กที่สุด lék trîi sòut
Le Roi ในหลวง nai lŏu·ang

le/la meilleur ดีที่สุด dii trîi sòut
le/la plus proche ใกล้ที่สุด klâi trîi-sòut
lecture การอ่าน kaan àan
légal(e) ตามกฎหมาย taam kòt-măi
légalement ทำให้ถูกต้อง tram hâi tròuk tôrng
léger/légère เบา bao
législation นิติบัญญัติ ní-tì-ban-yat
légume ผัก pràk
légumineuse ผักถั่ว pràk tròu·a
lent(e) ช้า cháa
lentement อย่างช้า yàang cháa
lentille ถั่วเขียว tròu·a krĭi·eiw
lentilles de contact เลนส์สัมผัส len săm-pràt
lequel/laquelle อันไหน an năi
les nouvelles ข่าว krào
lesbienne เล็สเบียน lét-bi·ein
lettre จดหมาย tyòt-măi
leur/leurs ของเขา krŏrng krăo
lever du soleil ตะวันขึ้น tà-wan krêun
lèvres ริมฝีปาก rim fĭi pàak
lézard จิ้งจก tyîng tyòk
lézard (gecko) ตุ๊กแก tóuk kei
librairie ร้านขายหนังสือ ráan krăi năng-sĕu
libre (disponible) ว่าง wâang
libre (liberté) อิสระ ì-sà-rà
licence ใบอนุญาต bai à-nóu-yâat
lieu n สถานที่ sà-trăan-trîi
lieu de naissance สถานที่เกิด sà-trăan-trîi kèut
lieu saint ศาลเจ้า săan tyao
limitation de vitesse กำหนดความเร็ว kam-nòt krwaam re·ow
limonade น้ำมะนาว náam má nao
lin (étoffe) ผ้าลินิน prâa lí-nin
linge ผ้าซัก prâa sák
lire อ่าน àan
liste รายการ rai kaan
lit เตียง tii·eing
literie เครื่องนอน krêu·ang norn
lits jumeaux เตียงคู่ tii·eing krôu
livre (monnaie, poids) ปอนด์ porn
livre de prière หนังสือสวดมนต์ năng-sĕu sòu·at mon
livre หนังสือ năng-sĕu
livrer ส่ง sòng
local พื้นเมือง préun meu·ang
local(e) ของท้องถิ่น krŏrng trórng trìn
location de voiture การเช่ารถ kaan châo rót
logement des moines กุฏิ gù-tì
loi กฎหมาย kòt-măi
loin ไกล klai
long/longue ยาว yao
louer เช่า châo
lourd(e) หนัก nàk
lubrifiant น้ำมันหล่อลื่น nám man lòr lêun
lumière ไฟ fai
lunch อาหารกลางวัน ah-hăhn glahng wan
lundi วันจันทร์ wan tyan
lune de miel ดื่มน้ำผึ้งพระจันทร์ dèum nám prêung prá tyan
lune พระจันทร์ prá tyan
lunettes (de natation) แว่นกันน้ำ wêin kan náam
lunettes แว่นตา wêin taa
lunettes de soleil แว่นกันแดด wêin kan dèit
luxe หรูหรา rŏu răa

M

machine à laver เครื่องซักผ้า krêu·ang sák prăa
machine เครื่อง krêu·ang
mâchoire ขากรรไกร krăa kan-krai
Madame นาง naang
Mademoiselle นางสาว naang săo
magasin n ร้าน ráan
magasin d'alcool ร้านขายเหล้า ráan krăi lâo
magasin d'appareil photo ร้านขายกล้องถ่ายรูป ráan krăi klôrng trài rôup
magasin de camping ร้านขายของแคมปิ้ง ráan krăi krŏrng kreim-pîng

magasin de chaussures ร้านขายรองเท้า ráan krăi rórng tráo
magasin de jouets ร้านขายของเล่นเด็ก ráan krăi krŏrng lên dèk
magasin de réparation de vélo ร้านซ่อมจักรยาน ráan sôrm tyàk-krà-yaan
magasin de souvenirs ร้านขายของที่ระลึก ráan krăi krŏrng trîi rá-léuk
magasin de spiritueux ร้านขายเหล้า ráan krăi lâo
magasin de sports ร้านขายอุปกรณ์กีฬา ráan krăi òup-pà-korn kii-laa
magasin de vêtements ร้านขายเสื้อผ้า ráan krăi sêu·a prâa
magasin d'objets d'occasion ร้านขายของมือสอง ráan krăi krŏrng meu sŏrng
magasin qui vend des appareils électriques ร้านขายอุปกรณ์ไฟฟ้า ráan krăi òup-pà-korn fai fáa
magazine หนังสือวารสาร năng sĕu waa-rá-săan
magnétoscope กล้องถ่ายวีดีโอ klôrng trài wii-dii-o
mai เดือนพฤษภาคม deu·an préut-sà-praa-krom
maigre (une personne) ผอม prŏrm
maillot de bain ชุดว่ายน้ำ chóut wâi náam
maillot de corps เสื้อกล้าม sêu·a glâhm
main มือ meu
maintenant เดี๋ยวนี้ dĭ·eiw níi
maire นายกเทศมนตรี naa-yók trêt-sà-mon-trii
maïs ข้าวโพด krâo prôt
mais แต่ว่า tèi wâa
maison บ้าน bâan
mal de dents ปวดฟัน pòu·at fan
mal de la route (voiture) เมารถ mao rót
mal de l'air (avion) เมาเครื่องบิน mao krêu·ang bin
mal de mer เมาคลื่น mao krlêun
mal de mer (bateau) เมาเรือ mao reu·a
mal de tête ปวดหัว pòu·at hŏu·a
malade ป่วย pòu·ay
maladie de cœur โรคหัวใจ rôk hŏu·a tyai
maladie โรค rôk
maladie vénérienne กามโรค kaam-má-rôk
maman แม่ mêi
mammographie เอ็กซเรย์เต้านม èk-sá-re tâo nom
mandarine ส้มเขียวหวาน sôm krĭi·eiw wăan
manger (informel) กิน kin
manger (poli) ทาน traan
manger (très formel) รับประทาน ráp prà-traan
mangue มะม่วง má-môu·ang
manifestation การเดินขบวน kaan deun krà-bou·an
manque ความขาดแคลน krwaam kràat krlein
manquer (sentiment) คิดถึง krít trĕung
manteau เสื้อกันหนาว sêu·a kan năo
maquereau ปลาทู plaa trou
marais หนอง nŏrng
marchand de journaux ร้านขายหนังสือพิมพ์ ráan krăi năng-sĕu prim
marchand de légumes คนขายผัก kron krăi pràk
marché ตลาด tà-làat
marché à ciel ouvert ตลาดนัด tà-làat nát
marché aux puces ตลาดขายของเบ็ดเตล็ด tà-làat krăi krŏrng bèt tà-lèt
marché flottant ตลาดน้ำ tà-làat náam
marcher เดิน deun
mardi วันอังคาร wan ang-kraan
marée น้ำขึ้นน้ำลง náam krêun náam long
margarine เนยเทียม neu·y tri·eim
mari สามี săa-mii
mariage การแต่งงาน kaan tèing ngaan
marié(e) แต่งงานแล้ว tèing ngaan léi·ow
marijuana กัญชา kan-chaa

M

marin ชาวน้ำ chao náam
marmite หม้อ mŏr
marquer (point) v คะแนน krá-nein
marron สีน้ำตาล sĭi nám taan
mars เดือนมีนาคม deu·an mii-naa-krom
marteau ค้อน krórn
massage n นวด nôu·at
masseur/masseuse หมอนวด mŏr nôu·at
match (football) เกม kem
match (sports) เกม kem
matelas ฟูก fôuk
matin ตอนเช้า torn cháo
mauvais(e) เลว le·ow
mayonnaise น้ำราดผักสด náam râat pràk sòt
mécanicien ช่างเครื่อง châang krêu·ang
médecine (étude, profession) การแพทย์ kaan prêit
médias สื่อมวลชน sèu mou·an chon
médicament ยา yaa
médicament contre la toux ยาแก้ไอ yaa kêi ai
méditation การทำสมาธิ kaan tram sà-maa-trí
méduse แมงกะพรุน meing kà-proun
mélanger ผสม pra sŏm
mélodrame à épisodes ละครโทรทัศน์ lá-krorn tro-rá-tát
melon แตงไทย teing trai
melon cantaloup แตงแคนตาลูป teing krein-taa-lôup
membre สมาชิก sà-maa-chík
même เหมือน mĕu·an
ménage ทำความสะอาดบ้าน tram krwaam sà-àat bâan
mendiant คนขอทาน kron krŏr traan
menstruation ระดู rá-dou
menteur/menteuse คนโกหก kron ko-hòk
mentir โกหก ko-hòk
mer ทะเล trá-le
merci ขอบคุณ kròrp kroun
mercredi วันพุธ wan próut
mère inf แม่ mêi
mère pol มารดา maan-daa
merveilleux/merveilleuse ดีเยี่ยม dii yîi-eim
message ข้อความฝาก krôr krwaam fàak
messe (catholique) พิธีมิสซา prí-trii mít-saa
métal เหล็ก lèk
mètre เมตร mét
métro aérien (sky train) รถไฟฟ้า rót fai fáa
métro รถไฟใต้ดิน rót fai tâi din
mettre ใส่ sài
meurtre n ฆาตกรรม krât-trà-kam
midi เที่ยง trî·eing
miel น้ำผึ้ง nám prêung
mieux/meilleur que ดีกว่า dii kwàa
migraine โรคปวดศีรษะไมเกรน rôk pòu·at sĭi-sà mai-kren
militaire การทหาร kaan trá-hăan
millimètre มิลลิเมตร mín-lí-mét
million ล้าน láan
mince (général) บาง baang
minivan รถตู้ rót tôu
minuit เที่ยงคืน trîi-eing kreun
minuscule เล็กนิดเดียว lék nít di-eiw
minute นาที naa-trii
miroir กระจก krà-tyòk
mobilier เฟอร์นิเจอร์ feu-ní-tyeu
mode แฟชั่น fei-chăn
modem โมเด็ม mo dem
moderne ทันสมัย tran sà-măi
moi ผม/ดิฉัน prŏm/dì-chăn **m/f**
moine พระ prá
moins de น้อยกว่า noy kwàa
mois เดือน deu·an
moitié/demi ครึ่ง krêung
mon/ma/mes (pour un homme) ของผม krŏrng prŏm **m**
mon/ma/mes (pour une femme) ของดิฉัน krŏrng dì-chăn **f**
monastère วัด wát
monde โลก lôk
monnaie (pièces) เงินปลีก ngeun pliik
mononucléose infectieuse โรคเริม rôk reum

Monsieur นาย nai
montagne ภูเขา prou krăo
montée ทางขึ้น traang krêun
monter ขึ้น krêun
monter à (cheval) v ขี่ krìi
monter à bord (avion, bateau etc) ขึ้น krêun
montre n นาฬิกา naa-lí-kaa
montrer v แสดง sà-deing
monument อนุสาวรีย์ à-nóu-săa-wá-rii
morceau ชิ้น chín
mordre (chien) กัด kàt
mort(e) ตายแล้ว tai léi·ow
mosquée มัสยิด mát-sà-yít
mot ศัพท์ sàp
moteur เครื่อง krêu·ang
moto รถมอเตอร์ไซค์ rót mor-teu-sai
motocyclette รถมอเตอร์ไซค์ rót mor-teu-sai
mouchoir ผ้าเช็ดหน้า prâa chét nâa
mouchoirs กระดาษทิชชู่ krà-dàat trít-chôu
mouillé(e) เปียก pìi·eik
moule หอยแมลงภู่ hŏy má-leing prôu
mourir ตาย tai
mousse à raser ครีมโกนหนวด kriim kon nòu·at
mousson มรสุมหน้าฝน mor-rá-sŏum nâa fŏn
moustiquaire มุ้ง móung
moustique ยุง young
mouton แกะ kèi
muet/muette a ใบ้ bâi
muguet (maladie) เชื้อรา chéu·a raa
mur กำแพง kam-preing
muscle กล้ามเนื้อ klâam néu·a
musée พิพิธภัณฑ์ prí-prít-trá-pran
musicien/musicienne นักดนตรี nák don-trii
musique ดนตรี don-trii
musulman(e) ชาวอิสลาม chao ìt-sà-laam

N

nager v ว่ายน้ำ wâi nám
nappe ผ้าปูโต๊ะ prâa pou tó
natation (sport) การว่ายน้ำ kaan wâi náam
nationalité สัญชาติ săn-châat
natte/petit tapis เสื่อ sèu·a
nature ธรรมชาติ tram-má-châat
naturopathie การรักษาโรคโดยใช้วิธีธรรมชาติ kaan rák-săa rôk doy chái wí-trii tram-má-châat
nausée คลื่นไส้ krlêun sâi
nausées matinales แพ้ท้อง préi trórng
navire เรือ reu·a
ne ... pas ไม่ mâi
nécessaire จำเป็น tyam-pen
négatif (photo) ฟิล์ม fim
neige n หิมะ hì-má
nettoyage การทำสะอาด kaan tram sà-àat
nettoyer v ทำสะอาด tram sà-àat
nez จมูก tyà-mòuk
nièce หลานสาว lăan săo
Noël คริสต์มาส krít-mâat
noir et blanc (pellicule) (ฟิล์ม) ขาวดำ (fim) kră·ow dam
noir สีดำ sĭi dam
noix ถั่ว tròu·a
noix de cajou มะม่วงหิมพานต์ má-môu-ang hĭm-má-praan
noix de coco มะพร้าว má-práo
nom ชื่อ chêu
nom de famille นามสกุล naam sà-koun
nombre (quantité) จำนวน tyam-nou·an
non ไม่ mâi
non-fumeur ไม่สูบบุหรี่ mâi sòup bòu-rìi
nonne แม่ชี mêi chii
nord ทิศเหนือ trít nĕu·a
Norvège ประเทศนอร์เวย์ prà-trêt nor-we
note (facture) บิลล์ bin
notre ของเรา krŏrng rao
nouilles เส้น sên
nouilles jaunes บะหมี่ bà-mìi

nourrir เลี้ยงอาหาร líi·eing aa-hăan
nourriture pour bébé อาหารทารก aa-hăan traa-rók
nourriture อาหาร aa-hăan
nous เรา rao
nouveau/nouvelle ใหม่ mài
Nouvelle-Zélande ประเทศนิวซีแลนด์ prà-trêt ni·ou sii-lein
novembre เดือนพฤศจิกายน deu·an préut-sà-tyì-kaa-yon
nuage เมฆ mêk
nuageux ฟ้าครึ้ม fáa kreum
nuit คืน kreun
numéro (chiffre) หมายเลข măi lêk
numéro de chambre หมายเลขห้อง măi lêk hôrng
numéro de passeport หมายเลขหนังสือเดินทาง măi lêk năng sĕu deun traang
numéro d'immatriculation หมายเลขทะเบียน măi lêk trá-bi·ein

O

objectif (photo) เลนส์ len
objets artisanaux เครื่องหัตถกรรม krêu·ang hàt-trà-kam
Occident ทิศตะวันตก tít tà-wan tòk
Occidental(e) ฝรั่ง fà-ràng
occupé(e) ยุ่ง yôung
océan มหาสมุทร má hăa sà-mòut
octobre เดือนตุลาคม deu·an tòu-laa-krom
odeur n กลิ่น klìn
œil ตา taa
œuf ไข่ krài
office du tourisme สำนักงานท่องเที่ยว săm-nák ngaan trôrng trîi·eiw
offrir/remettre v มอบ môrp
oignon หัวหอม hŏu·a hŏrm
oiseau นก nók
olive มะกอก má-kòrk
ombre ร่ม rôm
omelette ไข่เจียว krài tyi·eiw
opéra อุปรากร òup-pà-raa-korn
opérateur/opératrice (téléphone) พนักงานโทรศัพท์ prá-nák ngaan tro-rá-sàp
opération (médicale) การผ่าตัด kaan pràa tàt
opinion ความเห็น krwaam hĕn
optométriste หมอตรวจสายตา mŏr tròu·at săi taa
or ทองคำ trorng kram
tempête พายุ praa-yóu
orage พายุฝน praa-yóu fŏn
orange (couleur) สีส้ม sĭi sôm
orange ส้ม sôm
orchestre วงดุริยางค์ wong dòu-rí-yaang
ordinaire ธรรมดา tram-má-daa
ordinateur คอมพิวเตอร์ krorm-priw-teu
ordinateur portable คอมพิวเตอร์แล็ปท็อป krorm-priw-teu léip-trórp
ordonnance ใบสั่งยา bai sàng yaa
ordonner/commander v สั่ง sàng
ordre n ระเบียบ rá-bì·eip
ordures ขยะ krà-yà
oreille หู hŏu
oreiller หมอน mŏrn
oreillons โรคคางทูม rôk kraang toum
orfèvre ช่างทอง châang trorng
orgasme จุดสุดยอด tyòut sòut yôrt
original(e) ดั้งเดิม dâng deum
orteil นิ้วเท้า ní·ou tráo
os กระดูก kra-dòuk
où ที่ไหน trîi năi
ou หรือ rĕu
ouate de coton สำลี săm-lii
oublier ลืม leum
ouest ทิศตะวันตก trít tà-wan tòk
oui ใช่ châi
outre-mer ต่างประเทศ tàang prà trêt
ouvert(e) a et v เปิด pèut
ouvre-boîte(s) เครื่องเปิดกระป๋อง krêu·ang pèut krà-pŏrng

ouvre-bouteille(s) เครื่องเปิดขวด krêu·ang pèut kròu·at
ouvrier/ouvrière กรรมกร kam-má-korn
ouvrier d'usine คนทำงานในโรงงาน kron tram ngaan nai rong ngaan
ovaire รังไข่ rang kài
overdose ใช้ยาเกินขนาด chái yaa keun krà-nàat
oxygène ออกซิเจน òrk-sí-tyen

P

page หน้า nâa
paiement การจ่าย kaan tyài
pain ขนมปัง krà-nŏm pang
pain complet ขนมปังทำด้วยแป้งข้าวสาลีที่ไม่ได้เอารำออก krà-nŏm pang tram dôu·ay pêing krâao săa-lii trîi mâi dâi ao ram òrk
pain grillé ขนมปังปิ้ง krà-nŏm pang pîng
paire (couple) คู่ krôu
paix สันติภาพ săn-tì-prâap
Pakistan ประเทศปากีสถาน prà-trêt paa-kii-sà-trăan
palais วัง wang
panier ตะกร้า tà-krâa
panneau ป้าย pâi
pantalon กางเกง kaang-keng
papa พ่อ prôr
papeterie ร้านขายอุปกรณ์เขียน ráan krăi òup-pà-korn krĭi·an
papier กระดาษ krà-dàat
papier-toilette กระดาษห้องน้ำ krà-dàat hôrng náam
papillon ผีเสื้อ prĭi sêu·a
Pâques เทศกาลอีสเตอร์ trêt-sà-kaan iit sa-têu
paquet/colis ห่อ hòr
par (jour) ต่อ tòr
par avion ไปรษณีย์อากาศ prai-sà-nii aa-kàat
par pli express (poste) ไปรษณีย์ด่วน prai-sà-nii dòu·an
paraplégique คนอัมพาต kron am-má-prâat
parapluie ร่ม rôm
parc สวนสาธารณะ sŏu·an săa-traa-rá-ná
parc national อุทยานแห่งชาติ òut-trá-yaan hèing châat
parce que เพราะว่า prór-wâa
pardonner ให้อภัย hâi à-pai
pare-brise กระจกหน้ารถ krà-tyòk nâa rót
parents พ่อแม่ prôr mêi
paresseux/paresseuse ขี้เกียจ krîi kìi·at
parfait(e) สมบูรณ์ sŏm-boun
parfum น้ำหอม náam hŏrm
pari การพนัน kaan prá-nan
parking ที่จอดรถ trîi tyòrt rót
parlement รัฐสภา rát-trà-sà-praa
parler พูด prôut
partager (avec) แบ่ง bèing
partager (l'usage) ใช้ร่วมกัน chái rôu·am kan
parti (politique) พรรค prák
partie (constituant) ชิ้นส่วน chín sòu·an
partir (se mettre en route) ออกเดินทาง òrk deun traang
partisan (politique) ผู้สนับสนุน prôu sà-nàp sà-nŏun
pas frais/fraîche (aliment) ไม่สด mâi sòt
pas trop cuit(e) (nourriture) ไม่สุกมาก mâi sòuk mâak
passager ผู้โดยสาร prôu doy săan
passé อดีต à-dìit
passeport หนังสือเดินทาง năng-sĕu deun traang
passer ผ่าน pràan
pastèque แตงโม teing mo
pâte แป้งเปียก pêing pìi·eik
patiner เล่นสเก็ต lên sà-gèt
pâtisserie ขนม krà-nŏm
pâtisserie (magasin) ร้านขายขนม ráan krăi krà-nŏm
pauvre จน tyon

pauvreté ความยากจน krwaam yâak tyon
pavot ดอกฝิ่น dòrk fin
payer v จ่าย tyài
pays ประเทศ prà-trêt
Pays-Bas ประเทศเนเธอร์แลนด์ prà-trêt ne-treu-lein
peau ผิวหนัง prĭ-ou năng
pêche การหาปลา kaan hăa plaa
pêcheur ชาวประมง chao prà-mong
pédale บันไดรถจักรยาน ban-dai rót tyàk-kà-yaan
peigne หวี wĭi
peintre จิตรกร tyit-tra-korn
peinture จิตรกรรม tyit-tra-kam
pelle พลั่ว prlou-a
pellicule (pour appareil photo) ฟิล์ม fim
pendant la nuit แรมคืน reim kreun
penderie ตู้เสื้อผ้า tôu sêu-a prâa
pénis องคชาต ong-krá-châat
penser คิด krít
pension (de famille)/maison de repos บ้านพัก baan prak
pente/descente ทางลง traang long
perdre (défaite) แพ้ préi
père inf พ่อ prôr
père pol บิดา bì-daa
permis de circulation ทะเบียนรถ trá-bi-ein rót
permis de conduire ใบขับขี่ bai kràp krìi
permis de travail ใบอนุญาตทำงาน bai à-nóu-yâat tram ngaan
personne คน kron
peser ชั่ง chang
petit frère น้องชาย nórng chai
petit pain ขนมปังก้อนเล็ก krà-nŏm pang kôrn lék
petit(e) (hauteur) เตี้ย tîi-a
petit(e) เล็ก lék
petit(e) น้อย nóy
petit-déjeuner อาหารเช้า aa-hăan cháo
petite amie แฟนสาว fein săo
petite cuillère ช้อนชา chórn chaa
petite monnaie เงินปลีก ngeun pliik
petit-fils/petite-fille หลาน lăan
pétition หนังสือร้องเรียน năng-sěu rórng ri-ein
peu นิดหน่อย nít-nòy
peu น้อย nóy
peut-être บางที baang trii
phare(s) ไฟหน้ารถ fai nâa rot
pharmacie ร้านขายยา ráan krăi yaa
pharmacien เภสัชกร pre-sàt-chá-korn
photo ภาพถ่าย prâap trài
photographe ช่างถ่ายรูป châang trài rôup
photographie การถ่ายรูป kaan trài rôup
pièce de théâtre ละคร lá-krorn
pièce d'identité บัตรประจำตัว bàt prà-tyam tou-a
pièces (de monnaie) เหรียญ rĭi-ein
pied เท้า tráo
pierre หิน hĭn
piéton คนเดินถนน kron deun trá-nŏn
pile (lampe de poche) ถ่านไฟฉาย tràan fai chăi
pilule (contraceptif) ยาคุมกำเนิด yaa kroum kam-nèut
pilule/comprimé เม็ดยา mét yaa
piment พริก prík
pince à épiler แหนบ nèip
ping-pong ปิงปอง ping porng
pioche พลั่ว prlôu-a
pipe กล้องสูบยา klôrng sòup yaa
pique-nique ปิกนิก pìk-ník
piquer (insecte) ต่อย tòy
piquets de tente หลักปักเต็นท์ làk pàk trén
piqûre การฉีด kaan chìit
piscine สระว่ายน้ำ sà wâi náam
pistache พิสตาชิโอ pí-sà-taa-chí-o
piste (sport) ทาง traang
piste ทางเดิน traang deun
pistolet ปืน peun
placard ตู้ tôu
plage ชายหาด chai hàat
plainte คำร้องทุกข์ kram rórng tróuk

plaisanterie คำตลก kram tà-lòk
planche à découper เขียง krĭi·eing
planche de surf กระดานโต้คลื่น krà-daan tô krlêun
plancher พื้น préun
planète ดาวเคราะห์ dao krór
plante พืช prêut
planter ปลูก plòuk
plaque d'immatriculation ป้ายทะเบียนรถ pâi trá-bi·ein rót
plastique พลาสติก prlaa-sà-tìk
plat จาน tyaan
plat(e) แบน bein
plateau (géographie) ที่ราบสูง trîi râap sŏung
plein(e) เต็ม tem
plongée libre การดำน้ำใช้ท่อหายใจ kaan dam náam chái trôr hăi tyai
plongée sous-marine การดำน้ำ kaan dam nám
pluie ฝน fŏn
plus de มากขึ้น mâak krêun
plus grand(e) que ใหญ่กว่า yài kwàa
plus petit(e) เล็กกว่า lék kwàa
plus que มากกว่า mâak kwàa
plus tard ทีหลัง trii lăng
plusieurs หลาย lăi
pneu ยางรถ yaang rót
poche (de chemise, veste) กระเป๋าเสื้อ krà-păo sêu·a
poche (de pantalon) กระเป๋ากางเกง krà-păo kaang keng
poêle กระทะ krà-trá
poésie กวีนิพนธ์ kà-wii-ní-pron
poids น้ำหนัก nám-nàk
poignet ข้อมือ krôr meu
point de contrôle ด่านตรวจ dàan tròu·at
point n จุด tyòut
pointer/indiquer v ชี้ chíi
poire ลูกแพร์ lôuk prei
pois gourmands ถั่วลันเตา tròu·a lan-tao
poisson ปลา plaa
poisson-chat géant ปลาบึก plaa bèuk
poissonnerie ร้านขายปลา ráan krăi plaa
poitrine (corps) หน้าอก nâa òk
poitrine/sein เต้านม tâo nom
poivre พริกไทย prík trai
poivron พริกหวาน prík wăan
poivron rouge พริกแดง prík deing
poivron vert พริกเขียว prík krĭi·eiw
poli(e) สุภาพ sòu-prâap
police ตำรวจ tam-ròu·at
politique (ligne directrice) นโยบาย ná-yo-bai
politique การเมือง kaan meu·ang
pollen เกสรดอกไม้ ke-sŏrn dòrk mái
pollution มลภาวะ mon-lá-praa-wá
pomme cannelle น้อยหน่า nóy nàa
pomme แอ๊ปเปิ้ล èip-peun
pomme de terre มันฝรั่ง man fà-ràng
pompe สูบ sòup
pont สะพาน sà-praan
populaire เป็นที่นิยม pen trîi ní-yom
porc เนื้อหมู néu·a mŏu
port (mer) ท่าเรือ trâa reu·a
port อ่าว ào
porte ประตู prà-tou
porte d'embarquement ประตูขาออก prà-tou krăa òrk
porte document กระเป๋าเอกสาร krà-păo èk-kà-săan
porte-monnaie กระเป๋าเงิน krà-păo ngeun
porter (à la main) หิ้ว hî·ou
porter (dans la poche) พก prók
porter (dans les bras) อุ้ม ôum
porter (par-dessus l'épaule) สะพาย sà-prai
porter (sur le dos) แบก bèik
porter/mettre ใส่ sài
porteur คนขนของ kron krŏn krŏrng
poser (une question) ถาม trăam
positif/positive (optimiste) มองในแง่ดี morng nai ngêi dii
possible เป็นไปได้ pen pai dâi

P
français/thaï

poste (courrier) ไปรษณีย์ prai-sà-nii
postérieur/fesses (corps) ก้น kôn
pot (céramique) หม้อดิน môr din
pot d'échappement (voiture) ท่อไอเสีย trôr ai sĭ·a
pot กระปุก krà-pòuk
pot-de-vin n สินบน sĭn bon
poterie การปั้นหม้อ kaan pân môr
poubelle ถังขยะ trăng krà-yà
poudre ผง prŏng
poulet ไก่ kài
poumon ปอด pòrt
poupée ตุ๊กตา tóuk-kà-taa
pour cent เปอร์เซ็นต์ peu sen
pour toujours ตลอดไป tà-lòrt pai
pourboire เงินทิป ngeun trip
pourquoi ทำไม tram mai
pousse(s) de bambou หน่อไม้ nòr mái
pousser (germer) งอก ngòrk
pousser ผลัก prlàk
poussette รถเข็นเด็ก rót krĕn dèk
pouvoir (être autorisé à) ได้ dâi
pouvoir (être capable de) เป็น pen
pouvoir อำนาจ am-nâat
poux เหา hăo
préférer นิยม ni-yom
Premier ministre นายกรัฐมนตรี naa-yók rát-trà-mon-trii
premier/première ที่หนึ่ง trîi nèung
première classe ชั้นหนึ่ง chan neung
prendre en photo ถ่ายรูป tàai rôup
prendre เอา ao
prénom ชื่อ cheu
préparer เตรียม trii-eim
près de ใกล้ klâi
près/proche a ใกล้ klâi
présent ปัจจุบัน pàt-tyòu-ban
présenter แนะนำ néi nam
préservatif ถุงยางอนามัย trŏung yaang à-naa-mai
président ประธานาธิบดี prà-traa-naa-trí-bà-dii
presque เกือบ kèu·ap
pression ความดัน krwaam dan
pression artérielle ความดันโลหิต krwaam dan lo-hìt
prêt(e) พร้อม prórm
prêtre บาทหลวง bàat lŏu·ang
prévenir เตือน teu·an
prière บทสวดมนต์ bòt sòu·at mon
principal(e) หลัก làk
printemps หน้าใบไม้ผลิ nâa bai mái plì
prise (électricité) ปลั๊ก plák
prise de sang การเจาะเลือด kaan tyòr lêu·at
prison คุก króuk
prisonnier/prisonnière นักโทษ nák trôt
privé(e) ส่วนตัว sòu·an tou·a
prix ราคา raa-kraa
prochain(e) (mois) หน้า nâa
produire v ผลิต prà-lìt
professeur (à l'université) อาจารย์ aa-tyaan
profond(e) ลึก léuk
programme (ordinateur) โปรแกรม pro-kreim
programme des spectacles คู่มือรายการบันเทิง krôu meu ra·ay kaan ban treung
projecteur เครื่องฉายภาพ krêu·ang chăi prâap
projet โครงการ krong kaan
prolongation (visa) ต่ออายุ tòr aa-yóu
promenade n เที่ยว trîi·eiw
promettre สัญญา săn-yaa
propre a สะอาด sà-àat
propriétaire เจ้าของ tyâo krŏrng
prospérer (développer) เจริญ tyà-reun
protestation n การประท้วง kaan prà-tróu·ang
protester v ประท้วง prà-tróu·ang
prostituée โสเภณี sŏ-pre-nii
protégé(e) (espèce) (สัตว์) สงวน (sàt) sà-ngŏu·an
protéger ป้องกัน pôrng kan

P

DICTIONNAIRE

protège-slips ผ้าอนามัย prâa à-naa-mai

province จังหวัด tyang-wàt

provisions เสบียง sà-bii-eing

pub (bar) ผับ pràp

publication การพิมพ์ kaan prim

puce หมัด màt

pull เสื้อถัก sêu·a tràk

pur(e) บริสุทธิ์ bor-rí-sòut

Q

quai ชานชาลา chaan chaa-laa

qualifications คุณวุฒิ kroun-ná-wóut

qualité คุณภาพ kroun-ná-prâap

quand เมื่อไร mêu·a rai

quarantaine ด่านกักโรค dàan kàk rôk

quart หนึ่งส่วนสี่ nèung sòu·an sìi

quel(le)/quoi อะไร à-rai

quelque chose สิ่งใดสิ่งหนึ่ง sìng dai sìng nèung

quelquefois บางครั้ง baang kráng

quelqu'un คนใดคนหนึ่ง kron dai kron nèung

question คำถาม kram trăam

queue/file d'attente คิว kri·ou

queue หาง hăang

qui ใคร krai

quincaillerie ร้านขายอุปกรณ์ก่อสร้าง ráan krăi òup-pà-korn kòr sâang

quinze jours ปักษ์ pàk

quotidien(ne) รายวัน rai wan

R

rabais/remise ลดราคา lót raa-kraa

racisme ลัทธิแบ่งผิว lát-trí bèing prĭ·ou

radiateur (voiture) หม้อน้ำ môr náam

radio วิทยุ wít-trá-yóu

radis blanc หัวไชเท้า hŏu·a chai tráo

raisin de Smyrne องุ่นแห้ง à-ngòun hêing

raisin sec ลูกเกด lôuk kèt

raisin องุ่น à-ngòun

randonnée การเดินป่า kaan deun pàa

rangée de boutiques ห้องแถว hôrng trĕi·ow

rapide เร็ว re·ow

rapports sexuels protégés เพศสัมพันธ์แบบปลอดภัย prêt săm-pran bèip plòrt prai

raquette ไม้ตี mái tii

rare หายาก hăa yâak

rasoir มีดโกน mîit kon

rassemblement การชุมนุม kaan choum-noum

rat หนู nŏu

rayon (roue) ซี่ล้อรถ sîi lór rót

réalisateur/réalisatrice (film) ผู้กำกับ prôu kam-kàp

réaliste สมจริง sŏm tying

récemment เร็วๆ นี้ re·ow re·ow níi

récolte พืชผล prêut prŏn

recommandé (envoyer en) ไปรษณีย์ลงทะเบียน prai-sà-nii long trá-bi·ein

recommander แนะนำ néi nam

reconnaissant(e) ปลื้มใจ plêum tyai

reçu ใบเสร็จ bai sèt

recyclable รีไซเคิลได้ rii-sai-krêun dâi

recycler รีไซเคิล rii-sai-krêun

rédacteur en chef บรรณาธิการ ban-naa-trí-kaan

référence ที่อ้างอิง trîi âang ing

reflet เงา ngao

réflexologie การนวดเส้น kaan nôu·at sên

réfrigérateur ตู้เย็น tôu yen

réfugié(e) คนอพยพ kron òp-prá-yop

refuser ปฏิเสธ pà-tì-sèt

regarder v ดู dou

régimes spéciaux อาหารพิเศษ aa-hăan prí-sèt

règles/règlement กฎ kòt

règles douloureuses ปวดระดู pòu·at rá-dou

rein ไต tai

reine พระราชินี prá raa-chí-nii
relation ความสัมพันธ์ krwaam săm-pran
relations publiques การประชาสัมพันธ์ kaan prà-chaa săm-pran
religieux/religieuse ทางศาสนา traang sàat-sà-năa
religion ศาสนา sàat-sà-năa
relique วัตถุโบราณ wát-tròu bo-raan
remboursement เงินคืน ngeun kreun
remercier ขอบใจ kròrp tyai
remise ราคาส่วนลด raa-kraa sòu·an lót
remplir เติม teum
rencontrer พบ próp
rendez-vous การนัด kaan nát
rendre visite v เยี่ยม yîi-eim
renseignements ข้อมูล krôr moun
réparer ซ่อม sôrm
repas มื้ออาหาร méu aa-hăan
réponse n คำตอบ kam tòrp
repos พัก prák
république สาธารณรัฐ săa-traa-rá-ná-rát
réseau เครือข่าย kreu·a krài
réservation การจอง kaan tyorng
réserver จอง tyorng
respirer หายใจ hăi tyai
ressentir รู้สึก róu-sèuk
ressort ขดลวดสปริง kròt lôu·at sà-pring
ressources humaines ทรัพยากรมนุษย์ sáp-prá-yaa-korn má-nóut
restaurant ร้านอาหาร ráan aa-hăan
retard การเสียเวลา kaan sĭ·a we-laa
retraité(e) คนกินเงินบำนาญ kron kin ngeun bam-naan
retraité(e) ปลดเกษียณ plòt kà-sĭi-ein
réveil นาฬิกาปลุก naa-lí-kaa plòuk
réveiller ปลุก plòuk
revenir กลับ klàp
rêver ฝัน făn
rhum เหล้ารัม lâo ram
rhume (virus) หวัด wàt
rhume des foins โรคภูมิแพ้ rôk proum préi
riche รวย rou·ay
rien ไม่มีอะไร mâi mii à-rai
rire หัวเราะ hŏu·a rór
risque n ความเสี่ยง krwaam sìi-eing
risquer v เสี่ยง sìi-eing
rivière แม่น้ำ mêi náam
riz ข้าว krâao
riz gluant ข้าวเหนียว krâao nĭi-ow
riz sauté ข้าวผัด krâao pràt
rizière นา naa
robe n เสื้อกระโปรงติดกัน sêu·a krà-prong tìt kan
robinet ก๊อกน้ำ kórk náam
rocher เชิงผา cheung prăa
rock (musique) ดนตรีร็อค don-trii rórk
roi กษัตริย์ kà-sàt
roller การเล่นโรลเลอร์เบลด kaan lên ron-leu-blèt
romantique โรแมนติค ro-mein-tìk
rond(e) กลม klom
rond-point วงเวียน wong wi-ein
rose (couleur) สีชมพู sĭi chom-prou
roue ล้อ lór
rouge à lèvres ลิปสติก líp-sà-tìk
rouge สีแดง sĭi deing
rougeole โรคหัด rôk hàt
route ถนน trà-nŏn
rubéole โรคหัดเยอรมัน rok hàt yeu rá-man
rue ถนน trà-nŏn
ruelle ซอย soy
rugby รักบี้ rák-bîi
ruines ซากโบราณสถาน sâak bo-raan-ná sà-trăan
ruisseau ห้วย hôu·ay
rythme จังหวะ tyang-wà

S

sable ทราย sai
sac ถุง trŏung
sac à dos เป้ pê
sac à main กระเป๋าถือ krà-păo trĕu

sac banane กระเป๋าคาดเอว krà-păo krâat e·ow
sac de couchage ถุงนอน trŏung norn
saint(e) (chrétien) นักบุญ nák boun
Saint-Sylvestre คืนวันสิ้นปี kreun wan sîn pii
saison des pluies หน้าฝน nâa fŏn
saison หน้า/ฤดู nâa/réu-dou
salade ผักสดรวม pràk sòt rou·am
salaire เงินเดือน ngeun deu·an
sale สกปรก sòk-kà-pròk
salle d'attente ห้องพักรอ hôrng prák ror
salle de bains ห้องน้ำ hôrng náam
salle de transit ห้องพักสำหรับคนเดินทางผ่าน hôrng prák săm-ràp kron deun traang pràan
salle d'opéra โรงอุปรากร rong òup-pà-raa-korn
salon de beauté ร้านเสริมสวย ráan sĕum sŏu·ay
samedi วันเสาร์ wan săo
sampan (canoë thaï) เรือสำปั้น reu·a săm-pân
s'amuser (soi-même) เพลิดเพลิน prlêut prleun
sandale(s) รองเท้าแตะ rorng tráo tei
sang เลือด lêu·at
sans danger a ปลอดภัย plòrt prai
sans plomb ไร้สารตะกั่ว rái săan tà-kòu·a
sans ไม่มี mâi mii
sans-abri ไม่มีบ้าน mâi mii bâan
santé สุขภาพ sòu-krà-prâap
sardine ปลาซาร์ดีน plaa saa-diin
sarong (pour femme) ผ้าถุง prâa trŏung
sarong (pour homme) ผ้าขะม้า prâa krà-máa
sauce aux piments น้ำพริก nám prík
sauce de soja ซอสซีอิ๊ว sôrt sii-íou
sauce น้ำซอส nám sórt
sauce tomate ซอสมะเขือเทศ sórt má-krĕu·a trêt
saucisse ไส้กรอก sâi kròrk
saucisse de porc ไส้กรอกหมู sâi-kròrk mŏu
sauf ยกเว้น yók wén
saumon ปลาแซลมอน plaa sein-morn
saumuré(e) ของดอง krŏrng dorng
sauna ซาวน่า sao-nâa
sauté ผัด pràt
sauter กระโดด krà-dòt
savoir รู้ róu
savon สบู่ sà-bòu
science วิทยาศาสตร์ wít-trá-yaa-sàat
scientifique นักวิทยาศาสตร์ nák wít-trá-yaa-sàat
sculpture (modelée) รูปปั้น rôup pân
sculpture (tailler) รูปสลัก rôup sà-làk
se coucher (être couché) นอน norn
se faire voler โดนขโมย don krà-moy
se laver ล้าง láang
se plaindre ร้องทุกข์ rórng tróuk
se raser โกน kon
se reposer พักผ่อน trîi·eiw prák pròrn
se réveiller ตื่น tèun
seau ถัง trăng
sec/sèche a แห้ง hêing
séché(e) ตากแห้ง tàak hêing
second(e) (place) ที่สอง trîi sŏrng
seconde (temps) วินาที wí-naa-trii
secrétaire เลขา le-krăa
secteur/zone เขต krèt
s'efforcer พยายาม prá-yaa-yaam
sel de réhydratation เกลือแร่ kleu·a rêi
sel เกลือ kleu·a
selle อานม้า aan máa
semaine อาทิตย์ aa-trít
semblable คล้ายๆ krlái krlái
s'ennuyer เบื่อ bèu·a
sensé(e)/raisonnable มีเหตุผล mii hèt prŏn
sensibilité de la pellicule ความไวของฟิล์ม krwaam wai krŏrng fim
sentier ทางเดิน traang deun
sentiment ความรู้สึก krwaam róu-sèuk
séparément ต่างหาก tàang hàak
septembre เดือนกันยายน deu·an kan-yaa-yon

S

sérieux/sérieuse เอาจริงเอาจัง ao tying ao tyang
seringue เข็มฉีดยา krŏm chìit yaa
serpent งู ngoo
serrure n กุญแจ koun-tyei
serveur/serveuse พนักงานเสิร์ฟ pra-nák ngaan sèup
service de consigne (a bagage) ห้องรับฝากกระเป๋า hôrng ráp fàak krá-păo
service การบริการ kaan bor-rí-kaan
service militaire การเป็นทหาร kaan pen trá-hăan
serviette de bain ผ้าเช็ดตัว prâa chét tou·a
serviette de table ผ้าเช็ดปาก prâa chét pàak
serviette de toilette ผ้าขนหนู prâa krŏn nŏu
serviette hygiénique ผ้าอนามัย prâa à-naa mai
seul(e) เดี่ยว dìi·eiw
seul(e) เท่านั้น trâo nán
sexe (genre) เพศ prêt
sexe (rapports sexuels) การร่วมเพศ kaan rôu·am prêt
sexisme เพศนิยม prêt ní-yom
sexy เซ็กส์ซี่ sek-sii
shampooing น้ำยาสระผม náam yaa sà prŏm
short กางเกงขาสั้น kaang-keng krăa sân
si ถ้า trâa
SIDA โรคเอดส์ rôk èt
siège (place) ที่นั่ง trîi nâng
siège pour enfant ที่นั่งเฉพาะเด็ก trîi nâng chà-prór dèk
signature ลายเซ็น lai sen
simple (billet) เที่ยวเดียว trîi·eiw di·eiw
simple ง่าย ngâi
Singapour ประเทศสิงคโปร์ prà-trêt sĭng-krá-po
situation familiale สถานภาพการสมรส sà-trăan-ná-prâap kaan sŏm-rót

ski การเล่นสกี kaan lên sà-kii
ski nautique สกีน้ำ sà-kii náam
skier เล่นสกี lên sà-kii
s'occuper de ดูแล dou lei
socialiste คนถือลัทธิสังคมนิยม kron trĕu lát-trí săng-krom ní-yom
sœur (plus âgée) พี่สาว prîi săo
sœur (plus jeune) น้องสาว nórng săo
soie ผ้าไหม prâa măi
soir ตอนเย็น torn yen
soirée dansante งานเต้นรำ ngaan tên ram
soirée (fête de nuit) เที่ยวกลางคืน trîi·eiw klaang kreun
soldat ทหาร trá-hăan
solde (de compte) รายยอด (บัญชี) rai yôrt (ban-chii)
soleil พระอาทิตย์ prá aa-trít
solution pour lentilles de contact น้ำยาล้างเลนส์สัมผัส nám yaa láang len săm-pràt
sombre/obscur(e) มืด mêut
somnifère ยานอนหลับ yaa norn làp
son/sa/ses ของเขา krŏrng krăo
sortie n ทางออก traang òrk
sortir ไปข้างนอก pai krâang nôrk
sortir (avec une personne) ไปเที่ยวกับ pai trîi·eiw kàp
souhaiter v ขอให้ krŏr hâi
soupe de riz ข้าวต้ม krâo tôm
soupe น้ำซุป náam súp
sourd(e) หูหนวก hŏu nòu·ak
sourire v ยิ้ม yím
souris หนู nŏu
sous ใต้ tâi
sous-titres คำบรรยาย kram ban yai
sous-vêtements กางเกงใน kaang-keng nai
soutien gorge ยกทรง yók song
souvenir ของที่ระลึก krŏrng trîi rá-léuk
souvent บ่อย bòy
sparadrap ปลาสเตอร์ plaa-sà-teu
spécial(e) พิเศษ prí-sèt

spécialiste ผู้เชี่ยวชาญเฉพาะทาง prôu chîi·eiw chaan chá-prór traang
spectacle งานแสดง ngaan sà-deing
sport กีฬา kii-laa
sportif/sportive นักกีฬา nák kii-laa
stade สนามกีฬา sà-năam kii-laa
station de métro สถานีรถไฟฟ้า sà-trăa-nii rót fai fáa
station de taxi ที่จอดรถแท็กซี่ trîi tyòrt rót tréik-sîi
station สถานี sà-trăa-nii
station-service ปั๊มน้ำมัน pám nám-man
statue รูปหล่อ rôup lòr
stéréo/chaîne hi-fi สเตริโอ sà-te-rii·o
Stop ! หยุด yòut
string จีสตริง tyii sà-tring
studio (d'enregistrement) ห้องอัดเสียง hôrng àt sĭi·eing
stupa พระสถูป prá sà-tròup
stupide โง่ ngô
style ทรง/แบบ song/bèip
stylo (à bille) ปากกา (ลูกลื่น) pàak-kaa (lôuk lêun)
sucette ลูกอม lôuk om
sucre น้ำตาล nám taan
sucré(e) หวาน wăan
sud ทิศใต้ trít tâi
Suède ประเทศสวีเดน prà-trêt sà-wii-den
Suisse ประเทศสวิตเซอร์แลนด์ prà-trêt sà-wít-seu-lein
suivre ตาม taam
supérette ร้านขายของชำ ráan krăi krŏrng cham
supermarché ซูเปอร์มาร์เก็ต sou-peu-maa-kèt
superstition ความเชื่อเรื่องผีเรื่องสาง krwaam chêu·a rêu·ang prĭi rêu·ang sâang
supporter (sport) แฟน fein
sur บน bon
sûr(e) (certain) แน่นอน nêi norn
surf การเล่นโต้คลื่น kaan lên tô krlêun
surfer เล่นโต้คลื่น lên tô krlêun
surnom ชื่อเล่น chêu lên
surprise ความประหลาดใจ krwaam prà-làat tyai
synagogue สุเหร่ายิว sòu-rào yi·ou
syndrome prémenstruel ความเครียดก่อนเป็นระดู krwaam krîi·eit kòrn pen rá-dou
synthétique สังเคราะห์ săng-krór
système des classes ระบบแบ่งชั้น rá-bòp bèing chán

T

tabac ยาเส้น yaa sên
table โต๊ะ tó
tableau ภาพจิตรกรรม prâap tyit-tra-kam
tableau d'affichage กระดานบอกคะแนน krà-daan bòrk krá-nein
taie d'oreiller ปลอกหมอน plòrk mŏrn
taille (général) ขนาด krà-nàat
talc pour bébé แป้งทารก pêing traa-rók
tambour กลอง klorng
tampon (hygiénique) แทมพอน treim-prorn
tante (grande sœur des parents) ป้า pâa
tante (petite sœur des parents/petit frère du père) อา aa
tapis/natte เสื่อ sèu·a
tardif/en retard ช้า cháa
tarif ค่าโดยสาร krâa doy săan
tarifs d'entrée ค่าผ่านประตู krâa pràan prà-tou
tarifs postaux ค่าส่ง krâa sòng
tasse ถ้วย trôu·ay
taux de change อัตราการแลกเปลี่ยน àt-traa kaan lêik plìi·an
taxe ภาษี praa-sĭi
taxe à la vente ภาษีมูลค่าเพิ่ม praa-sĭi moun krâa prêum

taxe aéroport ภาษีสนามบิน praa-sĭi sà-năam bin
taxi รถแท็กซี่ rót tréik-sìi
technique เทคนิค trék-ník
technologies d'information เทคโนโลยีสารสนเทศ trék-no-lo-yii săan sŏn-trêt
télécommande รีโมท rii-môt
télégramme โทรเลข to-rá-lêk
téléphone n โทรศัพท์ tro-rá-sàp
téléphone portable โทรศัพท์มือถือ tro-rá-sàp meu trĕu
téléphone public โทรศัพท์สาธารณะ tro-rá-sàp săa-traa-rá-ná
téléphoner v โทร tro
télescope กล้องส่องทางไกล klôrng sòrng traang klai
télévision (TV) โทรทัศน์ tro-rá-trát
température (fièvre) ไข้ krâi
température (temps) อุณหภูมิ oun-hà-proum
temple วัด wát
temps เวลา we-laa
temps partiel ไม่เต็มเวลา mâi tem we-laa
temps อากาศ aa-kàat
tennis เทนนิส tren-nít
tente เต็นท์ tén
terrain de camping ที่ปักเต็นท์ trîi pàk tén
terrain de golf สนามกอล์ฟ sà-năam kórp
Terre โลก lôk
test de grossesse ชุดตรวจการตั้งท้อง chóut tròu·at kaan tâng trórng
test/examen การสอบ kaan sòrp
tête หัว hŏu·a
tétine (sucette) หัวนมเทียม hŏu·a nom tri·eim
tétraplégique คนอัมพาต kron am-má-prâat
Thaï ไทย trai
Thaïlande ประเทศไทย prà-trêt trai
thé (feuilles) ใบชา bai chaa
thé น้ำชา náam chaa
théâtre ละคร lá-krorn
théâtre (salle) โรงละคร rong lá-krorn
thermomètre ปรอท pà-ròrt
thon ปลาทูน่า plaa trou-nâa
timbre แสตมป์ sà-taem
timide อาย ai
tirer ดึง deung
tirer (faire feu) ยิง ying
tissu เนื้อผ้า néu·a prâa
tissus (étoffe) ผ้า prâa
tofu เต้าหู้ tâo-hôu
toilettes ส้วม sôu·am
toilettes publiques สุขาสาธารณะ sòu-krăa săa-traa-rá-ná
toit หลังคา lăng-kraa
tomate มะเขือเทศ má-krĕu·a trêt
tombe ที่ฝังศพ trîi făng sòp
tomber ล้ม lóm
tomber en panne เสีย sĭ·a
tonalité สัญญาณโทรศัพท์ săn-yaan tro-rá-sàp
tonnerre เสียงฟ้าร้อง sĭi·eing fáa rórng
tôt เช้า cháo
toucher/tripoter คลำ krlam
toucher แตะ tèi
toujours ตลอด tà-lòrt
tour หอสูง hŏr sŏung
touriste นักท่องเที่ยว nák trôrng trîi·eiw
tourner เลี้ยว lée·ow
tourte ขนมพาย krà-nŏm prai
tous les deux ทั้งสอง tráng sŏrng
tousser ไอ ai
tout le monde ทุกคน tróuk kron
tout ทุกสิ่ง tróuk sìng
tout près ใกล้เคียง klâi krii·ing
tout(e)/tous/toutes ทั้งหมด tráng mòt
toxicomanie การติดยา kaan tìt yaa
traduire แปล plei
trafic de drogue การค้ายาเสพติด kaan kráa yaa sèp tìt
trafiquant de drogue ผู้ค้ายาเสพติด prôu kráa yaa sèp tìt
train รถไฟ rót fai
tranche ชิ้น chín

T

DICTIONNAIRE

transport n การขนส่ง kaan krŏn sòng
transsexuel(le) กะเทย kà-treu·y
travail dans un bar งานในบาร์ ngaan nai baa
travail งาน ngaan
travail temporaire งานชั่วคราว ngaan chôu·a krao
travailler v ทำงาน tram ngaan
travailleur indépendant ทำธุรกิจส่วนตัว tram tróu-rá-kìt sòu·an tou·a
travesti กะเทย kà-treu·y
tremblement de terre แผ่นดินไหว prèin din wăi
très มาก mâak
Triangle d'or สามเหลี่ยมทองคำ săam lìi·eim trorng kram
tribunal ศาล săan
tricher คนขี้โกง kron krîi kong
tricycle (samlor) รถสามล้อ rót săam lór
tricyle motorisé (tuk-tuk) รถตุ๊กๆ rót tóuk tóuk
triste เศร้า sâo
troisième ที่สาม trîi săam
trop (cher, chère, etc) (แพง) เกินไป (preing) keun pai
trousse à pharmacie ชุดปฐมพยาบาล chóut pà-trŏm prá-yaa-baan
trouver หาเจอ hăa tyeu
T-shirt เสื้อยืด sêu·a yêut
tu inf เธอ treu
tuer v ฆ่า krâa
tumeur เนื้องอก néu·a ngôrk
type ชนิด chá-nít
typique เป็นแบบอย่าง pen bèip yàang

U

ultrason อุลตราซาวน์ oun-traa-sao
un(e) หนึ่ง nèung
une fois ครั้งเดียว kráng di·eiw
uniforme เครื่องแบบ krêu·ang bèip
univers มหาจักรวาล má-hăa-tyàk-kà-waan
université มหาวิทยาลัย má-hăa-wít-trá-yaa-lai
urgent(e) ด่วน dòu·an
usine โรงงาน rong ngaan
utile มีประโยชน์ mii prà-yòt

V

vacances การพักร้อน kaan prák rórn
vaccination ฉีดวัคซีน chìit wák-siin
vache วัว wou·a
vagin ช่องคลอด chôrng krlôrt
vague n คลื่น krlêun
valeur (prix) ราคา raa-kraa
valise กระเป๋าเดินทาง krà·păo deun traang
vallée หุบเขา hòup krăo
varan ตะกวด tà-kòu·at
varappe/escalade การปีนหน้าผา kaan piin nâa prăa
varicelle อีสุกอีใส ii-sùk-ii-săi
veau (viande) เนื้อลูกวัว néu·a lôuk wou·a
végétarien(ne) คนกินเจ kron kin tye
véhicule climatisé รถปรับอากาศ rót pràp aa-kàat
veiller (s'occuper de) ดูแล dou lei
veine เส้นเลือด sên lêu·at
vélo de course จักรยานแข่ง tyàk-kà-yaan krèing
vélo tout terrain (VTT) จักรยานภูเขา tyàk-kà-yaan prou krăo
vélomoteur รถมอเตอร์ไซค์ rót mor teu-sai
échoppe de nouilles ร้านก๋วยเตี๋ยว ráan kŏu·ay tĭi·ow
vendeur de poisson คนขายปลา kron krăi plaa
vendre ขาย krăi
vendredi วันศุกร์ wan sòuk
venimeux/venimeuse มีพิษ mii prít
venir มา maa
vent ลม lom
ventilateur พัดลม prát lom

verre แก้ว kêi·ow
vers (dans l'intestin) พยาธิ prá-yâat
vert(e) สีเขียว sĭi krĭi·eiw
vessie กระเพาะปัสสาวะ krà-prór pàt-săa-wá
veste เสื้อคลุม sêu·a kroum
vestiaire ห้องเก็บเสื้อ hôrng kèp sêu·a
vêtement เสื้อผ้า sêu·a prâa
viande เนื้อ néu·a
vide ว่าง wâang
vie ชีวิต chii-wít
vieux/vieille (chose) เก่า kào
vieux/vieille (personne) แก่ kèi
vignoble ไร่องุ่น râi à-ngòun
VIH (virus immunodéficience humaine) ไวรัสเอ็ชไอวี wai-rát èt ai wii
village หมู่บ้าน mòu bâan
villageois(e) ชาวบ้าน chao bâan
ville เมือง meu·ang
vin เหล้าไวน์ lâo wai
vin mousseux เหล้าองุ่นสปาร์คลิ่ง lâo à-ngòun sà-paa-krlîng
vinaigre น้ำส้ม nám sôm
viol n การข่มขืน kaan kròm krĕun
violer v ข่มขืน kròm krĕun
violet(te)/pourpre สีม่วง sĭi môu·ang
virus ไวรัส wai-rát
visa วีซ่า wii-sâa
visage ใบหน้า bai nâa
visite guidée ทัวร์ trou·a
vitamine วิตามิน wí-taa-min
vitesse ความเร็ว krwaam re·ow
vodka เหล้าวอดก้า lâo wôrt-kâa
voie de terre ไปรษณีย์ทางธรรมดา prai-sà-nii traang tram-má-daa
voie pour vélo ทางจักรยาน traang tyàk-krà-yaan
voir เห็น hĕn
voiture รถยนต์ rót yon
voix เสียง sĭi·eing
vol (avion) เที่ยวบิน trîi·eiw bin
voler บิน bin
volé(e) (victime de vol) โดนขโมย don krà-moy
voler/dérober ขโมย krà-moy
voleur à la tire n ขโมยล้วงกระเป๋า krà-moy lóu·ang krà-păo
voleur/voleuse ขโมย krà-moy
volley-ball (sport) วอลเลย์บอล worn-le-born
volume (contenance) ปริมาตร pà-rí-mâat
volume (son) ความดัง krwaam dang
vomir อ้วก ôu·ak
voter ลงคะแนนเสียง long krá-nein sĭi·eing
votre/vos ของคุณ krŏrng kroun
vouloir อยาก yàak
vous pl pol คุณ kroun
voyage d'affaires เดินทางธุรกิจ deun traang tróu-rá-kìt
voyage การเดินทาง kaan deun traang
voyage/sortie เที่ยว trîi·eiw
voyager v เดินทาง deun traang
vue n ทิวทัศน์ trí·ou trát
vue panoramique ที่ชมทิวทัศน์ trîi chom trí-ou-trát

W

wagon-lit ตู้นอน tôu norn
wagon-restaurant ตู้รับประทานอาหาร tôu ráp prà-traan aa-hăan
week-end วันเสาร์อาทิตย์ wan săo aa-trít
whisky เหล้าวิสกี้ lâo wít-sà-kîi
wok กระทะ krà-trá

Y

yaourt โยเกิร์ต yo-kèut
yeux ตา taa
yoga โยคะ yo-kré

Z

zodiaque สิบสองราศี sìp-sŏrng raa-sĭi
zoo สวนสัตว์ sŏu·an sàt

Si vous avez des difficultés pour comprendre le thaï, ou si un locuteur thaï veut communiquer avec vous en français, faites-lui lire le texte ci-dessous. Vous aurez alors la bonne prononciation des mots en thaï ainsi que leur traduction en français.

ใช้พจนานุกรมไทย–ฝรั่งเศสนี้เพื่อช่วยชาวต่างชาติเข้าใจสิ่งที่คุณอยากจะพูด ค้นหาศัพท์จากรายการศัพท์ภาษาไทยแล้วชี้ให้เห็นศัพท์ภาษาฝรั่งเศสที่ตรงกับศัพท์นั้น

ก

กงสุล kong-sŏun **consul**
กรรไกร kan-krai **ciseaux**
กระจก krà-tyòk **miroir**
กระดาษ krà-dàat **papier**
กระดาษทิชชู่ krà-dàat trít-chôu **mouchoir**
กระดาษห้องน้ำ krà-dàat hôrng náam **papier-toilette**
กระดุม krà-doum **bouton**
กระป๋อง krà-pŏrng **boîte (de conserve)**
กระเป๋า krà-păo **bagage**
กระเป๋าเงิน krà-păo ngeun **porte-monnaie**
กระเป๋าเดินทาง krà-păo deun traang **valise**
กระโปรง krà-prong **robe • jupe**
กระแสไฟฟ้า krà-sĕi fai fáa **courant (électricité)**
กรัม kram **gramme**
กรุงเทพฯ kroung trêp **Bangkok**
กล้องถ่ายรูป klôrng trài rôup **appareil photo**
กล้องถ่ายวีดีโอ klôrng trài wii-dii-o **magnétoscope**
กลับ klàp **revenir**
กลิ่น klìn **odeur**
กลุ่มเลือด glum lêu·at **groupe sanguin**
กษัตริย์ kà-sàt **roi**
ก๊อกน้ำ kórk náam **robinet**
กับแกล้ม kàp klêim **amuse-bouche**
กางเกง kaang-keng **pantalon**
กางเกงขาสั้น kaang-keng krăa sân **short**
กางเกงใน kaang keng nai **sous-vêtements**
กางเกงยีน kaang keng yiin **jean**
ก๊าซ káat **gaz (pour cuisine)**
กาแฟ kaa-fei **café**
การกฎหมาย kaan kòt-măi **droit (étude, professsion)**
การจอง kaan tyorng **réservation**
การจ่าย kaan tyài **paiement**
การเลื่อนเวลา kaan lêu·an we-laa **retardement**
การเช่ารถ kaan châo rót **location de voiture**
การดูแลเด็ก kaan dou lei dèk **garderie**
การต่อ kaan tòr **correspondance (transport)**
การตัดผม kaan tàt prŏm **coupe de cheveux**
การเต้นรำ kaan tên ram **danse**
การถ่ายรูป kaan trài rôup **photographie**
การทำความสะอาด kaan tram krwaam sà-àat **nettoyage**
การนัด kaan nát **rendez-vous**
การบริการ kaan bor-rí-kaan **service**
การประกัน kaan prà-kan **assurance**
การประชุมkaan prà-choum **conférence**
การปรับร่างกายกับเวลาที่แตกต่าง kaan pràp râang kai kàp we-laa trîi tèik tàang **décalage horaire**

การพักร้อน kaan prák rórn **vacances**
การแพ้ kaan préi **allergie**
การแพทย์ kaan prêit **médecine (étude, profession)**
การร่วมเพศ kaan rôu·am prêt **sexe (rapports sexuels)**
การเล่นสกี kaan lên sà-kii **ski**
การแลกเงิน kaan lêik ngeun **change (argent)**
การสัมภาษณ์ kaan săm-prâat **entrevue**
การแสดงดนตรี kaan sà-deing don-trii **concert**
การต่อยมวย kaan tòy mou·ay **boxe**
กำหนดความเร็ว kam-nòt krwaam re·ow **limitation de vitesse**
กิน kin **manger** inf
กิโลกรัม ki-lo-kram **kilogramme**
กิโลเมตร kì-lo-mêt **kilomètre**
เกม kem **match (sport)**
เกย์ ke **gay/homosexuel**
เก่า kào **vieux/vieille (chose)**
เก้าอี้ kâo-îi **chaise**
เกาะ kòr **île**
เกินไป keun pai **trop (cher, chère, etc)**
แก่ kèi **foncé(e) (couleur)**
แก่ kèi **vieux/vieille (personne)**
แก้ว kêi·ow **verre (boisson)**
โกน kon **raser**
ใกล้ klâi **proche • près de**
ใกล้เคียง klâi kri·eing **tout près**
ใกล้ที่สุด klâi trîi-sòut **le/la plus proche**
ไก่ kài **poulet**
ไกด์ kai **guide (personne)**

ข

ขนแกะ krŏn kèi **laine**
ขนมปัง krà-nŏm pang **pain**
ขนมปังปิ้ง krà-nŏm pang pîng **pain grillé**
ขนาด krà-nàat **taille (général)**
ขม krŏm **amer**
ขยะ krà-yà **ordures**
ขวด kròu·at **bouteille**
ขวา krwăa **à droite (direction)**
ข้อความฝาก krôr krwaam fàak **message**
ของขวัญ krŏrng krwăn **cadeau**
ของเขา krŏrng krăo **son/sa/ses**
ของดิฉัน krŏrng dì-chăn **mon/ma/mes (pour une femme)**
ของท้องถิ่น krŏrng trórng trìn **local**
ของที่ระลึก krŏrng trîi rá léuk **souvenir**
ของผม krŏrng prŏm **mon/ma/mes (pour un homme)**
ของเรา krŏrng rao **notre**
ของหวาน krŏrng wăan **dessert**
ข้อต่อ krôr tòr **articulation**
ข้อเท้า krôr tráo **cheville**
ขอบคุณ kròrp kroun **merci**
ข้อมูล krôr moun **renseignements**
ขอแสดงความยินดี krŏr sà-deing krwaam yin dii **félicitations**
ขับ kràp **conduire**
ขา krăh **jambe**
ขากรรไกร krăa kan-krai **mâchoire**
ขาเข้า krăa krâo **arrivées**
ข้างนอก krâang nôrk **dehors**
ข้างใน krâang nai **dedans**
ข้างหลัง krâang lăng **derrière**
ข้างๆ krâang krâang **à côté de**
ข่าว krào **les nouvelles**
ขาวดำ krăo dam **noir et blanc (film)**
ขาออก krăh òrk **départs**
ขึ้น krêun **monter à bord de (avion, bateau, etc)**
ขึ้น krêun **monter/augmenter**
เข็ม krĕm **aiguille (couture)**
เข็มขัดนิรภัย krĕm kràt ní-rá-pai **ceinture de sécurité**
เข็มฉีด krĕm chìit **aiguille (seringue)**
เขา krăo **il/elle/ils/elles**
แข็ง krĕing **dur(e) (pas mou)**
แขน krĕin **bras**
ไข้ krâi **fièvre**
ไข้หวัด krâi wàt **grippe**

คนกินเงินบำนาญ kron kin ngeun bam-naan **retraité(e)**
คนกินเจ kron kin tye **végétarien(ne)**
คนขายผัก kron krăi pràk **marchand de légumes**
คนครัว kron krou·a **cuisinier/cuisinière**
คนต่างชาติ kron tàang châat **étranger/étrangère**

คนรักร่วมเพศ kron rák rôu·am prêt **homosexuel(le)**
ครอบครัว krôrp krou·a **famille**
คริสต์มาส krít-mâat **Noël**
ครีมกันแดด kriim kan dèit **crème solaire**
ครีมโกนหนวด kriim kon nòu·at **mousse à raser**
ครีมทาหลังโกนหนวด kriim traa lăng kon nòu·at **après-rasage**
ครีมอาบแดด kriim àap dèit **crème de bronzage**
คลื่นไส้ krlêun sâi **nausée**
ควัน krwan **fumée**
ความเคล็ด krwaam krlét **entorse**
ความต่างของเวลา krwaam tàang krŏrng we-laa **décalage horaire**
ความปวด krwaam pòu·at **douleur**
ความร้อน krwaam rórn **chaleur**
ความรัก krwaam rák **amour**
ความไวของฟิล์ม krwaam wai krŏrng fim **sensibilité de la pellicule**
ค็อกเทล krórk-ten **cocktail**
คอมพิวเตอร์ krorm-priw-teu **ordinateur**
คอมพิวเตอร์แล็ปท็อป krorm-priw-teu léip-tórp **ordinateur portable**
คอหอย kror hŏy **gorge**
คัน kran **démangeaison**
ค่าเข้า krâa krâo **prix d'entrée**
ค่าธรรมเนียม krâa tram-nii·am **commission**
ค่าบริการ krâa bor-rí-kaan **charges de service**
ค่าปรับ krâa pràp **amende/contravention**
ค่าผ่านประตู krâa pràan prà-tou **droits d'entrée**
ค่ายพักแรม krâi prák reim **camping**
คำตลก kram tà-lòk **plaisanterie**
คำบรรยาย kram ban-yai **sous-titres**
คำร้องทุกข์ kram rórng tróuk **plainte**
คืน kreun **nuit**
คืนนี้ kreun níi **cette nuit**
คืนวันสิ้นปี kreun wan sîn pii **Saint-Sylvestre**
คุก króuk **prison**
คุณ kroun **vous pl pol**
คู่มือนำเที่ยว krôu meu nam trîi·eiw **guide (livre)**
คู่มือสนทนา krôu meu sŏn-trá-naa **guide de conversation**
เครดิต kre-dìt **crédit**
เครือข่าย kreu·a krài **réseau**
เครื่องเก็บเงิน krêu·ang kèp ngeun **caisse enregistreuse**
เครื่องคิดเลข krêu·ang krít lêk **calculatrice**
เครื่องซักผ้า krêu·ang sák prâa **machine à laver**
เครื่องดื่ม krêu·ang dèum **boisson**
เครื่องนอน krêu·ang norn **literie**
เครื่องบริการตั๋ว krêu·ang bor-rí-kaan tŏu·a **distributeur de tickets**
เครื่องบิน krêu·ang bin **avion**
เครื่องปิ้งขนมปัง krêu·ang pîng krà-nŏm pang **grille-pain**
เครื่องเปิดกระป๋อง krêu·ang pèut krà-pŏrng **ouvre-boîte**
เครื่องเปิดขวด krêu·ang pèut kròu·at **ouvre-bouteilles**
เครื่องพิมพ์ krêu·ang prim **imprimante (ordinateur)**
เครื่องเพชรพลอย krêu·ang prét prloy **bijoux**
เครื่องสำอาง krêu·ang săm-aang **maquillage**
เครื่องหัตถกรรม krêu·ang hàt-trà-kam **objets artisanaux**
แคชเชียร์ krei-chii·a **caissier/caissière**
ใคร krai **qui**

ง

งบประมาณ ngóp prà-maan **budget**
งาน ngaan **fête**
งาน ngaan **travail**
งานเต้นรำ ngaan tên ram **soirée dansante**
งานเลี้ยง ngaan líi·eing **soirée/fête**
งานแสดง ngaan sà-deing **spectacle**
เงิน ngeun **argent (monnaie)**
เงิน ngeun **argent (métal)**
เงินคืน ngeun kreun **remboursement**
เงินทิป ngeun tríp **pourboire**
เงินปลีก ngeun plìik **monnaie (pièces)**
เงินมัดจำ ngeun mát tyam **dépôt (argent)**
เงินสด ngeun sòt **cash**
เงียบ ngîi·ap **calme/tranquille**

จ

จดหมาย tyòt-măi **lettre**
จนถึง tyon trĕung **Jusqu'à (vendredi, etc)**
จมูก tyà-mòuk **nez**
จอง tyorng **résever (faire une réservation)**
จอด tyòrt **garer (une voiture)**
จาน tyaan **un plat**
จาน tyaan **assiette**
จิตรกร tyit-tra-korn **peintre**
จิตรกรรม tyit-tra-kam **peinture (l'art)**
จีสตริง tyii sà-tring **string**
จุก tyòuk **bonde/bouchon (évier, etc.)**
จุดหมายปลายทาง tyòut măi plai traang **destination**
จูบ tyòup **embrasser**
เจ็บ tyèp **douloureux/douloureuse**
เจ็บท้อง tyèp trórng **avoir mal au ventre**
ใจกลางเมือง tyai klaang meu·ang **centre-ville**

ฉ

ฉะนั้น chà-nán **donc**
ฉีดวัคซีน chìit wák-siin **vaccination**

ช

ชนบท chon-ná-bot **campagne**
ช่วยด้วย chôu·ay dôu·ay **À l'aide !**
ช็อกโกแลต chórk-ko-lét **chocolat**
ช่องขายตั๋ว chôrng krăi tŏu·a **guichet**
ช้อน chórn **cuillère**
ช้อนชา chórn chaa **petite cuillère**
ช้อนส้อม chórn sôrm **couverts**
ชอบ chôrp **aimer/apprécier**
ชั้นธุรกิจ chán tróu-rá-kìt **classe affaires**
ชั้นสอง chán sŏrng **classe de seconde**
ชั่วโมง chôu·a mong **heure**
ช้า cháa **tardif/en retard**
ช่างตัดผม châang tàt prŏm **coiffeur/coiffeuse**
ช่างตัดเสื้อ châang tàt sêu·a **couturier/couturière**
ช่างถ่ายรูป châang trài rôup **photographe**
ชานชาลา chaan chaa-laa **quai**
ชาม chaam **bol**
ชายแดน chai dein **frontière**
ชายหาด chai hàat **plage**
ชาวยิว chao yi·ou **juif/juive**
ชาวไร่ชาวนา chao râi chao naa **fermier/agriculteur**
ชิ้น chín **morceau**
ชี้ chíi **pointer/indiquer**
ชื่อ chêu **nom**
ชุดว่ายน้ำ chóut wâi náam **maillot de bain**
เช็ค chék **chèque • vérifier**
เช็คเดินทาง chék deun traang **chèque de voyage**
เช็คอิน chék in **enregistrement (comptoir)**
เช่า châo **louer**
เชือกขัดฟัน cheu·ak krat fan **fil dentaire**
ใช่ châi **oui**
ใช้ร่วมกัน chái rôu·am kan **partager (un dortoir, etc)**

ซ

ซ่อม sôrm **réparer**
ซัก sák **laver (vêtements)**
ซากโบราณสถาน sâak bo-raan-ná sà-trăan **ruines**
ซ้าย sái **à gauche (direction)**
ซิป síp **fermeture éclair**
ซีดี sii-dii **CD**
ซื้อ séu **acheter**
ซื้อของ séu kŏrng **faire des courses**
ซูเปอร์มาร์เก็ต sou-peu-maa-kèt **supermarché**
เซ็นติเมตร sen-ti-mét **centimètre**

ด

ดนตรี don-trii **musique**
ดนตรีร็อค don-trii rórk **rock (musique)**
ด่วน dòu·an **urgent(e)/express**
ด้วยกัน dôu·ay kan **ensemble**
ดอกไม้ dòrk mái **fleur**
ดอลลาร์ dorn-laa **dollar**
ดัง dang **fort (sonore)**
ดินสอ din-sŏr **crayon**
ดี dii **bien/bon/bonne**
ดีกว่า dii kwàa **mieux/meilleur(e) que**

ดีที่สุด dii trîi sòut **le/la meilleur(e)**
ดื่ม dèum **boire**
ดื่มน้ำผึ้งพระจันทร์ dèum náam prêung prá tyan **lune de miel**
เด็ก dèk **enfant**
เด็กชาย dèk chai **garçon**
เด็กๆ dèk dèk **enfants**
เดิน deun **marcher**
เดินทางธุรกิจ deun tahng tú-rá-gìt **voyage d'affaires**
เดินป่า deun pàa **faire de la randonnée**
เดี่ยว dìi·eiw **seul(e)**
เดี๋ยวนี้ dĭ·eiw níi **maintenant**
เดือน deu·an **mois**
ได้ยิน dâi yin **entendre**
โดนขโมย don krà-moy **volé(e) (victime de vol)**

ตรงเวลา trong we-laa **à l'heure**
ตรวจคนเข้าเมือง tròu·at kron krâo meu·ang **immigration**
ตลาด tà-làat **marché**
ตลาดนัด tà-làat nát **marché à ciel ouvert**
ตลาดน้ำ tà-làat náam **marché flottant**
ต่อ tòr **par (jour)**
ตอนเช้า torn cháo **matin**
ตอนบ่าย torn bài **après-midi**
ตะวันขึ้น tà-wan krêun **lever du soleil**
ตะวันตก tà-wan tòk **coucher du soleil**
ตั้งครรภ์ tâng kran **enceinte**
ตัด tàt **couper**
ตัน tan **bloqué(e)/bouché(e)**
ตั๋ว tŏu·a **billet**
ตา taa **grand-père (maternel)**
ต่างกัน tàang kan **différent(e)**
ต่างจาก tàang tyàak **différent(e) de**
ต่างชาติ tàang châat **étranger/étrangère**
ต่างประเทศ tàang prà-trêt **(à l')étranger**
ตารางเวลา taa-raang we-laa **horaire**
ตำรวจ tam-ròu·at **police**
ตึก tèuk **bâtiment/immeuble**
ตื่น tèun **se réveiller**
ตู้เซฟ tôu sép **coffre-fort**
ตู้โทรศัพท์ tôu tro-rá-sàp **cabine téléphonique**
ตู้นอน tôu norn **wagon-lit**
ตู้ไปรษณีย์ tôu prai-sà-nii **boîte aux lettres**
ตู้ฝากกระเป๋า tôu fàak krà-păo **consigne automatique**
ตู้ไมโครเวฟ tôu mai-kro-wép **four à micro-ondes**
ตู้เย็น tôu yen **réfrigérateur**
ตู้รับประทานอาหาร tôu ráp prà-traan aa-hăan **wagon-restaurant**
ตู้เอทีเอ็ม tôu e trii em **distributeur automatique de billets (DAB)**
เต้นรำ tên ram **danser**
เต้าหู้ tâo-hôu **tofu**
เตี้ย tîi·a **petit(e) (en taille)**
เตียง tii·eing **lit**
เตียงคู่ tii·eing krôu **lits jumeaux**
แต่งงานแล้ว tèing ngaan léi·ow **marié(e)**
ใต้ tâi **dessous**

ถ

ถนน trà-nŏn **route**
ถนน trà-nŏn **rue**
ถ้วย trôu·ay **tasse**
ถังแก๊ซ tăng kéit **cartouche de gaz**
ถังขยะ trăng krà-yà **poubelle**
ถ้า trâa **si**
ถ่านไฟฉาย tràan fai chăi **pile (lampe de poche)**
ถ่ายรูป trài rôup **prendre en photo**
ถึง trĕung **à/jusqu'à**

ถุง trŏung **sac**
ถุงน่อง trŏung nôrng **collant**
ถุงน่อง trŏung nôrng **des bas**
ถุงนอน trŏung norn **sac de couchage**
ถุงยางอนามัย trŏung yaang à-naa-mai **préservatif**
ถูก tròuk **pas cher/bon marché**
แถม trĕim **gratuit(e)**

ท

ทองคำ trorng kram **or**
ท้อง trórng **estomac**
ท้องผูก trórng pròuk **constipation**

ท้องเสีย trórng sì·a **diarrhée**
ทนายความ trá-nai krwaam **avocat(e)**
ทะเบียนรถ trá-bi·ein rót **immatriculation**
ทะเล trá-le **mer**
ทะเลสาบ trá-le sàap **lac**
ทั้งสอง tráng sŏrng **tous les deux**
ทั้งหมด tráng mòt **tout(e)/tous/toutes**
ทันสมัย tran sà-măi **moderne**
ทัวร์ trou·a **excursion/voyage - visite guidée**
ทาง traang **chemin**
ทางด่วน traang dòu·an **autoroute**
ทางเดิน traang deun **allée (dans l'avion)**
ทางตรง traang trong **direct(e)**
ทางหลวง traang lŏu·ang **grande route**
ทาน traan **manger (poli)**
ทารก traa-rók **bébé**
ทำด้วยมือ tram dôu·ay meu **fait(e) à la main**
ทำไม tram mai **pourquoi**
ทำสะอาด tam sà-àat **nettoyer**
ทำให้เจ็บ tram hâi tyèp **blessé(e) (blesser une personne)**
ทำให้ถูกต้อง tram hâi tròuk tôrng **valider**
ทำอาหาร tram aa-hăan **cuisiner**
ทิวทัศน์ tri·ou trát **vue**
ทิศตะวันตก trít tà-wan tòk **ouest/Occident**
ทิศใต้ trít tâi **sud**
ทิศทาง trít traang **direction**
ทิศเหนือ trít nĕu·a **nord**
ที่ trîi **à**
ที่ขายขนมปัง trîi krăi krà-nŏm pang **boulangerie**
ที่เขี่ยบุหรี่ trîi krìi·a bòu-rìi **cendrier**
ที่จอดรถแท็กซี่ trîi tyòrt rót trélk-sîi **station de taxi**
ที่แจ้งของหาย trîi tyêing krŏrng hăi **bureau des objets trouvés**
ที่ซักผ้า trîi sák prâa **blanchisserie**
ที่ทำการไปรษณีย์ trîi tram kaan prai-sà-nii **bureau de poste**
ที่นอนในตู้นอน trîi norn nai tôu norn **couchette de wagon lit**
ที่นั่ง trîi nâng **siège (place)**
ที่นั่งเฉพาะเด็ก trîi nâng chà-pró dèk **siège pour enfant**
ที่นั่น trîi nán **là**
ที่นี่ trîi nîi **ici**
ที่ฝากเลี้ยงเด็ก trîi fàak líi·eing dèk **crèche**
ที่พัก trîi prák **hébergement**
ที่รับกระเป๋า trîi ráp krà-păo **retrait des bagages**
ทีแล้ว trii léi·ow **dernier/dernière (précédent)**
ทีหลัง trii lăng **plus tard**
ที่ไหน trîi năi **où**
ที่อยู่ trîi yòu **adresse**
เทคโนโลยีสารสนเทศ trék-no-lo-yii săan sŏn-trêt **informatique**
เทนนิส tren-nít **tennis**
เทปวีดีโอ trép wii-dii o **bande vidéo**
เท้า tráo **pied**
เที่ยงคืน trîi·eing kreun **minuit**
เที่ยงวัน trîi·eing wan **midi**
เที่ยวกลางคืน trîi·eiw klaang kreun **soirée**
เที่ยวเดียว trîi·eiw di·eiw **simple (billet)**
เที่ยวบิน trîi·eiw bin **vol (avion)**
เที่ยวพักผ่อน trîi·eiw prák pòrn **vacances**
แทมพอน treim-prorn **tampon (hygiénique)**
โทร tro **téléphoner**
โทรเก็บปลายทาง tro kèp plai traang **appel en PCV**
โทรทัศน์ tro-rá-trát **télévision**
โทรทัศน์ tro-rá-trat **TV**
โทรทางตรง tro traang trong **composition directe**
โทรเลข tro-rá-lêk **télégramme**
โทรศัพท์ tro-rá-sàp **téléphone**
โทรศัพท์มือถือ tro-rá-sàp meu trĕu **téléphone portable**
โทรศัพท์สาธารณะ tro-rá-sàp săa-traa-rá-ná **téléphone public**

ธ

ธนบัตร trá-ná-bàt **billet de banque**
ธนาคาร trá-naa-kraan **banque**
ธุรกิจ tróu-rá-kìt **affaires**
เธอ treu **tu** *inf*

น

นวด nôu·at **masser**
น้องชาย nórng chai **petit frère**
นอน norn **dormir**

นักวิทยาศาสตร์ nák wít-trá-yaa-sàat **scientifique**
นักศึกษา nák sèuk-săa **étudiant(e)**
นักแสดง nák sà-deing **acteur/actrice**
(อัน) นั้น (an) nán **(celui-)là**
(อัน) นี้ (an) níi **(celui-)ci**
น้ำ náam **eau**
น้ำแข็ง náam krĕing **glace**
นาง naang **Madame**
นางพยาบาล naang prá-yaa-baan **infirmière**
นางสาว naang săo **Mademoiselle**
นาที naa-trii **minute**
น่าเบื่อ nâa bèu·a **ennuyeux/ennuyeuse**
นามสกุล naam sà-koun **nom de famille**
นาย nai **Monsieur**
นาฬิกา naa-lí-kaa **montre**
นาฬิกาปลุก naa-lí-kaa plòuk **réveil**
น้ำซุป náam sóup **soupe**
น้ำนม náam nom **lait**
น้ำผลไม้ náam prŏn-lá-mái **jus de fruits**
น้ำมัน nám man **huile**
น้ำมันเครื่อง nám man krêu·ang **huile (moteur)**
น้ำมันเบนซิน nám-man ben-sin **essence**
น้ำมันหล่อลื่น nám man lòr lêun **lubrifiant**
น้ำแร่ náam rêi **eau minérale**
น้ำหอม náam hŏrm **parfum**
นิ้วเท้า níw tráo **orteil**
เนยแข็ง neu·y krĕing **fromage**
เนื้อ néu·a **viande**
แนะนำ náa-nam **recommander**
ใน nai **dans**
ในหลวง nai lŏu·ang **le Roi**

บ

บน bon **sur**
บริษัท bor-rí-sàt **compagnie/entreprise**
บริษัทท่องเที่ยว bor-rí-sàt trôrng trîi·eiw **agence de voyages**
บอบบาง bòrp baang **fragile**
บัญชี ban-chii **compte**
บัญชีธนาคาร ban-chii trá-naa-kraan **compte bancaire**
บัตรขึ้นเครื่องบิน bàt krêun krêu·ang bin **carte d'embarquement**
บัตรเครดิต bàt kre-dìt **carte de crédit**
บัตรโทรศัพท์ bàt tro-rá-sàp **carte téléphonique**
บันได ban-dai **escalier**
บันทึกรายวัน ban-tréuk rai wan **agenda**
บ้าน bâan **à la maison • maison**
บ้านพัก bâan prák **pension (de famille)/ maison de repos**
บ้านเยาวชน bâan yao-wá-chon **auberge de jeunesse**
บาร์ baa **bar**
บิลล์ bin **addition (restaurant, etc)**
บุรุษพยาบาล bòu-ròut prá-yaa-baan **infirmier**
บุหรี่ bòu-rìi **cigarette**
บุหรี่ซิการ์ bòu-rìi sí-kâa **cigare**
เบนซิน ben-sin **essence**
เบรก brèk **freins**
เบา bao **léger/légère**
เบียร์ bii·a **bière**
แบ่ง bèing **partager (avec)**
โบสถ์ bòt **cathédrale**
โบสถ์ bòt **église**
ใบกรรมสิทธิ์รถยนต์bai kam-má-sìt rót yon **carte grise**
ใบขับขี่ bai kràp krìi **permis de conduire**
ใบมีดโกน bai mîit kon **lame de rasoir**
ใบสั่งยา bai sàng yaa **ordonnance**
ใบเสร็จ bai sèt **reçu**
ใบหน้า bai nâa **visage**

ป

ปรอท pà-ròrt **thermomètre**
ประตู prà-tou **porte**
ประตู prà-tou **porte (aéroport, etc)**
ประเทศแคนาดา prà-trêt krei-naa-daa **Canada**
ประเทศนิวซีแลนด์ prà-trêt ni·ou sii-lein **Nouvelle-Zélande**
ประเทศเนเธอร์แลนด์ prà-trêt ne-treu-lein **Pays-Bas**
ประเทศฝรั่งเศส prà-trêt fà-ràng-sèt **France**
ประเทศสก็อตแลนด์ prà-trêt sà-kôrt-lein **Écosse**

ประเทศออสเตรเลีย prà-trêt or-sà-tre-lii-a **Australie**
ประเพณี prà-pre-nii **coutume**
ปรับอากาศ pràp aa-kàat **climatisé**
ปราสาท praa-sàat **château**
ปลอกหมอน plòrk mŏrn **taie d'oreiller**
ปลั๊ก plák **prise (électricité)**
ปลุก plòuk **réveiller**
ปวดฟัน pòu·at fan **mal de dents**
ปวดหัว pòu·at hŏu·a **mal à la tête**
ป่วย pòu·ay **malade**
ปอนด์ porn **livre (monnaie, poids)**
ปัญญาอ่อน pan-yaa òrn **idiot(e)**
ปั๊มน้ำมัน pám nám-man **station-service**
ปาก pàak **bouche**
ปากกา*(ลูกลื่น)* pàak-kaa (lôuk lêun) **stylo (à bille)**
บาติกbaa-tík **batik**
ป้ายรถเมล์ pâi rót me **arrêt d'autobus**
ป่ารก pàa rók **jungle**
ปิกนิก pìk-ník **pique-nique**
ปิด pit **fermer**
ปิดแล้ว pit léi·ow **fermé(e)**
ปี pii **année**
ปู่ pòu **grand-père (paternel)**
เป้ pê **sac à dos**
เป็นไปไม่ได้ pen pai mâi dâi **impossible**
เปลี่ยนแปลง plìi·an pleing **changer**
แปรง preing **brosse**
แปรงสีฟัน preing sii fan **brosse à dents**
แปล plel **traduire**
ไป pai **aller**
ไปกลับ pai klàp **aller retour (billet)**
ไปข้างนอก pai krâang nôrk **sortir**
ไปซื้อของ pai séu krŏrng **faire les magasins**
ไปเที่ยวกับ pai trîi·eiw kàp **sortir avec**
ไปรษณีย์ prai-sà-nii **poste**
ไปรษณีย์ทางธรรมดา prai-sà-nii traang tram-má-daa **par voie terrestre**
ไปรษณียบัตร prai-sà-nii-yá-bàt **carte postale**
ไปรษณีย์ลงทะเบียน prai-sà-nii long trá-bi·ein **en recommandé**
ไปรษณีย์อากาศ prai-sà-nii aa-kàat **par avion**

ผ

ผม prŏm **cheveux**
ผม/ดิฉัน prŏm/dì-chăn **m/f je • moi**
ผลไม้ prŏn lá mái **fruit**
ผัก pràk **légume**
ผับ pràp **pub (bar)**
ผ้าเช็ดตัว prâa chét tou·a **serviette**
ผ้าเช็ดปาก prâa chét pàak **serviette de table**
ผ้าซัก prâa sák **linge**
ผ้าปูที่นอน prâa pou trîi norn **draps**
ผ้าพันคอ prâa pran kror **foulard/écharpe**
ผ้าพันแผล prâa pran prlĕi **bandage**
ผ้าลีนิน prâa lí-nin **lin**
ผ้าห่ม prâa hòm **couverture**
ผ้าไหม prâa măi **soie**
ผ้าอนามัย prâa à-naa-mai **protège-slips**
ผ้าอนามัย pâh à-nah-mai **serviette hygiénique**
ผ้าอ้อม prâa òrm **couche**
ผิวเกรียมแดด prĭw krii·eim dèit **coup de soleil**
ผู้จัดการ prôu tyàt kaan **directeur/ directrice**
ผู้ชาย prŏu chai **homme**
ผู้โดยสาร prôu doy săan **passager**
ผู้หญิง prŏu ying **femme**
เผ็ด prèt **pimenté/épicé**
เผา prăo **brûler**
แผ่นซีดี prèin sii-dii **disque (CD-ROM)**
แผ่นดิสก์ prèin dìt **disquette (ordinateur)**
แผนที่ prein tii **carte/plan**
แผ่นพับโฆษณา prèin práp kro-sà-naa **brochure**
แผลไฟไหม้ prlĕi fai mâi **brûlure**

ฝ

ฝน fŏn **pluie**
ฝรั่ง fà-ràng **Occidental(e)**
ฝักบัว fàk bou·a **douche**
ฝ้าย fâi **coton**

พ

พจนานุกรม prót-tyà-naa-nóu-krom **dictionnaire**

พนักงานเสิร์ฟ pra-nák ngaan sèup **serveur/serveuse**

พระอาทิตย์ prá aa-trít **soleil**

พริกเขียว prík krĭi·eiw **poivron vert**

พรุ่งนี้ prôung níi **demain**

พรุ่งนี้เช้า prôung níi cháo **demain matin**

พรุ่งนี้บ่าย prôung níi bài **demain après-midi**

พรุ่งนี้เย็น prôung níi yen **demain soir**

พ่อครัว prôr krou·a **chef de cuisine**

พ่อแม่ prôr mêi **parents**

พิกัดน้ำหนักกระเป๋า prí-kàt nám nàk krà-pǎo **franchise**

พิการ prí-kaan **handicapé(e)**

พิพิธภัณฑ์ prí-prít-trá-pran **musée**

พี่ชาย prîi chai **grand frère**

พี่เลี้ยงเด็ก prîi líi·eing dèk **baby-sitter**

พูด prôut **parler**

เพศ prêt **sexe (genre)**

เพศสัมพันธ์แบบปลอดภัย prêt sǎm-pran bèip plòrt prai **rapports sexuels protégés**

เพื่อน prêu·an **compagnon**

เพื่อน prêu·an **ami(e)**

เพื่อนร่วมงาน prêu·an rôu·am ngaan **collègue**

ฟ

ฟรี frii **gratuit(e)**

ฟัง fang **écouter**

ฟิล์ม fim **pellicule (pour appareil photo)**

ฟิล์มสไลด์ fim sà-lái **diapositive**

ฟุตบอล fóut-born **football**

ฟูก fôuk **matelas**

แฟนผู้ชาย fein prôu chai **petit ami**

แฟนสาว fein sǎo **petite amie**

แฟลช flêit **flash (appareil photo)**

ไฟ fai **lumière/feu**

ไฟฉาย fai chǎi **lampe de poche**

ไฟแช็ค fai cháak **briquet**

ไฟหน้ารถ fai nâa rót **phares**

ภ

ภาพจิตรกรรม prâap tyit-tra-kam **tableau (peinture)**

ภาพถ่าย prâap trài **photo**

ภาพยนตร์ prâap-prá-yon **film (cinéma)**

ภาษา praa-sǎa **langue**

ภาษีสนามบิน praa-sǐi sà-nǎam bin **taxe d'aéroport**

ภูเขา prou krǎo **montagne**

เภสัชกร pre-sàt-chá-korn **pharmacien(ne)**

ม

ม้วนเทป móu·an trép **cassette**

มหาวิทยาลัย má-hǎa-wít-trá-yaa-lai **université**

มะม่วงหิมพานต์ má-môu·ang hǐm-má-praan **noix de cajou**

มันสมองกระทบกระเทือน man sà-mǒrng krà-tróp krà-treu·an **commotion cérébrale**

มากกว่า mâak kwàa **plus que**

มากขึ้น mâak krêun **plus de**

มิลลิเมตร mín-lí-mét **millimètre**

มีค่า mii krâa **de valeur**

มีด mîit **couteau**

มีดโกน mîit kon **rasoir**

มีดตัดเล็บ mîit tàt lép **coupe-ongles**

มีดพับ mîit práp **canif**

มีราคา mii raa-kraa **coût**

มืด mêut **obscur(e)**

มือ meu **main**

มือจับ meu tyàp **guidon**

มื้ออาหาร méu aa-hǎan **repas**

เม็ดยา mét yaa **pilule**

เมตร mét **mètre**

เมล็ดอัลมอนด์má-lét aa-morn **amande**

เมา mao **ivre**

เมาคลื่น mao krlêun **mal de mer (bateau)**

เมาเครื่อง mao krêu·ang **mal de l'air (avion)**

เมารถ mao rót **mal de la route (voiture)**

เมีย mii·a **femme/épouse**

เมือง meu·ang **ville**

เมื่อไร mêu·a rai **quand**
เมื่อวาน mêu·a waan **hier**
เมื่อวานซืน mêu·a waan seun **avant-hier**
แม่กุญแจ mêi koun-tyei **cadenas**
แม่น้ำ mêi náam **cours d'eau**
แม่ผัว mêi prŏu·a **belle-mère (mère du mari)**
แม่ยาย mêi yai **belle-mère (mère de la femme)**
โมเดม mo-dem **modem**
ไม่ mâi **non**
ไม้ขีดไฟ mái kriit fai **allumettes**
ไม่มี mâi mii **aucun(e)**
ไม่มีห้องว่าง mâi mii hôrng wâang **complet**

ไม่มีอะไร mâi mii à-rai **rien**
ไม่สบาย mâi sà-bai **inconfortable**
ไม่สูบบุหรี่ mâi sòup bòu-rìi **non-fumeur**

ย

ยกทรง yók song **soutien-gorge**
ยกเลิก yók léuk **annuler**
ยอด yŏrt **génial(e)**
ยา yaa **drogue**
ยา yaa **médicament**
ย่า yâa **grand-mère (paternelle)**
ยาก yâak **difficile**
ยากันแมลง yaa kan má-leing **insecticide**
ยาแก้ปวด yaa kêi pòu·at **analgésique**
ยาแก้ไอ yaa kêi ai **médicament contre la toux**
ยาคุมกำเนิด yaa kroum kam-nèut **contraceptif (pilule)**
ยาฆ่าเชื้อ yaa krâa chéu·a **antiseptique**
ยาดับกลิ่นตัว yaa dàp klìn tou·a **déodorant**
ยานวดผม yaa nôu·at prŏm **après shampooing**
ยาปฏิชีวนะ yaa pà-tì-chii-wá-ná **antibiotique**
ยาย yai **grand-mère (maternelle)**
ยาระบาย yaa rá-bai **laxatif**
ยาว yao **long**
ยาสีฟัน yaa sĭi fan **dentifrice**
ยาเสพติด yaa sèp tìt **drogues (illicite)**
ยาแอสไพริน yaa èit-sà-prai-rin **aspirine**
ยืนยัน yeun yan **confirmer (une réservation)**
ยุ่ง yôung **occupé(e)**
เย็น yen **frais/fraîche • froid(e)**
แย่ yêi **affreux/affreuse**

ร

รถเข็น rót krĕn **chariot**
รถเข็นคนพิการ rót krĕn kron prí-kaan **fauteuil roulant**
รถเข็นเด็ก rót krĕn dèk **poussette**
รถจักรยาน rót tyàk-kà-yaan **vélo**
รถแท็กซี่ rót tréik-sîi **taxi**
รถบัส rót bàt **bus (interurbain)**
รถพยาบาล rót prá-yaa-baan **ambulance**
รถไฟ rót fai **train**
รถมอเตอร์ไซค์ rót mor-teu-sai **moto**
รถเมล์ rót me **bus**
รถยนต์ rót yon **car**
ร่ม rôm **parapluie**
รหัสไปรษณีย์ rá-hàt prai-sà-nii **code postal**
รอ ror **attendre**
รองเท้า rorng tráo **chaussure(s)**
รองเท้าบู๊ต rorng tráo bóut **botte(s)**
ร้อน rórn **chaud(e)**
รอยพอง roy prorng **ampoule (pathologie)**
ระวัง rá-wang **Attention !**
รัก rák **aimer**
รัฐบาล rát-tà-baan **gouvernement**
รับประกัน ráp prà-kan **garanti(e)**
รับประทาน ráp prà-traan **manger (très formel)**
ราคา raa-kraa **prix**
ราคาส่วนลด raa-kraa sòu·an lót **remise**
ร้าน ráan **magasin**
ร้านกาแฟ ráan kaa-fei **café**
ร้านขายขนม ráan krăi krà-nŏm **pâtisserie**
ร้านขายของชำ ráan krăi krŏrng cham **supérette**
ร้านขายของที่ระลึก ráan krăi krorng trîi rá-léuk **magasin de souvenirs**
ร้านขายเนื้อ ráan krăi néu·a **boucherie**
ร้านขายยา ráan krăi yaa **pharmacie**
ร้านขายรองเท้า ráan krăi rórng tráo **magasin de chaussures**

ร้านขายเสื้อผ้า ráan krăi sêu·a prâa **magasin de vêtements**
ร้านขายหนังสือพิมพ์ ráan krăi năng-sěu prim **marchand de journaux**
ร้านขายเหล้า ráan krăi lâo **magasin de spiritueux**
ร้านขายอุปกรณ์กีฬา ráan krăi òup-pà-korn kii-laa **magasin de sports**
ร้านขายอุปกรณ์เขียน ráan krăi òup-pà-korn krĭi·an **papeterie**
ร้านดนตรี ráan don-trii **disquaire**
ร้านเสริมสวย ráan sěum sŏu·ay **salon de beauté**
ร้านอาหาร ráan aa-hăan **restaurant**
ร้านอินเตอร์เนต ráan in-teu-nét **cybercafé**
รายการ rai kaan **itinéraire**
รายการอาหาร rai kaan aa-hăan **carte (restaurant)**
รายวัน rai wan **quotidien**
รีโมท rii-môt **télécommande**
รูปหล่อ rôup lòr **beau**
เรือ reu·a **bateau**
เรือข้ามฟาก reu·a krâam fâak **bac/ferry**
เรือสำเภา reu·a săm-prao **jonque (bateau)**
แรมคืน reim kreun **pendant la nuit**
โรคกระเพาะอักเสบ rôk krà-pró àk-sèp **gastro-entérite**
โรคตับอักเสบ rôk tàp àk-sèp **hépatite**
โรคเบาหวาน rôk bao wăan **diabète**
โรคหัวใจ rôk hŏu·a tyai **maladie de cœur**
โรงซักรีด rong sák rîit **laverie**
โรงพยาบาล rong prá-yaa-baan **hôpital**
โรงแรม rong reim **hôtel**
โรงละคร rong lá-krorn **théâtre**
โรงหนัง rong năng **cinéma**
โรแมนติก ro-mein-tìk **romantique**
ไร่นา râi naa **ferme**

ล

ลอง lorng **essayer**
ละคร lá-krorn **pièce (théâtre)**
ลาก่อน laa kòrn **au revoir**
ล้าง láng **laver (quelque chose)**
ล่าม lâam **interprète**
ลิปสติก líp-sà-tìk **rouge à lèvres**
ลิฟต์ líp **ascenseur**
ลูกค้า lôuk kráa **client**
ลูกชาย lôuk chai **fils**
ลูกสาว lôuk săo **fille**
เล็ก lék **petit(e)**
เล็กกว่า lék kwàa **plus petit(e)**
เล็กที่สุด lék trîi sòut **le plus petit/la plus petite**
เลนส์ len **objectif (photo)**
เลนส์สัมผัส len săm-pràt **lentille de contact**
เลว le·ow **mauvais(e)**
เล็สเบียน lét-bi·ein **lesbienne**
เลือด lêu·at **sang**
แลก lêik **changer**
แลก(เช็ค) /แลก(เงิน) lêik (chék)/lêik (ngeun) **encaisser (un chèque) • changer (de l'argent)**
และ léi **et**

วงดนตรี wong don-trii **groupe (musique)**
วัง wang **palais**
วัตถุโบราณ wát-tròu bo-raan **antiquité**
วัน wan **jour**
วันเกิด wan kèut **anniversaire**
วันขึ้นปีใหม่ wan krêun pii mài **Jour de l'an**
วันที่ wan trîi **date (jour)**
วันที่เกิด wan trîi kèut **date de naissance**
วันนี้ wan níi **aujourd'hui**
วันมะรืน wan má-reun **après-demain**
วันเสาร์อาทิตย์ wan săo aa-trít **week-end**
ว่าง wâang **disponible**
ว่าง wâang **libre**
ว่ายน้ำ wâi náam **nager**
วิทยาศาสตร์ wít-trá-yaa-sàat **science**
วิทยุ wít-trá-yóu **radio**
วีซ่า wii-sâa **visa**
เวลาเปิด we-laa pèut **heures d'ouverture**
แว่นกันแดด wêin kan dèit **lunettes de soleil**
แว่นตา wêin taa **lunettes**
ไวรัสเอ็ชไอวี wai-rát èt ai wii **VIH (virus immunodéficience humaine)**

ศ

ศาสนาฮินดู sàat-sà-năa hin-dou **hindou(e)**
ศิลปะ sĭn-lá-pà **art**
ศิลปิน sĭn-lá-pin **artiste**
ศุลกากร sŏun-lá-kaa-korn **douane**
ศูนย์กลาง sŏun klaang **centre**

ส

สกปรก sòk-kà-pròk **sale**
ส่ง sòng **livrer**
สไตร์ค sà-trái **grève**
สถานี sà-trăa-nii **station**
สถานีขนส่ง sà-trăa-nii kŏn sòng **dépôt des bus**
สถานีตำรวจ sà-trăa-nii tam-ròu·at **commissariat**
สถานีรถไฟ sà-trăa-nii rót fai **gare ferroviaire**
สถานีรถไฟฟ้า sà-trăa-nii rót fai faa **station de métro**
สนามเทนนิส sà-năam tren-nít **court de tennis**
สนามบิน sà-năam bin **aéroport**
สบาย sà-bai **confortable**
สบู่ sà-bòu **savon**
สมุดโทรศัพท์ sà-mòut tro-rá-sàp **annuaire téléphonique**
สมุดบันทึก sà mòut ban-tréuk **carnet**
สรรพสินค้า sàp-prá-sĭn-kráa **grand magasin**
สรรพสินค้า sàp prá sĭn kráa **centre commercial**
สร้อยคอ soy kror **collier**
สระว่ายน้ำ sà wâi náam **piscine**
สวน sŏu·an **jardin**
สวนสัตว์ sŏu·an sàt **zoo**
สวนสาธารณะ sŏu·an săa-traa-rá-ná **parc**
ส้วม sôu·am **toilettes**
สวย sŏu·ay **beau/belle**
สวัสดีครับ/สวัสดีค่ะ sà-wàt-dii kráp/ sà-wàt-dii krâ **m/f Bonjour.**
สหรัฐอเมริกา sà-hà-rát à-me-rí-kaa **les États-Unis**
สอง sŏrng **Deux**
สองเตียง sŏrng tii·eing **lits jumeaux**
สะพาน sà-praan **pont**
สะอาด sà-àat **propre**
สัญญาณโทรศัพท์ san-yaan tro-rá-sàp **tonalité**
สามเหลี่ยมทองคำ săam lii·eim trorng kram **Triangle d'or**
สายการบิน săi kaan bin **compagnie aérienne**
สายพ่วง săi prôu·ang **câbles de démarrage**
สำคัญ săm-kran **important**
สำนักงานท่องเที่ยว săm-nák ngaan trôrng trii·eiw **office du tourisme**
สำลี săm-lii **ouate de coton**
สี sĭi **couleur**
สีขาว sĭi kră·ow **blanc**
สีเขียว sĭi krĭi·eiw **vert**
สีชมพู sĭi chom-prou **rose**
สีดำ sĭi dam **noir**
สีแดง sĭi deing **rouge**
สีน้ำเงิน sĭi nám ngeun **bleu foncé/bleu marine**
สีน้ำตาล sĭi nám taan **marron**
สีฟ้า sĭi fáa **bleu (clair)**
สีส้ม sĭi sôm **orange (couleur)**
สีเหลือง sĭi lĕu·ang **jaune**
สุข sòuk **heureux/heureuse**
สุขภาพ sòu-krà-prâap **santé**
สุขาสาธารณะ sòu-krăa săa-traa-rá-ná **toilettes publiques**
สุสาน sòu-săan **cimetière**
เสีย sĭ·a **abîmé(e)**
เสีย sĭ·a **hors service**
เสียงดัง sĭi·eing dang **bruyant(e)**
เสียแล้ว sĭ·a léi·ow **en panne**
เสื้อกันฝน sĕu·a kan fon **imperméable**
เสื้อกันหนาว sêu·a kan năo **veste**
เสื้อคลุม sêu·a krloum **manteau**
เสื้อชูชีพ sêu·a chou chîip **gilet de sauvetage**
เสื้อเชิ้ต sêu·a chéut **chemise**
เสื้อถัก sêu·a tràk **pull • chandail**
เสื้อผ้า sêu·a prâa **vêtements**
เสื้อยืด sêu·a yêut **T-shirt**
แสตมป์ sà-téim **timbre**
โสด sòt **célibataire**
โสเภณี sŏ-pre-nii **prostituée**

ใส่กุญแจ sài koun-tyei **fermer à clé**
ใส่กุญแจแล้ว sài koun-tyei léi·ow **fermé(e) à clé**

ห

หนัก nàk **lourd(e)**
หนัง năng **cuir**
หนังสือ năng-sĕu **livre**
หนังสือเดินทาง năng-sĕu deun traang **passeport**
หนังสือพิมพ์ năng-sĕu prim **journal**
หน้า nâa **prochain (mois)**
หน้า nâa **saison**
หน้าต่าง nâa tàang **fenêtre**
หน้าใบไม้ผลิ nâa bai mái plì **printemps**
หน้าฝน nâa fŏn **saison des pluies**
หน้าร้อน nâa rórn **été**
หนาว năo **froid(e) (sensation)**
หน้าหนาว nâa năo **hiver**
หน้าอก nâa òk **poitrine**
หนึ่ง nèung **un(e) (nombre)**
หมอ mŏr **docteur**
หมอน mŏrn **oreiller**
หมอนวด mŏr nôu·at **masseur/ masseuse**
หม้อแบตเตอรี่ môr bèit-teu-rîi **batterie (voiture)**
หม้อแปลง môr pleing **adaptateur**
หมอฟัน mŏr fan **dentiste**
หมา măa **chien**
หมายเลขหนังสือเดินทาง măi lêk năng-sĕu deun traang **numéro de passeport**
หมายเลขห้อง măi lêk hôrng **numéro de chambre**
หย่าแล้ว yàa léi·ow **divorcé(e)**
หยุด yòut **Stop !**
หรูหรา rŏu răa **luxueux/luxueuse**
หลัง lăng **après**
หลัง lăng **dos**
หลัง lăng **arrière (siège, etc)**
หลาน lăan **petit-fils/petite-fille**
หวาน wăan **sucré(e)**
หวี wĭi **peigne**
ห่อ hòr **paquet**
ห้อง hôrng **espace/pièce**
ห้องเก็บเสื้อ hôrng kèp sêu·a **vestiaire**
ห้องคอนโด hôrng krorn-do **appartement**
ห้องคู่ hôrng krôu **chambre pour deux**
ห้องเดี่ยว hôrng dìi·eiw **chambre pour une personne**
ห้องนอน hôrng norn **chambre à coucher**
ห้องน้ำ hôrng náam **salle de bains**
ห้องเปลี่ยนเสื้อ hôrng plìi·an sêu·a **cabine d'essayage**
ห้องพักรอ hôrng prák ror **salle d'attente**
ห้องพักสำหรับคนเดินทางผ่าน hôrng prák săm-ràp kron deun traang pràan **salle de transit**
ห้องรับฝากกระเป๋า hôrng ráp fàak krá-păo **service de consigne (à bagage)**
ห้องว่าง hôrng wâang **chambre libre**
ห้องสมุด hôrng sà-mòut **bibliothèque**
ห้องแสดงภาพ hôrng sà-deing prâap **galerie d'art**
หักแล้ว hàk léi·ow **brisé(e)/cassé(e)**
หัตถกรรม hàt-trà-kam **artisanat**
หัว hŏu·a **tête**
หัวใจ hŏu·a tyai **cœur**
หัวใจวาย hŏu·a tyai wai **crise cardiaque**
หัวนมเทียม hŏu·a nom tri·eim **tétine (sucette)**
หาย hăi **perdu(e)**
หายาก hăa yâak **rare**
หิวน้ำ hĭ·ou náam **avoir soif**
หูเทียม hŏu tri·eim **appareil auditif**
เหนื่อย nèu·ay **fatigué(e)**
เหรียญ rĭi·ein **pièces (de monnaie)**
เหล็กไขจุกขวด lèk krăi tyòuk kròu·at **ouvre-bouteille**
เหล้า lâo **alcool**
เหล้าไวน์ lâo wai **vin**
แห้ง hêing **sec/sèche**
แหนบ nèip **pince à épiler**
แหวน wĕin **bague (au doigt)**
ใหญ่ yài **grand(e)**
ใหญ่กว่า yài kwàa **plus grand(e)**
ใหม่ mài **nouveau/nouvelle**
ไหล่ lài **épaule**

อวัยวะเพศชาย ong-krá-châat **pénis**
อย่างช้า yàang cháa **lentement**
อร่อย à-ròy **délicieux/délicieuse**

อรุณ à-roun **aube**
อ้วน ôu-an **gras/grasse/gros/grosse**
ออกเดินทาง òrk deun traang **partir (se mettre en route)**
อ่อน òrn **clair(e) (couleur)**
อันตราย an-tà-rai **dangereux/dangereuse**
อ่างน้ำ àang náam **baignoire**
อาจารย์ aa-tyaan **professeur**
อาทิตย์ aa-trít **semaine**
อารมณ์ aa-rom **sentiment**
อาหาร aa-hăan **nourriture**
อาหารกลางวัน aa-hăan klaang wan **déjeuner**
อาหารเช้า aa-hăan cháo **petit-déjeuner**
อาหารตั้งโต๊ะ aa-hăan tâng tó **buffet**
อาหารทารก aa-hăan traa-rók **nourriture pour bébé**
อาหารที่จัดทำตามหลักศาสนายิว aa-hăan trîi tyàt tram taam làk sàat-sà-năa yi-ou **casher/kasher**
อาหารที่จัดทำตามหลักศาสนาอิสลาม aa-hăan trîi tyàt tram taam làk sàat-sà-năa ìt-sà-laam **halal**
อาหารมื้อเย็น aa-hăan méu yen **dîner**
อาหารไม่ย่อย aa-hăan mâi yôy **indigestion**
อาหารว่าง aa-hăan wâang **collation**
อินเตอร์เนต in-teu-nét **Internet**
อีก(อัน) หนึ่ง ìik (an) nèung **autre/un(e) autre**
อุณหภูมิ oun-hà-proum **température (temps)**
อุ่น òun **chaud(e)**
อุบัติเหตุ òu-bàt-hèt **accident**
เอกสาร èk-kà-săan **document**
ไอ ai **tousser**
ไอศกรีม ai-sà-kriim **glace**

เฮโรอีน he-ro-iin **héroïne**

INDEX

A

B

C

D

E

F

G

INDEX

H

I

J

K

L

M

N

O

P

Q

R

S

T

U

V

NOTES

guide de conversation
Grec
guide de conversation
Italien
guide de conversation
Portugais et brésilien
guide de conversation
Anglais
Pour ne pas garder sa langue dans sa poche !
guide de conversation
Espagnol
Dictionnaire bilingue inclus
guide de conversation
Allemand
Pour ne pas garder sa langue dans sa poche !

guide de conversation
Vietnamien

guide de conversation
Japonais

CATALOGUE LONELY PLANET EN FRANÇAIS

Guides de voyage

Afrique de l'Ouest
Afrique du Sud, Lesotho et Swaziland
Algérie
Andalousie
Argentine
Asie centrale
Australie
Bali et Lombok
Bolivie
Brésil
Budapest et Hongrie
Bulgarie
Cambodge
Canaries
Chili et île de Pâques
Chine
Corée
Corse
Costa Rica
Crète
Croatie
Cuba
Écosse
Égypte
Équateur et îles Galápagos
Espagne Nord et Centre
Grèce continentale
Guadeloupe et Dominique
Guatemala
Îles grecques et Athènes
Inde du Nord
Inde du Sud
Iran
Irlande
Israël et les Territoires palestiniens
Italie
Japon
Jordanie
Kenya
Laos
Libye
Madagascar
Malaisie, Singapour et Brunei
Maldives
Maroc
Martinique, Dominique et Sainte-Lucie
Mexique
Myanmar (Birmanie)
Népal
Norvège, Suède, Danemark, Finlande et îles Féroé
Nouvelle-Calédonie
Ouest américain
Pays Baltes, Estonie, Lettonie et Lituanie
Pérou
Portugal
Québec
République tchèque et Slovaquie
Réunion, Maurice et Rodrigues
Roumanie et Moldavie
Russie et Biélorussie
Sardaigne
Sénégal et Gambie
Sicile
Sri Lanka
Tahiti et la Polynésie française
Tanzanie
Thaïlande
Toscane et Ombrie
Transsibérien
Tunisie
Turquie
Ukraine
Vietnam

Guides de villes

Barcelone
Berlin
Londres
Marrakech, Essaouira et Haut Atlas
Marseille et les calanques
Naples et la côte amalfitaine
New York
Rome
Venise

En quelques jours

Barcelone
Berlin
İstanbul
Londres
Madrid
Marrakech
New York
Paris
Prague
Tokyo

Guides de conversation

Allemand
Anglais
Arabe égyptien
Arabe marocain
Croate
Espagnol
Espagnol latino-américain
Grec
Hindi, ourdou et bengali
Italien
Japonais
Mandarin
Polonais
Portugais et brésilien
Russe
Thaï
Turc
Vietnamien

Petite conversation en

Allemand
Anglais
Espagnol
Italien

Petite conversation audio

Anglais
Espagnol
Italien